ПРОЗА
МАШИ
ТРАУБ

Читайте книги в серии «Проза Маши Трауб»

•

Любовная аритмия

О чем говорят младенцы

Я никому ничего не должна

Вcяla vie

Семейная кухня

Ласточ...ка

Замочная скважина

Не вcяla vie

Пьяная стерлядь

Тетя Ася, дядя Вахо и одна свадьба

Дневник мамы первоклассника

Падшая женщина

Домик на юге

Осторожно - дети! Инструкция по применению

Собирайся, мы уезжаем

Соня и Александра

Плюс один стул

Чужой ребенок

Счастливая семья

Терпкий вкус тутовника

Руками не трогать

Истории моей мамы

Наша девочка

Шушана, Жужуна и другие родственники

Вторая жизнь

Продается дом с дедушкой

Уважаемые отдыхающие!

Маша Трауб

Уважаемые отдыхающие!

Москва
2017

УДК 821.161.1-3
ББК 84(2Рос=Рус)6-44
Т65

Художественное оформление серии *С. Груздева*

В оформлении переплета использована иллюстрация *М. Дорошенко*

Трауб, Маша.

Т65 Уважаемые отдыхающие! / Маша Трауб. — Москва : Издательство «Э», 2017. — 352 с. — (Проза Маши Трауб).

ISBN 978-5-699-95569-5

Уважаемые отдыхающие!

В курортных местах принято жить по другому календарю. Здесь есть всего два времени года – сезон и несезон. И два времени суток – открыто и закрыто. У местных жителей есть прошлое и настоящее, но никто не знает, наступит ли будущее. Уважаемые отдыхающие! Эта книга для вас.

Маша Трауб

УДК 821.161.1-3
ББК 84(2Рос=Рус)6-44

ISBN 978-5-699-95569-5

Все персонажи вымышлены,
и любое совпадение с реально живущими
или жившими людьми случайно.

• • •

— Ильич, куда ставить-то?

— На голову мне поставь!

— Так мне все равно, я могу и на голову! Сколько можно телепаться с этими стульями — туда отнеси, сюда принеси. Я чё, нанимался стулья таскать?

— Нанимался! Во двор отнеси!

— Так со двора принес!

— У Гали спроси. Она знает, куда ставить.

— Галина Васильевна! Куда стулья-то? Ща тут брошу!

— Я те брошу. На голову мне поставь!

— Ильич, у меня отдыхающие ключи уносят, не сдают. Я им говорю — сдавайте, я уберу, а они не сдают. Я ж зайти в номер не могу. Они ж потом жалуются, что мусор не вынесли, полы не протерли. Так мне жалко, что ли? Я ж понимаю, что людям в чистое хочется вернуться. Так я что, в форточку должна влезать? Как я без ключей-то? Давай сделаем запасные. Ну что я над этими ключами больше всех трясуся? От пятого — один остался. Ильич, слышь? От пятого, говорю, один. Если что — дверь ломать будем. Я им табличку, как ты велел, выставила — штраф за утерю. Так и что б они на табличку глядели! Да и зачем им таблички? Люди отдыхать приехали! Я ж хочу, чтобы чисто было, чтобы люди довольны, а они не довольны. Я им про ключи говорю, а они мне про мусор. Ну я их и так караулю. Так за всеми не углядишь — кто когда пришел, кто ушел. А если дети маленькие? Так надо до обеда убрать. Чтобы дите поспать могло. Ильич, давай дубликаты сделаем. Ну сколько можно просить? И окно надо починять на втором этаже. Хлобыстает туда-сюда. Я ж подкладываю бумажку, но оно все равно хлобыстает. Рама на соплях уже. Один раз шваркнет и на голову кому-нибудь свалится. А если ребенку, не приведи господь? Они ж во дворе все время!

— Настя! Вас для чего наняли? Чтобы вы убирали! Вот и убирайте! Если какие вопросы по ключам и уборке — скажите Галине Васильевне! Про форточку — к Феде.

— Чё Федя-то? Чуть что — Федя крайний! Раму я чинил. Сто раз говорил, нечего дергать и шваркать! Настя как шваркнет, так любая рама отвалится. Если осторожно поднажать, так она и закроется!

— Ильич, я не шваркаю! Там на соплях все давно. Как было, так и осталось. У Феди руки из одного места. Бывают же мужики безрукие! Ильич! Давай слесаря нормального вызовем! Да хоть Мишку!

— Вызывай своего Мишку. Он уже неделю бухает.

— А тебе лишь бы языком чесать! Стулья унеси со двора! Ильич, так чё с ключами-то? Я ж уже как партизан за отдыхающими слежу. Они от меня шарахаются. Я ж только убрать.

— Где Галина Васильевна? Галя! Галя!

Этот разговор происходил в небольшом дворике перед зданием, которое теперь именовалось гостиницей, а раньше было пансионатом, еще раньше — доходным домом, а еще раньше — частным.

Частный дом строили для себя, для семьи, многочисленных разновозрастных детей, тетушек с низким давлением, дядюшек с бронхами, кузин с нервами и кузенов с карточными долгами. Специально выписанный из столицы садовник отвечал за дерево шелковицы, которое так любила кузина с нервами, кусты олеандров, крошечные пальмы и каштановые деревья. Два кипариса были специально высажены на террасе под окнами для главы семейства, который, впрочем, так их ни разу и не увидел. Как и собственный частный дом. Глава семейства страдал сердцем и лежал в покоях в столице, пока садовник колдовал над кипарисами — приживутся ли? Кипарисы прижились, а хозяин дома отошел в мир иной.

Вдова приняла решение превратить усадьбу в доходный дом, что вызвало массу пересудов среди многочисленных родственников. Но перспектива дохода оказалась желаннее, чем никому не нужная память о покойном. Вдова же, при жизни мужа не вмешивавшаяся в ремонтные и прочие хозяйственные дела, вдруг обнаружила не пойми откуда взявшуюся деловую жилку и затеяла грандиозный ремонт, решив провести в дом водопровод и уж совсем небывалое излишество и роскошь — канализацию.

О доходном доме быстро заговорили. И комнаты не стояли пустыми. Вдова разбогатела так, что покойный муж в гробу переворачивался. Родственники все как один молчали, благодарили и улыбались. Им тоже перепадало от доходов. Вдова вдруг стала состоятельной женщиной и снова богатой невестой. Незамужние кузины хотели что-то сказать, но языки прикусили. С вдовой ссориться было невыгодно.

И уже можно было начинать гадать, что будет дальше, за кого вдова в результате выйдет замуж, если бы не новые порядки. Вдова первой почувствовала, что «дело пахнет керосином», как сказали бы в советские годы, и передала доходный дом на нужды революции. Кузины считали, что не безвозмездно, а за приличную сумму. Это потом стали забирать и национализировать, а вдова успела продать. Иначе на какие шиши она бы обосновалась в Париже вместе с новым мужем? Ушлая оказалась дамочка. А с виду и не скажешь. Откуда что взялось? А ведь раньше была тихая, неприметная.

После революции дом регулярно потряхивало. Он повидал на своем веку многое — и беспризорников, для которых здесь была устроена школа, и видных деятелей, приезжавших сюда отдохнуть от государственных дел. Потом здесь располагались детский сад, госпиталь, некоторое время дальняя дача для начальства, ближняя дача, снова детский сад и, если верить сплетням, дом свиданий. Несколько лет дом стоял заброшенный, забытый, поникший, никому не нужный.

Уже в позднее советское время про дом вспомнили и решили применить его туда, куда не нужно, но вроде стоит, потому как больше вроде и некуда. Государственные деятели предпочитали другой пансионат, для больницы было построено новое здание, детский сад обосновался в еще одной новостройке. После недолгих споров дом с трудной судьбой был объявлен Домом творчества. Так сказать, для работников культуры в широком смысле. Сюда могли получить путевку художники, музыканты, писатели, журналисты и другие деятели творческого труда. В одном месте и под условным приглядом.

Внутренности и внешность дом, получивший гордое название, изменил кардинально, тут уж ничего не поделаешь. Прежде всего появились таблички на стенах. Просто удивительная в то время была страсть к табличкам и плакатам. Разрешается, запрещается, правила поведения. Это сейчас смешно вспоминать. Молодежь, та вообще не понимает. А раньше понимали — распорядок дня, корпус открыт «с и до». «Посещение посторонних лиц без талона на проживание запрещено». «Постельные принадлежности выносить из корпуса категорически запрещено». «Телевизор в холле выключает дежурная в 23.00». «Отход ко сну в 23.00. Администрация». «Закрывайте двери в корпус. Администрация». «Перед выездом сдать номер дежурному администратору. Администрация».

Мифическая инстанция. Строгая и карающая. Ох, молодежь ничего не знает, а старшее поколение помнит. Поэтому слушается. Загуляли после одиннадцати — всё, двери на замке. И хоть стучись, хоть ломись, не пустят. Ладно, если номер на первом этаже, тогда можно через балкон перелезть. Или умолять дежурную, стоя на коленях, и обещать, что в первый и последний раз. В зависимости от темперамента и жизненного опыта у жильцов были и свои способы нарушать запреты и задабривать строгое карающее божество под названием «Администрация». Кто-то ломился в двери с бутылкой вина и шоколадкой, кто-то шуршал купюрами, кто-то устраивал скандал, да так, чтобы все слышали. Творческая интеллигенция, что с нее взять? И выносят, и не сдают, и ко сну вовремя не отходят.

Галя, Галочка, Галина Васильевна, Галчонок — как только ее не называли отдыхающие — дверь всегда оставляла приоткрытой. Только чуть толкнуть надо. И люди ей понятливые попадались — заходили тихо, на цыпочках, дверь аккуратно прикрывали, чтобы не грохнула ненароком. Федя же, когда дежурил, запирал калитку на все замки. Люди трясли железную дверь, сначала деликатно, потом настойчиво, били камнем по решеткам, а он сидел в своем закутке на посту, за ситцевой занавеской, и не открывал. Ему нравилось власть показывать. Потом открывал, конечно, но с таким особым одолжением. Перед этим еще кричал, громко, чтобы все слышали: «Правила для кого писаны? Для всех писаны! Не открою! У нас порядок! И не стучите!» Потом, конечно же, открывал, потому что с балконов начинали кричать: «Да пустите их уже! Сколько можно?» Калитка, хоть и железная, еженощных терзаний, естественно, не выдержала. Собачка слетела, и замок держался на честном слове. Галя предложила оставить дверь нечиненой, чтобы люди могли свободно входить и выходить. Не только отдыхающие, но и все желающие посидеть во дворике под кипарисами, в тени, в прохладе.

— Чужих пускать? — возмутился Федор, будто речь шла о его собственной жилплощади.

Федя ныл, скандалил, ходил к Ильичу каждый день и проел-таки ему плешь. Но это было уже позже, можно сказать совсем недавно. Несколько сезонов назад. Ильич решил не чинить входную калитку, как хотела Галя, — пусть заходят, пусть сидят, но дал разрешение на установку железной двери с кодовым замком на входе в само здание, как просил Федор. Вход считался черным, но пользовались им активно, особенно дети, которые бегали по двору, потом неслись в туалет, рискуя описаться по дороге. Но Федя сказал, что если посторонние решат зайти и что-то украдут, то он предупреждал. Дверь поставили. И кодовый замок. Первые два дня после установки Федор был счастлив. Просто на седьмом небе. Ходил и светился. Поскольку была его смена и отдыхающие, привычно заходившие через беззамочную калитку во двор, застревали в недоумении перед еще одной железной дверью, с кодом. И снова приходилось искать камень и стучать по прутьям. А за дверью маячил Федя и наслаждался: «Правила для кого писаны? После одиннадцати вход воспрещен! Администрация!»

Но Федорово счастье длилось недолго. Вышедшая на смену Галя выдавала код, который оказался простым до неприличия — «два-четыре-шесть» всем отдыхающим. Дети быстро наловчились нажимать на кнопочки, причем с обеих сторон. Кнопочки находились с внутренней стороны, то есть открыть дверь можно было только изнутри. Но дети выкручивали руки, отжимали, открывали и пропускали всех желающих. Взрослые тоже научились вслепую попадать пальцами куда надо и заходили беспрепятственно.

Федор, когда заступил на смену, сначала даже не понял, что все его старания пошли насмарку — никто не кричал, не стучал в дверь. А когда увидел, как отдыхающие ловко, просовывая руку между решеток, нажимают код, то впал в истерику. Оставалась надежда на новеньких проживающих, которым старенькие не успели передать сокровенное знание о коде. И ведь раньше никто не спорил, права не качал. А сейчас?

— Мы тут чё, забесплатно живем? Отдыхать приехали. Деньги вы дерете, как в Европе. А сервис — совок, — взъерепенился как-то мужик-отдыхающий, — слышь, ты, на неделю я тут хозяин. И буду гулять, приводить, выносить, проносить, сколько и кого захочу. А ты сделай так, чтобы мне понравилось тут. Понял?

— Возмущаются они! — бубнил Федор. — Так и пусть ехают туда, к нам тогда чего прутся? А если прутся, то у нас тут не Европа!

Да, не Европа. Узкие улочки, созданные для крошечных машинок, велосипедов, мопедов и прочей мелкогабаритной техники, втискивали в себя джипы-внедорожники, «газели», привозившие продукты, «мерседесы» с широкими задами и грузовики, доставлявшие кирпич для постройки новых частных домов. Потому что у нас тут вам не так, как у них. У нас «газель» — главная машина!

Машины едут по набережной. Кто-то давит на гудок, кто-то нет. Под колесами оказываются дети, мячи, мамаши, опять дети и снова мячи. Удивительно, но ни одного несчастного случая. Дети и мячи в целости и сохранности. Наверху, у начала набережной, надо развернуться на крохотном пятачке, где уже стоят автомобили. Или ехать в объезд, по дороге, рассчитанной на одну машину, цепляя зеркалами стену. Местные, те с закрытыми глазами едут, задом сдают так, что залюбуешься. Если же кто застрял да корячится, выехать не может, — точно приезжий. А потом снова вверх, где еще у́же. И тут счет идет на миллиметры. Местные все водители — миллиметровщики. Другой дороги-то нет. Еще, бывает, встанут и перегородят машинами улицу. Отдыхающие по стеночкам домов протискиваются. А водилы стоят и про жизнь, про погоду болтают. Италия вроде как. Те, кто был в Италии, говорят, что там точно так же, как здесь. Так что на самом деле не хуже, чем в Европе.

Про постельные принадлежности — очень нужный пункт. Это сейчас подстилки на любой вкус. А раньше? Ладно еще отдыхающие покрывала с кровати на пляж носили, так еще и одеяла шерстяные утаскивали! Расстелят, камешками с четырех сторон придавят и ложатся загорать. С одной стороны, удобно — мягко, галька в спину не врезается. С другой — жарко и колко от такой подстилки. Долго не полежишь — опять в море бежать, чтобы от пота, который сразу выступает, если на шерсти лежишь, ополоснуться. Девушки терпят — лежат до последнего, пока одеяло не начнет так парить, что мочи нет, а кожа не покраснеет. Потом, после пляжа, с одеялом одни мучения — от соли колом стоит, полоскать на руках — никаких сил не хватит. Оно же неподъемным становится. Нет, некоторые отчаянные девушки пытались стирать — укладывали одеяло в поддон душа и поливали сверху. Только потом как отжать? Не отожмешь. Пока до балкона дотащишь, весь пол мокрый. На балконе и вовсе по щиколотку. Вода с одеяла не ручьем, а полноводным потоком стекает. В общем, кто хоть раз пытался стирать одеяло — знает. Руки помнят.

И запах. Да, как же можно забыть про запах, который немедленно начинает источать мокрое шерстяное одеяло? Впитав в себя целый букет — от сигаретного дыма и вяленой рыбы (да, в прошлом сезоне отдыхающие на одеяле рыбу разделывали) до аромата духов, ничем не выветриваемого (в позапрошлом сезоне мужик так и не смог объяснить внезапно нагрянувшей жене, отчего в номере отчаянно воняет чужой бабой), — одеяло при замачивании начинает отдавать всё сразу. И тут уже особо чувствительным не устоять. Аж глаза начинают слезиться.

Вот и что делать со злополучным одеялом? Сложить и убрать в шкаф подальше, лучше на верхнюю полку, пусть потом уборщица разбирается. А уборщице что делать? В стиралку не засунешь — барабан не тянет, да и не помещается. Только в химчистку. А химчистка под запрос, с разрешения директора. Директору же не до одеял, у него других забот полно. Так что одеяло вывешивается в углу двора, на прожарку, на солнцепек, выбивается палкой, а то и веником. Поливается дождем и снова выжаривается. Пятна если и остаются, то их не видно — одеяла-то коричневые.

Да и зачем, скажите на милость, одеяла в сезон? Жара же. Сдохнуть можно. Вечером прохлада долгожданная. Ночью хоть охолонуться можно. Но по укомплектации положено одеяло в номере. Да и мерзлявые дамочки попадаются — им укрыться хочется.

Но это ладно. Пусть укрываются, если желают, только зачем на пляж-то тащить? А они тащат! На набережной что только не продается — и коврики из соломки, и полотенца. Да хоть матрас купи и лежи сколько хочешь. Очень удобно. Так нет же, все равно одеяла тащат. Несколько раз вообще ковровые дорожки на пляж выносили. Ну что за люди? Вниз дорожку кладут, сверху полотенце казенное и валяются. Им хорошо, а что потом с дорожкой? Мелкие камни прилипают, пылесос их заглатывает, поперхивается и ломается. Пылесосов не напасешься. Ладно бы обтрухали за собой, так нет же.

Зато жалуются, что сток в душе засорился. Вода в поддоне стоит. Конечно, стоит, как не стоять? Волосья свои намывают, сток засоряется. Зачем голову каждый день мыть? Раз в неделю нельзя? Вредно ведь, когда каждый день. Все знают, что вредно. Мало волосьев, так еще и камни, песок. Струсить-то никак нельзя заранее? Сами виноваты. А еще жалуются. И ты им перечить не смей. Они ж по путевке, деньги уплочены.

Все-таки раньше порядку больше было. Люди понимающие. Вот напишешь им объявление: «Закрывать дверь после захода в помещение!» — и они закрывают. Не все, конечно, но большинство. Или: «Перед заходом в спальный корпус — обтруситься!» И ведь тоже понимают. Обтрухаются.

А сейчас? Им хоть на лбу напиши — наплевать. Вежливо просишь: закрывайте дверь — а они и бровью не ведут. Еще и оскорбляются — мол, вы тут обслуга, вы и закрывайте двери.

Настя за дверь очень ругается. Прямо пунктик у нее. Если кто закрывает, она даже улыбнется, мусор пораньше вынесет. А если не закрывают, так Настя ничего с собой поделать не может — обязана убраться, а не убирается. Тряпкой повозит и выходит. У Насти для женщин два определения — засранка и чистюля. И не понятно, что хуже. Если вещи разбросаны, так засранка, если убраны, Настя тоже недовольна. Она любит наряды разглядывать. Особенно у столичных дамочек. Сразу понимаешь, что сейчас в моде, а что нет. До них-то мода лет через пять дойдет и то в лучшем случае. А Настя всегда в курсе новинок. Поэтому чистюль не любит. У Насти же правило — в шкаф она не лазит. А вот если валяются на стуле или на кровати, то можно. Галина Васильевна сколько раз говорила, предупреждала, но у Насти была своя железобетонная логика:

— Я ж не меряю, я только смотрю.

Вот интересно. Галина Васильевна думала, что Настя здесь надолго не задержится. Не ее эта работа. Да сколько уж таких Насть переменилось, и не сосчитать. Приезжают на сезон, присматриваются, а там кому как повезет. Или не повезет. Галина Васильевна с десяти метров видела — кто только сезон продержится, а кто и сезона не пробудет. С Настей ошиблась. Прижилась.

— Галина Васильевна, я чё, каждый день должна полотенца менять? А белье они хотят чистое — раз в три дня. Кто им стирать будет? Я, что ли? Пусть едут в пансионаты и там хоть обстирайся. Галина Васильевна, скажите Ильичу за машинку. Она у меня уже конем скачет, всю плитку на полу сбила. Когда отжимает, так я на нее чуть ли не ложусь, чтобы удержать. Они просют, чтобы я им вещи постирала. И деньги суют. Да зачем мне деньги? Мне машинка новая нужна! И счетчик выбивает! Там совсем кранты! Если машинка тянет, то чайник я уже не включу. И утюг еле-еле теплый. Так мне что — убиться за это белье? Ильич на меня ругается, отдыхающие жалуются. А я при чем? Зачем им каждый день? Такие грязные, что ли? Раз в пять дней положено ведь! Уборка по запросу. Мусор накопился? Так что, сложно подойти и сказать, что корзина полная? Я догадываться должна? А они спрашивают, что значит «уборка по запросу»? Галина Васильевна, вы им объясните, что, если попросят, уберу. Если им не надо, то и мне не надо. Можно же в положение войти. Если у меня два номера съехали, так я там убираю и все меняю. На другие у меня времени нет.

Но по натуре Настя была добрая и безобидная. Скандальная, это да. На пустом месте заведет волынку — не остановишь.

Вот Федор, тот злой. Маньяк. Ему нравилось над людьми издеваться. Когда дежурил, то всё, считай, всех изведет. Прямо наслаждался властью. Увидев отдыхающих, которые шли на пляж или на завтрак, он тут же хватал телефонную трубку и изображал важный разговор. Делал знак отдыхающим — мол, подождите. Отдыхающие покорно останавливались, потому как администратор просто так не остановит, значит, что-то важное. Федор еще пару минут имитировал телефонный разговор и затем с важным видом утыкался в какую-то писульку — лежавший на столе листок.

— Вы из седьмого номера?

— Да, — снова пугались отдыхающие.

— Тогда вам смена не положена. Через два дня.

Он дожидался следующих отдыхающих и снова хватался за телефон. Тут уже было поинтереснее, но начало разговора оставалось неизменным.

— Вы из десятого?

— Да.

— Вам сегодня положена смена, — объявлял наконец Федор.

— Смена чего?

— Как чего? Белья! Ждите, сейчас я вызову уборщицу, вы с ней все обговорите.

— А что тут обговаривать? — удивлялись отдыхающие

— Ждите. Потом чтобы без претензий!

Настю Федор никогда не звал. Она бы не пришла, да еще бы и обматерила так, чтобы все слышали. Настя Федора ни во что ни ставила, ни в грош. За мужика вообще не держала. Федор злился, но Настю побаивался. У них была своя, давнишняя история.

Когда Настя только появилась, а она появилась в пансионате позже, чем все остальные, Федор ее прижал. Настя, впрочем, была не против. Но Федор ничего не смог по мужской части. Настя не то чтобы удивилась, и не на такое напарывалась. Но Федя решил, что в его бессилии виновата новая горничная, и начал ей мстить. Он ходил к Ильичу и передавал жалобы на Настю от отдыхающих. Требовал ее уволить. Но Ильич, которому Настя нравилась за легкость и добрый, отходчивый нрав, за бесхитростность и язык без костей — она сначала говорила, потом думала, — увольнять ее не собирался. Настя же про хождения Федора не знала и даже не подозревала. Федя же с горя напился и опять начал приставать. Настя опять была не против, но опять не сложилось. И Федор в ярости двинул Насте кулаком в скулу. Ее ударом по морде было не удивить, но она привыкла получать от мужиков настоящих — за дело, за то, что с другим гуляла, а не от импотентов всяких. Пока Настя в шоке потирала скулу, Федор возбудился и начал к ней лезть. Настя от такой наглости обалдела и шваркнула Федю по голове настольной лампой.

На следующий день она, замазывая синяк тоналкой, всем немедленно сообщила, что Федор-то импотент да еще извращенец — руки распускает, по мордасам бьет и только после этого у него встает. Насте все немедленно поверили — ей какой смысл врать? И Федю прозвали Федор Полшестого.

Один сезон сменялся другим, но отдыхающие отчего-то сразу узнавали Федину кличку, а дамочки брезгливо морщились и совершенно его не стеснялись.

Сначала Федор бесился, ерепенился, но постепенно смирился. Настю он демонстративно не замечал.

Поэтому, когда дежурил, звал Светку.

Светка приходила:

— Чё звал?

— Не звал, а вызывал, — отвечал Федор, — обговори с отдыхающими уборку.

— Чё обговаривать? — огрызалась Светка.

Федор злился. Вот ведь дура, даже подыграть не может. Надо бы этой козе рога обломать. Ходит тут, задом вихляет. Перед каждым молодым мужиком крутится. Да была б его воля, он бы ей... он бы ее быстро... к ногтю... через колено... чтобы даже не пикнула... Волосья опять выкрасила. Шалава малолетняя. Вся в мать.

Конечно, свои мысли Федор держал при себе. А если бы попытался рот открыть и хоть слово сказать из того, что думал, то у Галины Васильевны не задержится — махнет и припечатает. Рука у нее тяжелая. Еще и Настя поможет. Да и Ильич будет на Галиной стороне, как всегда. Нет, Ильич никуда не годится. Какой из него начальник? Вот Федор бы тут порядок навел. Тут бы все по струнке ходили. И никакой Европы. Он бы вернул сюда порядок, как раньше. Чтобы место свое знали. Рот не раскрывали. Боялись. Людей надо в страхе держать, тогда порядок будет.

Федору было тридцать восемь лет, из которых он двадцать проработал в этом пансионате. Сначала был на побегушках — унеси, принеси. Дорос до администратора. Ну, как дорос? Других администраторов как бы и нет. Галина Васильевна — главный администратор, а Федя обычный. Как же он хотел этой должности! Чтобы хоть мизерная, но власть. Чтобы хоть за своей конторкой, но начальник. Поиздеваться хоть малость, но так приятно. Такая сладость в душе образуется. А то, что Настя ему репутацию такую обеспечила, так сама дура. Сколько лет, а все в горничных. Так ей и надо.

Но Федору мало было назначения. Он хотел, чтобы все видели, кто он.

•

— Виктор Ильич, мне бы табличку, — канючил Федор при каждом удобном случае.

— Тебя и без таблички все знают, — отмахивался Ильич.

— Я не для себя, для удобства отдыхающих.

Федя чуть не плакал от отчаяния, и Ильич сдался. Собственноручно напечатал бумажку крупными буквами — ФЕДОР, распечатал на принтере и отдал Феде. Тот, высунув от волнения язык, принялся обрезать, чтобы вставить листочек в рамку, стоявшую на стойке. Выходило криво, и Федор еще дважды просил Ильича напечатать снова.

Рамка, кстати, была большая, красивая, массивная, с позолотой, с прежних времен осталась. Надпись шрифтом с вензелями «Дежурный администратор» и пустое оконце для имени. Федор вставлял бумажку в оконце и любовался. Правда, любование скоро уступило место раздражению. А всему виной то, что Федор много думал. Так про себя и говорил какой-нибудь зазевавшейся отдыхающей дамочке, которая вдруг задерживалась перед плакатом по технике безопасности.

— Я часто думаю... — тут же начинал откровенничать Федор. А он, надо сказать, был болтлив, любил посплетничать и очень ценил таких вот интеллигентных дамочек. Такие не пошлют. Будут стоять, кивать и слушать. Им будет неловко прервать монолог Федора, потому что они «воспитанные». А Феде того и надо. — Я думаю много... мне бы поменьше думать, а я не могу. Мыслей у меня много, аж голова трещит.

Федор и вправду иногда страдал от обилия мыслей. Вот сейчас, как и вчера, как и позавчера, он думал о том, что просто имя, пусть и в красивой рамке с золотом, выглядит не так достойно. У Галины Васильевны как? «Галина Васильевна». Солидно. Сразу все уважать начинают и обращаются по имени-отчеству. А к нему только по имени. Надо поговорить с Ильичом, пусть он тоже будет с отчеством. И новую бумажку потребовать. Или хотя бы с фамилией. А как лучше? Федор Соловьев или Федор Николаевич? Конечно, Федор Николаевич Соловьев — звучит. Но Ильич не позволит, точно. Поэтому надо просить или фамилию, или имя-отчество. Вот это надо еще обдумать хорошенько, прежде чем идти к Ильичу. А на Светку стоит пожаловаться. Она на него смотрит так, будто он прыщ какой-то. А ведь он администратор. А эта ссыкуха нос задирает. Да должна при нем мухой летать, а то, малолетка наглая, встанет, молча выслушает, фыркнет и уйдет, вихляя жопой. Но про Светку лучше потом, после таблички. Со Светкой успеется. Вот бы ее... да завалить... да чтобы вырывалась и орала... а он бы ей пару раз съездил, тогда бы знала свое место.

Часто Федор думал о том, что бы он сделал со Светкой. Иногда даже на ночь думал, и тогда приходилось вставать и мастурбировать, от чего злоба на Светку только усиливалась. Импотентом он не был — тут Настя ошиблась. Когда с отдыхающими про уборку или смену белья разговаривал, так возбуждался. Когда ворота не открывал, тоже. Когда думал, как Светке морду ее красивую разбить, чуть ли не на стену лез.

Но к своим тридцати восьми годам он умудрился остаться холостым и бездетным. Как ему такое удалось при большом дефиците мужиков, когда даже самые завалящие, никудышные шли в дело, рвались бабами на части, непонятно. Федор считал, что все из-за того, что он слишком умный и ему не нужна абы какая. Нет, бабу под боком иметь хотелось. Но не так чтобы очень. Куда больше он мечтал об имени с отчеством и даже фамилией в табличке. О том, чтобы задать жару Светке и стать главным администратором вместо Гальки, а то и место Ильича занять. Конечно, Галькой Федор называл главного администратора только в своих бурных фантазиях. А так обращался к ней Галина Васильевна».

Как Федор каждый день думал о Светке, так и Галина Васильевна каждый вечер ложилась с мыслью о дочери. Волосы зачем-то покрасила. Теперь с красной головой ходит. Ведь такие красивые волосы — блондинка натуральная, коса с руку толщиной, чего ей еще надо? Фигурка ладненькая. Грудь, попа, ноги длинные. Молодость всегда упругая, красивая, пышущая, зовущая, звонкая, летящая. Вот и Светка такая же — в самом соку. Но взбрыкивает. Придумала в красный покраситься. Смотреть тошно. Как бурак. И только фыркает, если что-то скажешь. Спасибо, что хоть пока под приглядом. Вдруг захотела работать в пансионате, сама попросилась. Да как попросилась — перед фактом поставила. Буду работать, и точка. Мое дело, я так решила. Сезон отработаю, потом поступать в институт буду. С детства такая. Слова поперек не скажи. Все равно по-своему сделает. Спасибо, хоть Ильича слушается. Мать жалеет. Работает, надо признать, хорошо.

Галина Васильевна переживала, что дочь начнет романы крутить с отдыхающими. Молодежи-то много было — и художники приезжали, и актеры, и поэты. Но Светка цену себе знала. Нет, принца не ждала, но и на каждого встречного-поперечного, заезжего-приезжего не кидалась. Настя-то попроще была. Все в сказки верила. Что приедет принц, влюбится и замуж позовет. И вот ведь дурища — сорок лет, а ума нет. Ждала свое счастье, которое ей на голову свалится. Не валилось. А то, что валилось, быстро заканчивалось. Через неделю или две, уж на сколько принц приезжал. Настя каждый раз рыдала навзрыд, переживала искренне.

— Не надоело тебе? — однажды резко спросила Светка.

— Что? — не поняла Настя.

— Рыдать не надоело? Да я б к таким вообще не подошла. По морде же все видно.

— Что видно? — Настя даже плакать перестала.

— Ты себе не мужиков выбираешь, а баб. Все твои хахали как бабы истеричные. Они даже думают как бабы.

Настя снова начала плакать, а Галина Васильевна по-новому посмотрела на дочь. Да, та была из другого теста. Вроде как и не местная. С характером. И в мужиках разбиралась лучше любой Насти. Да и в бабах тоже. Знала, кому улыбнуться, с кем пошутить, кому что сказать, а с кем лучше промолчать. Светка обладала редким женским качеством — интуицией. Она чувствовала людей.

Галина Васильевна знала — или Светка встретит своего принца, или влюбится по уши, как дура, и пустит всю жизнь под откос. Галя видела, что дочь в нее. Она сама такая в молодости была. И что? Влюбилась — и под откос. Только Светка осталась. А то, что осталась — судьбу надо благодарить. С принцем же Галя промахнулась. Хотя как сказать? Светка-то не в ее породу пошла, в принцеву. Все от отца — и ноги, и скулы высокие. Характер Галин, а упертостью опять в отца. И легкостью. Она легко по жизни шла. Тоже редкое качество, когда женщина легко идет. Обычно тяжело тащится: еще молодая, а уже насупленная, согнутая, недовольная. Светка хоть и упертая, упрямая, категоричная, но смешливая, дурная. Энергии — через край. Вот и выплескивает, как может, — волосы красит, иногда Федора задирает нарочно.

•

Много лет Галина Васильевна старалась забыть прошлое, но оно всплывало снова и снова — со Светкиными вдруг проявившимися высокими скулами, внезапно выросшими длиннючими ногами. Прошлое напоминало о себе Светкиным поворотом головы и привычкой крошить хлеб на тарелке, узким запястьем, светлыми волосами, которые выгорали на солнце и становились белыми. По-настоящему белыми. Ну вот зачем эта дуреха испортила волосы? Зачем перекрасилась?

Светка с детства была самостоятельной. Даже слишком. Жизнь заставила. Галина Васильевна с дочерью не спорила. Если та втемяшила себе что-то в голову, то хоть тресни — не мытьем, так катаньем своего добьется. Упертая, как сто ослов. Вот как с работой. Галина Васильевна не знала что и думать. Светка пойдет уборщицей? Ее Светка? Ильич сказал: «Раз сама хочет, пусть идет».

С формой одни мучения были. Да что были? До сих пор. Уже Ильич вмешался, а что толку-то? Ну что ни напяль на нее, все равно и грудь, и попа, и ноги... И молодость, которая из-под любого хламья и балахона выпирает, не удержать. Светке-то «пофиг», так и говорит, хмыкая, а у Галины Васильевны — головная боль и бессонница.

Халатик белый, по середину колена, Светке выдали. Днем жарко, Светка под халатиком в лифчике и трусах. Так срамота — мужики-отдыхающие, солидные, с женами, бошки сворачивают. Светка над мусоркой наклоняется, чтобы вытряхнуть, а мужики слюной истекают. Жены, конечно, недовольны. А недовольные жены — самый сложный контингент. Они если скандалить начнут, так не остановятся. Светка, дурища, черные трусы и черный бюстгальтер нацепила. Конечно, все просвечивает, все лямки видны.

Галя дочери, конечно, выговорила по первое число. Но не помогло. Пришлось Ильича просить — Светка если кого и слушает, то только Ильича. Тот мягкий, деликатный, вежливый, что-то ей там шепотом в кабинете сказал. Светка на следующий день трусы с бюстгальтером сменила с черных на телесные. И опять все не слава богу. Будто голая под халатом. Ничего не видно, ничего не просвечивает, а мужики еще больше дуреют. Таращатся уже при женах живых, которые рядом стоят. Опять одна скандал закатила — что горничная чуть ли не стриптиз устроила.

Ильич с Галей нацепили на Светку синий халат уборщицы. И опять беда — нужного размера не нашлось, а нашлось на два больше. Светка покорно надела, только хмыкнула. И что? Стало только хуже. Грудь из разреза вываливается так, что до пупа все видно. Еще этот синий, оказывается, просвечивает. Хуже, чем белый, оказался. Мужики уже с высунутыми языками вслед смотрят, додумывают то, чего под халатом и нет. Фантазию им дали этим халатом. Светка ходит, хмыкает, но видно, что довольна. Пока жены не видят, мужики ей в карманы халатика деньги суют — за смену полотенец якобы. Светка делает вид, что не замечает. Стриптиз чистой воды. Она попой молодой крутит перед мужиком, тряпкой елозит, наклоняется, дотягивается, а он ей в карман деньги пихает. Спасибо, что не в трусы. Вот что с ней делать?

Галя иногда по ночам плачет. Но дочь зарабатывает больше, чем она.

— Светочка, ты бы переоделась. Нельзя так. Неприлично. Что о тебе подумают? — пыталась вразумить дочь Галина Васильевна.

— Наплевать. Лишь бы платили, — с молодым цинизмом отрезала Светка.

А теперь вот покрасилась в красный.

— Зачем? — ахнула Галя.

— А что?

Светка часто отвечала вопросом на вопрос. От этого вызывающего «А что?» Гале становилось страшно за дочь. И за себя, конечно же. Ведь у нее, кроме Светки, никого.

— Светочка, у меня же, кроме тебя, никого! — говорила Галя.

— У тебя Ильич есть, — отвечала Светка и была права. Да, у Гали был Ильич.

А у Ильича — сын Славик. Но об этом потом.

Пансионат переименовали в Дом творчества. Для работников культуры. Комнаты уплотнили и разделили по категориям. Стандартный номер, повышенной комфортности, директорский, он же под звездочкой, люксы. Двухместные, трехместные. В небольшие комнатки с огромными балконами-лоджиями втиснули кровати, обозвав их койко-местами. Три в ряд у стенки в комнате, еще одна на балконе. Тумбочка у каждой кровати персональная, шкаф же один — общий. Подсобные помещения превратили в душевые — тоже общие — и уборные. Сортиры, туалеты, клозеты — кому как нравится. На дверях появились обозначения — два нолика. Или две буквы «о» — тоже кому как нравится. Или два очка, и так тоже можно. Туалет. Узкий, как конура. Не повернешься, не развернешься. А зачем, скажите на милость? Сел или встал, пристроился и нечего крутиться.

На душевой так и написали — «Душевая». По утрам по коридору люди спешили занять очередь. Лучше, конечно же, было подружиться с соседкой, и тогда очень хорошо и удобно — одна стоит в душевую, другая — в туалет. Одна держит рулон туалетной бумаги, у каждого свой, персональный, другая — полотенца, вафельные, стираные-перестираные, страдающие от отсутствия синьки, крахмала и хозяйственного мыла и потому быстро пришедшие в негодность. Отказываются впитывать, хоть ты тресни. Трешься, а все равно мокрая. Так вот меняешься, в зависимости от того, чья очередь быстрее подошла. И не занимаешь надолго, потому как стучать в дверь начнут. В туалет очередь всегда длиннее. Некоторые в море моются или под шлангом, который на пляже. Мыло берут с собой и там намываются. Но это мужчины в основном.

2 - 2362

В душевой неприятно. Смыться и бегом вон. Два душа прямо напротив двери. Ни загородок, ни отгородок. Стоишь голым задом к двери, чтобы поприличнее было. А дверь все равно хлопает — душ-то общий. Но пристроились, организовались, сообразили — женщины по две заходят, следующие за ними караулят. Мужчины тоже по двое. По одному — бабы выпихнут из очереди — нечего всю душевую занимать. А окно прямо на соседнюю столовую выходит. На кухню ихнюю. Из кухни такой вид открывается, что аж дух захватывает. Со всеми подробностями, так сказать. Повариха тетя Валя только успевает гонять Олежу — сына тринадцатилетнего. Парень немножко ку-ку. К нему привыкли. Внимания не обращают. Ну, стоит пацан, пялится. Он и с виду дебиловатый. Пусть хоть какая-то радость. Больной, что с него взять? Говорят, у таких только два инстинкта — пищевой и половой. Но точно никто не знает, что у Олежи в голове. Тетю Валю все жалеют из-за сына. Она целыми днями в столовке, а по выходным по горам ходит, травы собирает. Потом Олежа на набережной стоит и лавандой торгует.

— Лаванда! — кричит Олежа, но не так, чтобы зазывно. Ему бы к окну побыстрее вернуться.

Он как к окну прилепится — не отлипает. И рука сразу в штанах. Тетя Валя его полотенцем шваркнет, от окна отгонит, отвернется, повернется, а он опять перед окном.

— Да чтоб у тебя рука уже отсохла! — орет тетя Валя.

На крики тети Вали на Олежу уже никто не реагирует. Своих похабников хватает. Заглянут в дверь и кричат:

— Девки, кому спинку намылить, потереть?

Ну, бабы, которые следующие в очереди, их выпихнут, конечно. Но все равно стоишь задом, чтобы прикрыться хоть как-то. И выйти нужно непременно с соседкой, чтобы следующей паре очередь уступить. Тут как уж повезет — если соседке только ополоснуться, то и ты не намылишься толком. Если нормальная, то и подождать может. А еще надо лифчик с трусами простирнуть по-быстрому.

Еще успеть убрать надо — вещи разбросанные в шкаф засунуть, кровать застелить. Потому что сегодня уборщица придет. Вроде бы сегодня. Неделя прошла. Как? Уже неделя? Перед уборщицей обязательно прибрать надо. Попросить полотенце поменять? Или не просить? Самой в тазике простирнуть. Да, в тазике проще. Если соседка не займет. Она если устроит постирушку, то все, тазика не видать. Еще и одеяло забрала — мерзнет. Простыня отдельно, одеяло толстое, тяжелое — отдельно. Под ним только задохнуться. И всю ночь проворочаешься. Простыня короткая и шершавая. По телу скребет. Неприятно. Или грудь прикроешь, или ноги. Одеяло колючее, аж как током бьет. Под простыней еще ничего, а если ноги оставляешь открытыми, то колет ноги, если грудь — то всю ночь прочешешься. Дверь если открыть, то вечером разгоряченному телу хорошо — ветер обдувает, простыни хватает. К утру же зуб на зуб не попадает. Укрываешься одеялом и задыхаться, чесаться начинаешь. Встаешь мокрая как мышь. Простыня к телу липнет, потом пахнет. А если четыре женщины в комнате, то дышать вовсе нечем. Мужики, как кобели, на запах идут. Дурные совсем становятся. Если еще бухие, то совсем беда.

На пляже хорошо. Только на гальке тяжело лежать. Ходить с непривычки тяжело, а когда камни раскаленные, то бегаешь. Тетки на пляже говорят, что если можешь ходить по гальке, то нервов нет, не осталось совсем, а если прыгаешь да ковыляешь, то есть нервы. Только непонятно, что лучше — когда есть нервы или когда их нет. Тетки разное говорят. Вроде как с нервами — оно лучше, чем совсем без нервов.

Деревянные лежаки у тех, кто в пансионате отдыхает, о таких только мечтать. Да и не пускают на тот пляж посторонних. По буне тоже не пройдешь, не прошмыгнешь. У них там все свое, отдельное, отгороженное от остальных.

Как же хочется на тот пляж. И на лежак деревянный. Только с набережной можно смотреть и завидовать — у женщин такие купальники, о которых даже не мечтать. Где только достают? По распределителям? Какая ж красота! Трусы с низкой талией. Как же хочется такие трусы! И бюстгальтер на лямочках тонких. Красота!

Вообще много чего хочется. Например, заходить, предъявляя карточку проживающего, в ворота пансионата — там сторож и только по карточкам пропускает. А за забором парк, жить можно, на скамейках в тени сидеть можно, на фонтанчики смотреть и даже сфотографироваться. Там фонтанчик — обнаженная девушка закинула руку за голову, другой прикрывается. Как же хочется вот так же стоять, закинув руку. Но сторож за ворота не пропустит, как ни проси. Там строго. На пляж тоже только по книжкам. Там медсестра стоит, проверяет, зыркает, не прошмыгнешь. Довольствуйся общим пляжем, на котором гальки не видно — все закрыто одеялами, полотенцами, половичками, пледами. Идешь к морю, как канатоходец — тут на голову не наступи, там ноги, здесь дети, чья-то сумка. На носочках пробираешься. А оказавшись в воде, косишь одним глазом — чтобы сумку не украли или из сумки кошелек не вытащили. Не расслабишься.

Сейчас все по-другому. Тяжело принимать новые времена. Галина Васильевна по вечерам думала, что она вроде как современная. А Федор, которому тридцать восемь, никак не может понять, что жизнь другая стала, совсем другая. Ильич, кажется, принимает, но внутри тоже сопротивляется. Галина Васильевна мягче, пластичнее оказалась. Женщины, они вообще пластичнее мужчин.

Галине Васильевне нравились новые порядки. О многом ей Светка рассказала, объяснила. Что если деньги на кровати оставляют, то это чаевые, можно брать.

— Как же брать? — ахнула Галина Васильевна. — Скажут, что украла!

— Украла, если из сумки. А если на кровати — то специально оставили. Правила такие, — хмыкнула Светка.

Галина Васильевна тоже стала брать, но отрабатывала — лишний раз полотенца меняла, вне графика. Пол подтирала в ванной. Постель заправляла. Ей не сложно, а людям приятно. Иногда и больше оставляли. Галина Васильевна сначала брала с опаской и ночь не спала — а вдруг обвинят в краже? Вдруг не для нее оставили, а забыли? Но отдыхающие благодарили, улыбались, кивали при встрече. Светка оказалась права. Галина Васильевна вдруг стала хорошо зарабатывать — чаевые с кроватей превышали официальную премию. Галя не тратила, откладывала. Светке на институт, на другую жизнь. Та все, что зарабатывала, спускала на шмотки, косметику. Трусы, лифчики. Галя не возражала — пусть покупает, когда еще такие трусы носить? Сейчас, пока молодая, самое время. Что ни напяль — все хорошо. Шортики, чтобы половина попы торчала. Лифчики кружевные, из-под халата выглядывающие.

•

Галя смотрела на дочь и восхищалась — такая красотка выросла. От нее ничего. Все от отца перешло. Тонкая, длинная, худющая, с грудью, но без живота. С ногами, но без бедер. Кукла. Как есть кукла. И лицо кукольное — глазки, губки, бровки. Все при ней. Галя поглядывала на дочь и чуть не плакала — как же быть с такой красотой? Как же Светке тяжело будет жить в таком красивом теле. Как же за нее страшно становится. Люди с виду-то все приличные, а если маньяк какой сыщется? Светка, конечно, местная, с пацанами выросла, отпор любому дать может, а если влюбится и в обещания поверит? Молодая, вроде умная, на людей разных насмотрелась, навидалась всякого. Местные девки вообще раньше округляются, оформляются, взрослеют. Их ни видом мужских гениталий не удивишь, ни пьяной дракой не испугаешь. Они даже дозу алкоголя в крови лучше гаишников по глазам, по походке считывают. А уж если приставать кто начнет, так эти девахи так отошьют, что уши в трубочку свернутся. Местным девкам палец в рот не клади — по локоть откусят. Матерятся, как пьяный боцман, — у них лучшие учителя с раннего детства. Светка, например, и катер водить умеет, и пришвартовать может, и морской узел любой вяжет. А уж чем утихомирить буйного, как ударить, куда ударить — с малолетства выучила. Сколько драк видела. Да и одноклассники ее бывшие — местная шпана — в обиду не дадут. Светка бесстрашная, наглая. Но что она видела, кроме их пансионата, набережной да городка, бывшего поселка? Ничего. В большом городе другие нравы, другие навыки нужны. Уж Галина Васильевна-то знает, только Светке не говорит. И не собирается рассказывать.

Светке же обрыдло тут все. Опостылело. Она птица другого полета. Галина Васильевна — как местный баклан. Каркает, на окно столовой прилетает, чтобы кинули кусок. Неважно чего — то блин со сгущенкой попадется, то ошметки рыбы, то недоеденный хлеб. Галина Васильевна всему рада, все сглотнет, съест. Светка другая. С детства было понятно. Лучше голодная останется, чем съесть то, что не любит. С характером. Не переломишь, не согнешь. Галя тоже такой была. Давно, в позапрошлой жизни. Но об этом позже. Или лучше вообще никогда — Галина Васильевна не любит то время вспоминать. Светка, когда в подростковый возраст вошла, рыться начала в бумагах да в старых фотокарточках, что в пакете лежали в дальнем ящике. Стала приставать с расспросами. Гале аж поплохело. Вот как рассказывать? С чего начинать? Да лучше и не начинать вовсе. Жизнь была другой, теперь такая, новая, а что завтра будет — неизвестно. День прошел — и слава богу. Завтра поглядим. Ох, вильнет хвостом Светка. Таким хвостом грех не вилять. Лишь бы не больно потом прижало. А то Галя знает, как прижимает.

•

— Галка! Ты ж грамотная, скажи, что я писать должна? Говорят, «бурак» сейчас не пишут! А шо пишут? Шо, бурак уже переименовали, как улицу Ленина? Так шо им бурак сделал? — Из дверей столовой вышла тетя Валя. Хотя она теперь, скорее, баба Валя. Тоже из старреньких. Сорок лет в этой столовке простояла. Вся жизнь между кастрюлями да подносами. Олежа ее рукоблудный женился, уже двоих детей народил. Жена его тоже Олежей называет. Тетя Валя невестку недолюбливает. Вроде как прицепиться не к чему. Детей рожает да еще и готовить умеет. Сама толстая, так и мужа раскормила так, что у того уже и живот висит, из трусов вываливается, и сиськи уверенного второго размера. Печет, стряпает она не хуже тети Вали, а то и лучше. Рассольник варит такой, что свекровь чуть не плачет от злости и зависти. А ведь тетя Валя пищевой технолог по образованию.

— Напиши, свекла, — отвечает Галя.

— А краснокочанка тогда шо? — спрашивает тетя Валя.

— Напиши «краснокочанная капуста».

— А так не понятно? — удивляется тетя Валя.

— Может, кому и не понятно. Люди из разных городов приезжают.

— И шо? Они дебилы? Спрашивают, а нототения — это шо? Свежая? Да, конечно! С утра выловила! И окунь морской тоже утрешний! Кура жареная, они не понимают!

— Напиши «курица»...

— Всю жизнь была кура!

— Как Лиза?

— Ох, не говори мне за Лизу! Знаешь, что она стала делать? Полпорции пробивать!

— Детям полпорции берут. Они же все равно не съедают.

— Никогда не было полпорции! Как я готовить должна? Как рассчитывать продукты? А подносы у них руки отсохнут отнести? Лиза теперь по залу бегает — подносы собирает.

— Люди отдыхать приехали. Они к ресторанам привыкли.

— Так и пусть чешут в ресторан! А то припрутся в столовую — русским языком написано «Столовая», а хотят, чтобы как в ресторане. Так пусть уже выбирают!

— Лиза больше не плачет?

— Да ей поплакать, как поссать! Ты же знаешь!

Помимо Олежи, у тети Вали имелась дочь Лиза. Старшая. Но вот ведь какое дело. Тетя Валя по своей конституции имела на теле бугры, ухабы и склоны, так сказать, равномерно распределенные. Бугорок на шее — отложение солей, — ставший с возрастом плотным горбиком. Бугры вокруг лифчика — тетя Валя утягивалась, грудь неизменно вываливалась. Уверенные холмы на пояснице. Живот — отдельная возвышенность. Ну и ноги, как без них. Над коленными чашечками — холмистая местность. А выше — горы да пригорки.

•

Лиза сидела за кассой и, надо признать, привлекала внимание. Худенькая сверху, шейка длинная, лицо тоже длинное, ключицы торчат, грудь неразвитая. Любители такого типажа от Лизы млели и лишний раз прохаживались к кассе — хлеб отбить или стакан узвара.

— Галя, что писать вместо узвара? — кричала тетя Валя. — Они дебилы! Не понимают!

— Компот из сухофруктов, — отвечала Галя.

Каждый сезон у Лизы объявлялся поклонник, который ходил, отбивал, шутил, пил литрами компот и наконец осмеливался спросить, что Лиза делает вечером, после восьми, когда закрывается столовая. И Лиза отвечала, что ничего, свободна. Поклонник звал на прогулку и договаривался ждать после восьми. Прямо сегодня. Но это в лучшем случае. А в худшем — Лиза приподнималась из-за своей кассы за салфеткой или еще за чем, и обнаруживался тяжелый, огромный низ. Все бугры, которые у тети Вали распределялись равномерно, у Лизы сползали к низу. При тщедушном верхе она имела внушительный, просто неподъемный низ. Огромные бедра, ноги-колонны. Поклонники субтильности тут же прекращали отбивать компот. Ценители другой красоты — пышности, вмятин, бугристостей, каковые тоже встречаются на курортах, Лизу приметить не могли, поскольку она все время сидела за кассой, выставляя напоказ только субтильный свой верх. Из-за этого несправедливого противоречия она оставалась мало того что не замужем, так еще и девицей. Каждый сезон находился подходящий ухажер. Но стоило Лизе предъявить воздыхателю, так сказать, портрет в полный рост, все заканчивалось, как всегда. Поклонники испарялись, поскольку не понимали, с чем иметь дело — то ли с недоразвитой грудью, то ли с мясистыми бедрами. Лиза плакала.

На следующий сезон она сменила тактику и начала бегать по залу, собирать подносы с грязными тарелками, чтобы уж все сразу стало понятно. Чтобы не было противоречий, разочарований и недосказанности. Чтобы все было видно и понятно. Но эксперимент не удался — даже того жалкого числа поклонников, какое было в прежние годы, не сыскалось. Любители пышности, как выяснилось, любили ее во всех местах, а не только от пояса и ниже. А выше Лизе предъявить было нечего.

Тетя Валя очень хотела, чтобы Лиза вышла замуж. Дочь тоже очень хотела замуж. Но никто не хотел Лизу замуж.

— Галя, они дебилы! Они не понимают «разносы»! — возмущалась очередным утром тетя Валя.

— Подносы, под-но-сы, — смеялась Галя.

— Это под нос, что ли, ставить? А может, подносить? — кипятилась тетя Валя. — Разносы — значит разносить. Или нет?

Пока тетя Валя билась над значением слов и неудавшейся личной жизнью дочери, пока Галя думала о Светке, пока о Светке же, но в другом ключе думал Федор, Ильич тоже маялся без сна. В последнее время появилась такая напасть — бессонница. Раньше Ильич и знать не знал про бессонницу, про невозможность уснуть. Ложился он всегда ровно в одиннадцать, вставал в шесть без всякого будильника — срабатывала многолетняя привычка. А сейчас что? В одиннадцать зажигались фонари в ресторане внизу на набережной, и свет падал прямо в окно номера Ильича. Номера, потому что Ильич давно перебрался в пансионат. Как и Галина Васильевна, как Настя. Для них пансионат стал домом, а не местом работы. Может, в этом было все дело. Они считали, что отдыхающие приехали к ним лично, в их дом, как дальние, нелюбимые и, естественно, неблагодарные родственники. Троюродная тетка, например, которую и в глаза-то раньше никто не видел. А нужно встретить, обеспечить чистым полотенцем и терпеть, улыбаться, пока тетка не уедет. Не прогонишь ведь. А она обязательно сорвет держатель туалетной бумаги, разобьет тарелку или чашку, испачкает полотенце краской для волос и разбросает свои вещи по всему дому. А ты молчи, убирай и слова не скажи. Ильич часто думал, что не стоило сюда переселяться, даже ради удобства и экономии, даже ради того, чтобы пансионат жил не только одним корпусом, а всеми этажами, в том числе нижними, подсобными. Но об этом тоже потом.

А пока Ильич лежал без сна, прикрывая ладонью глаза от слепящего луча фонаря. Что ж, люди гуляют, отдыхают, их понять можно. Ресторан тоже должен работать и зазывать клиентов. На фонари и свет отдыхающие слетаются.

Была бы рядом с Ильичом женщина, Галина или какая другая, так давно бы встала, ругаясь, занавесила окно поплотнее, шторку лишнюю прицепила, придумала что-нибудь. Только не будет у Ильича ни Гали, ни какой другой женщины. Потому как опоздал он. С Галей точно. Они уже давно все пережили.

Он повернулся на другой бок, но фонарь добивал до стены. Ильич подумал, что завтра все-таки попросит Галю повесить лишнюю занавеску. Она придет, не откажет. Ни разу не отказывала, если Ильич просил. И Славик обрадуется. Он всегда радуется, когда Галя «в гости» приходит. Хотя ведь знает, что она тут, рядом, в соседнем номере. Но даже если так, то все равно в гости.

Ильич слышал, что Галя тоже не спит — окно открыла, потом прикрыла. Ходит по номеру. Может, прямо сейчас пойти, позвать? Но он знал, что не пойдет. Ни сейчас, ни завтра утром. Все равно нельзя. Все в прошлом, в другой жизни. В той, о которой и вспоминать не хочется.

Виктор Ильич, Ильич, всю жизнь прожил в этом поселке городского типа. Раньше — просто поселке, а теперь поселке «типа». Родился, правда, в городе — мать по серпантину везли, ели успели. Мать после родов даже в город не ездила — боялась серпантина до истерики. Ее тошнить начинало от одной мысли о дороге. Думали, пройдет, но не прошло. На машинах, хоть на каких, мать ездить отказывалась наотрез. Единственный вид транспорта, который она признавала, — троллейбус. На троллейбусе могла доехать до соседнего поселка, но все равно возвращалась бледная и еще целый день после поездки лежала пластом. Ильич-то с детства гонял — на мопеде, на старом «жигуленке». Дорогу знал с закрытыми глазами.

Времена изменились, дорогу новую сделали, а про фонари никто и не вспомнил. Местным-то водилам хоть бы хны — освещенная дорога или нет. А заезжие, которые на своих машинах из Москвы добираются, по ночной дороге сразу всем богам начинают молиться. Троллейбус как ходил, так и ходит. Вот уж чего новое время не коснулось.

Все пацаны из поселка мечтали уехать, уплыть, хоть куда. Половина одноклассников в мореходку сбежала. Кто-то в город, кто-то еще дальше. Ильич же никуда не рвался, не было у него таких мыслей. Ему нравилось здесь жить. Нравилось, что зимой поселок будто вымирал, оставались только свои, местные. И жизнь вроде как замедлялась. Чтобы весной, с мая, начать новый виток. Ильич любил жить от сезона к сезону с коротким перерывом на абсолютное затишье. Ему не становилось грустно. Он не страдал от промозглого ветра, который шарашил с моря. Ходил по пустой набережной, и ему нравилось, что она пустая, а поселок становился совсем другим. Настоящим. Без косметики, без фонарей, без грохочущей музыки.

Поселок напоминал женщин, которые приезжали на курорт и одну-две недели жили как в последний раз. Женщины перед поездкой выгребали шкафы, примеряли, отбрасывали ненужное, немодное. Срочно покупались обновки. Женщины укладывали в чемоданы лучшее белье, лучшие туфли и сразу все платья. И обязательно перед поездкой нужно было пойти в парикмахерскую — маникюр, педикюр, покрасить пробившуюся седину. Уже на отдыхе каждый вечер молодые девушки, женщины, замужние, разведенные наводили красоту, чтобы появились и ресницы, и губы, и идеальные локоны. Каблуки, летящие сарафаны...

Чтобы что? Это ж не отдых. Сплошное мучение. Отдых — это когда босиком по траве, без грамма косметики, волосы в пучок и зубы можно почистить к обеду. И можно надеть летний халат или даже сарафан, но никакого бюстгальтера. И плевать на то, что грудь повиснет. Пусть виснет. А здесь, у моря, — это же не отдых, а работа: нарядиться, накраситься, утянуться и выйти. Идти красиво, пока не начнет ныть выпирающая косточка. А сидеть за столиком ресторана нога на ногу, покачивая носком лишь слегка, не думая о том, что ноги от жары распухли, отекли и туфли превратились в испанский сапожок — впились. Очень хочется в туалет, но как представишь, что надо встать в этих туфлях и доковылять со второго этажа — столик-то с панорамным видом, над морем, так лучше уж потерпеть, пока терпится. После ресторана еще домой ковылять, но можно сбросить туфли и пойти голыми ногами. Такое счастье. Когда девушки улыбаются, держа в руках босоножки, это они радуются, что ноги отдыхают. Поэтому на фотографиях такое неприкрытое и искреннее счастье. И во взгляде вовсе не призыв и истома, а облегчение.

Так и поселок. Перед сезоном начиналась генеральная уборка — старые стулья выбрасывались, те, что еще ничего, мылись. Рестораны обновляли вывески, развешивали новогодние лампочки-гирлянды. Появлялись или новые скатерти, или посуда. А когда бархатный сезон заканчивался, поселок с облегчением сбрасывал ненавистную обувь. Лампочки перегорали, стулья сваливались в кучу, все запиралось, закрывалось. И становилось тихо, удивительно тихо. Ильич любил это время тишины. Когда только шум моря, крики чаек и все. Галя всегда страдала. Говорила, что с ума сходит от тишины. Ей нужны были люди рядом, разговоры, толкотня, звуки. Чтобы плакали и канючили дети, ругались мужчины, смеялись женщины. Ей нужна была жизнь вокруг. А Ильичу жизнь была не нужна. Он уже прожил свою. Так, что и вспоминать не хочется.

Они с Галей были разными. Галя — деятельная, активная, не могла без дела сидеть совсем. Ильич же мог часы проводить на террасе пансионата, в одиночестве, попивать чуток водочку и смотреть на море. Это было его счастьем, настоящей жизнью. И сезоны он переживал с мыслями и мечтами о том, как сядет на террасе, уже похолодает, а ему будет хорошо. И только шум моря. Никаких посторонних звуков. Особенно голосов. Пусть лучше чайки орут нестерпимо, а они начинают орать как полоумные именно в то время, когда отдыхающие уезжают. Чайки, лишенные дармовой еды, бросовых кусков, возмущаются, требуют, скандалят.

Ильичу давно ничего не было нужно. Ни для себя, ни для Гали, ни для пансионата. Он устал и ничего не хотел. Впрочем, он еще в молодости ничего не хотел, не было у него планов перевернуть мир, стать космонавтом. У него вообще не было никаких планов на собственную жизнь. Так уж сложилось, что жизнь за него все решала. Как могла, так и решала.

Настя злилась, считая, что Ильичу «все до лампочки», что он «тряпка», а не начальник, что уже пора треснуть кулаком по столу и попросить, добиться, потребовать. Что потребовать — неважно. Да хоть денег на ремонт. У кого? Да у Министерства культуры, раз они — Дом творчества. Но Ильич не собирался никуда ездить, довольствуясь бюджетом, который им спускали. И на том спасибо. Сами крутились как могли. Конечно, надо бы больше, лучше, быстрее, выше, сильнее. Но сил нет. Совсем. И взять неоткуда. Ильич в свои пятьдесят с небольшим был смертельно уставшим человеком. Старым, никому не нужным мужчиной, который хотел только одного — чтобы его оставили в покое, чтобы он мог сидеть на террасе, смотреть на море и пить водочку. И никого рядом. Даже Гали, если уж на то пошло. Нет сил даже занавеску задвинуть, не то что на Галю.

Галина Васильевна в своем номере тоже лежала без сна. Уже и капли пила, и чай заваривала. Она слышала, как ворочается на кровати Ильич. Даже думала постучаться, зайти, спросить, все ли в порядке? А вдруг сердце? У мужчин этот возраст очень опасный. Хотя у мужчин любой возраст считается опасным. И сорок, и шестьдесят. Мужчины, они все время в зоне риска. Галина Васильевна встала, открыла окно, легла, снова встала и окно закрыла. Ильича жалко. Она его понимает, как никто. Раньше он другим был, а в последнее время совсем сдавать стал. Она-то помнит его прежнего. Очень хорошо помнит. Настя говорила, что Ильич «тряпка». Нет, не тряпка. Просто напуган. Так сильно, что хватило на всю жизнь.

Да все они пуганые-перепуганые. И что теперь? Ложись да помирай? Молись, чтобы хуже не стало? Хуже уже было. Так чего бояться-то? Галина Васильевна снова встала и открыла окно. За себя не страшно, ничуточки. А вот за Светку — до одури. Такой страх берет, что в глазах темнеет.

А вдруг и Светку жизнь обломает через колено, как ее и Ильича? А вдруг дочь кто-нибудь обидит? Да так, что нестерпимо станет болеть, болеть, не проходя? Вдруг здесь застрянет и будет видеть только грязные унитазы? Ведь затягивает, зараза, этот пансионат, эта жизнь. Как Настя говорит: «Если никуда не ходить, то ничего и не случится». Поэтому Настя и урывает каждый час, каждый вечер. Что может, то и берет. А Светка? Что лучше для нее? Здесь остаться, выйти замуж за Ваську, который со второго класса по ней сохнет. Сейчас в мореходке. Но обещал вернуться и жениться. Или за Толика, который дайвинг-центр открыл? Да какой там дайвинг? Спасибо, что не утоп еще никто. Ехать по серпантину рожать в город, водить ребенка в местный единственный детский сад, а потом с собой на работу. Отправлять к тете Вале, чтобы покормила. Нет, Галя сама такая была, все проходила. И Светке такой судьбы не желала. Пусть лучше мечтает, влюбляется, едет учиться куда угодно. Лишь бы не здесь. Пусть лучше свой собственный унитаз моет, чем чужие. Но Светке поди скажи слово поперек. Что у нее в голове? Вот как тут не переживать?

Да еще Ильич ей потакает. Она чуть что — к нему. А что ей Ильич скажет? Он и рад, что Светка рядом. Она и Славик.

Ильич снова повернулся на правый бок. Кто там сейчас хозяин ресторана? Сходить, что ли, попросить, чтобы прожектор в другую сторону развернули? Жаль, Артур уехал — это ж его бывший ресторан. С Артуром они выросли вместе. Чего только не пережили. Еще пацанами с буны прыгали, трусы теряя. Артур, по слухам, в Москве хорошо устроился — автосервис открыл или даже два. Может, врут, а может, и правда. Потом Руслан появился на два сезона, но тоже исчез. Куда, не понятно. Кто там сейчас? Надо у Гали спросить — она всех знает. Он-то давно на набережной не был. А что там делать? Да, все меняется, но что-то остается неизменным. Набережная. В сезон отдыхающие по набережной двумя потоками ходят, согласно правилам дорожного движения. Те, кто вниз, — справа, кто наверх — слева. Хотя с какой стороны смотреть, конечно. Говорят, что в московском метро в час пик такая же толчея, как у них на набережной. А все равно идут, гуляют. Нарядные, дети умытые и причесанные. Будто днем не те же дети носились с грязными ногами, а женщины шли, едва прикрытые. И будто совсем другие мужчины оттягивали пальцем давящие плавки. Будто совершенно иные люди сейчас заказывали вино, усаживались за столики с белыми скатертями, придирчиво рассматривая меню. Что? Есть на пляже мелких креветок, запивая теплым пивом? Да как можно! Нет, нет, это другие мужчины ковырялись в зубах, сплевывая застрявший креветочный хвост, и рыли подкоп в воде, чтобы положить бутылку остудиться. И, конечно же, не эти избалованные красавицы еще несколько часов назад стряхивали с груди чебурек — горячий, масленый, жирный, острый — и пили пиво прямо из горла́.

Девчушка в белом платье в пол, с накрученными плойкой локонами, идет чинно, тщательно копируя мать. А ведь вот только что сидела, обмазанная шоколадным мороженым с ног до головы. Кусок мороженого упал на гальку, вывалившись из вафли, и девчонка устроила рев на весь пляж. Мать пыталась загнать ее помыться в море, но дочь требовала новое мороженое. Как до этого клянчила вафельные трубочки со сгущенкой, газировку, вареную кукурузу и все, что носили по пляжу. Сейчас она шла ужинать, как взрослая. Да она столько за день слопала, что не понятно, куда в нее еще влезет. Будет опять есть мороженое, мамаша разрешит.

Ильич прикрыл рукой глаза. Он вспомнил Артура. Интересно на него сейчас посмотреть. Наверное, живот наел, постарел, заматерел. Такой же заводила или остепенился? Сюда не приезжает, как отрезало. Если бы приехал, Галя бы знала. Или приезжал, а Галя Ильичу не сказала? Такое тоже возможно. Тогда, в детстве, в юности, казалось, что это самое море — по колено. Что так будет всегда — море, солнце, буна, отдыхающие и они, местные. Чебуреки, которые жарила бабушка Ануш, самые вкусные. На том месте, где стояла бабушка Ануш, теперь палатка-чебуречная. Другие люди давно работают, а чебуреки все равно лучшие в поселке. Туда всегда очередь. Галя как-то принесла Ильичу, нахваливала. Ильич попробовал и не стал доедать — не тот вкус, не те специи. А Славик съел сразу три. Ильич расстроился. Даже чебуреки нормальные никто сделать не может. Никто не знает, какие должны быть настоящие.

Но все равно что-то оставалось неизменным. Местные пацаны да и взрослые ходили на дикий пляж, там, где на всех воротах объявления густо развешаны: купаться запрещено, пляж не подходит для купания, проход в техническую зону запрещен. Но это все для туристов. Те на благоустроенные пляжи ходят, где для них дорожки к морю деревянные выложены, чтобы, не дай бог, не по гальке идти, лежаки. Сейчас пластмассовые появились, высокие. Да еще и с матрасом сверху, для мягкости. И зонтики, как же без зонтиков. На одном пляже деревянный настил соорудили и столики поставили. Для детей отдельно песок насыпали и игрушек набросали, чтобы малышня в грязном песке возилась и не мешала родителям загорать, выпивать и закусывать прямо здесь же. Но культурно. Одноразовые тарелки на столик можно пристроить, спинку лежака поднять повыше для удобства.

На соседнем пляже тоже не отставали. Зонты были попроще, а лежаки не хуже. Одна беда — от порывов ветра зонты уносило, хоть врывай их в гальку, хоть не врывай. И камнями придавливай не придавливай со всех сторон, все равно улетят. На голову соседям. Сложатся в обратную сторону, и все. Лежит себе дамочка, и вдруг ей прилетает прямо на голову зонтик, да еще и сложенный в другую сторону. Дамочка кричит, конечно же.

Правильно Федор говорит — «тут вам не Европа, хотите, как там, так туда и ехайте». А тут другие порядки. Местные.

На пляжах каждый день конфликт. Приходит, например, мамочка с ребенком. Берет лежак с зонтиком. Ей нужен один, а лежаки сдвинуты по два. Андрюха, который на этом пляже зарабатывает, оттаскивает лежак на пару сантиметров от соседнего, честно врывает зонтик в землю, чтобы образовать тень, и уходит, забирая свои сто двадцать рублей. Только мамочка успевает расположиться в тенечке, как вокруг, на гальке, немедленно появляются несколько полотенец. На халявную тень обычно набегают шустрые бабули с внуками. Дети немедленно начинают дружить, драться машинками, делить игрушки. И мамаша, которая хозяйка тени, то есть зонтика, хмурит лоб — то ли отогнать бабулю, которая расположилась так, что с лежака ногу не спустишь, а если спустишь, то аккурат пяткой на бабулино лицо. То ли смириться, раз дети уже играют. Мамаши обычно молчат, терпят. Но тут прибегает еще одна бабуля и занимает место на гальке рядом с первой, там, где оставался крошечный островок тени.

— Женщина, ну вы вообще, — теряет терпение мамаша.

— Вам чё, тени жалко, что ли? — возмущается бабуля.

И тут мамаша снова впадает в ступор от размышлений. С одной стороны, конечно, не жалко. Тем более для бабули с ребенком. С другой стороны, конечно, жалко. Возьмите свой зонтик и лежите сколько хотите.

Бабули же, расположившись, начинают дружить и обмениваться едой. Детей усаживают на лежак мамочки, которая уже сидит, а не лежит, чтобы не мешать детям, и начинают кормить. Кормят не только своих, но и ребенка мамочки, у которого аллергия на все. И мамочка жалобно возражает. Но ее ребенок уже сидит с булкой во рту и заедает все это куском арбуза, например. Или конфетой. Или крабовой палочкой. Мамочка бы и упала в обморок, но некуда — она со всех сторон стиснута детьми и бабулями.

— Иди, макнись, мы присмотрим, — тут же предлагают бабули, и мамочка с облегчением идет «макаться», гадая, что еще попадет в рот ее ребенку за то время, что она отсутствует.

Потом бабули настоятельно отправляют мамочку в туалет, до которого бежать по набережной. А там очередь. Вход — пятнадцать рублей, а у мамочки сотня, допустим. И она бежит в соседнее кафе, чтобы разменять. И когда добегает до туалета, ей уже все равно. Она уже думает о том, что могла бы и в море пописать, как советовали бабули детям. Назад она несется как полоумная, представляя себе самые страшные картины. Но, что удивительно, находит собственного ребенка в полном порядке и совершенно счастливого. На ее лежаке устроилась одна из бабуль, а дети сидят у кромки воды. Их периодически накрывает волной, они отплевываются, но довольны. Соседняя бабуля раскладывает на полотенце пасьянс. Именно поэтому дети отсажены в море, чтобы не мешать бабуле с пасьянсом. За детьми никто не смотрит — обе бабушки глядят в карты: пасьянс не складывается. Поскольку мамочка не знает, как согнать бабулю с собственного оплаченного лежака, ведь не станешь ругаться с человеком, который кормил твоего ребенка и присматривал за ним, бедная женщина идет в море плавать.

В половине двенадцатого она с облегчением собирает сумку и уходит с пляжа. Ребенок плачет. Он не понимает, почему они уходят, а другие дети остаются. На лежаке уже расположилась бабуля, засунув сумку с продуктами под спинку — там самая тень. И мамочка уже знает, что, когда вернется на пляж в четыре часа, после дневного сна, Андрюха будет искать ей новый лежак, потому как ее лежак уже ветром сдуло, как и зонтик.

Но даже если не появляются бабули, по соседству, то есть на лежаке, который стоит в пяти сантиметрах, укладывается другая женщина. И, естественно, она оказывается разговорчивой. Мамочка будет терпеливо слушать рассказы о муже, свекрови, старшем сыне, девушке старшего сына, матери девушки старшего сына, скорой свадьбе, не дай бог беременности, не приведи господь муже, которому все равно, и снова о матери девушки сына, потенциальной сватье, которая звонила и скандалила... и так далее.

Через два дня мамочка будет покорно покупать вафельную трубочку со сгущенкой, которую просит ребенок, и, к собственному ужасу, ее доедать. На четвертый день она будет играть с бабулями в подкидного. Потому что человеческая психика подвижна, а психика мамочки с ребенком тем более.

На дикий пляж ходят только свои. Местные, друзья и родственники местных. Но, бывает, и отдыхающие появляются. Проход под буной отгорожен сеткой, только там с незапамятных времен в сетке дыра. И все через дыру проходят, «лазют». Или по камням с парапета спускаются. Камни будто специально лесенкой выложены. Но это знать надо, где именно такие камни. На диком пляже и галька мельче, и вода чище. Никаких буйков.

На этом пляже прошло детство Ильича и Славика. Как и детство Светки. Только Галино детство не здесь прошло. Она, когда выходной выдается, на пансионатский пляж ходит. И плывет строго до буйков, не дальше. Не любит дикий.

А там хорошо. Совсем близко к берегу торчит камень. С него малышня прыгать учится. Мелко, по пояс, самое оно. Ногами дно достанешь, оттолкнешься. Камень небольшой, скользкий, но все очередь соблюдают, никто не толкается. Только если замешкаешься, могут подтолкнуть или прыгнуть сверху, «притопить». Ногу об камень расцарапаешь, вперед быстрее думать будешь, ловчее забираться. А скоро нога сама выемки знакомые находить будет безошибочно. Быстро выныривай и отплывай, дай следующему прыгнуть. А притопят, так нахлебаешься. Первые уроки выживания, социальной адаптации здесь, на этом камне, проходят. Есть и свои правила — малышне руку дать, на камень подтянуть. Подождать, пока вынырнут и отгребут по-собачьи. Иногда, правда, на мелкий камень взрослые ребята приходят. Дурачатся, ныряют на мелкоте. Лучше не лезть — зашибут. А если полез, то шуруй быстрее — соответствуй. А если не соответствуешь, то тебя учить начнут. Поднимут высоко — ребята здоровые, уже волосатые во всех местах, — раскачают и швырнут подальше. А ты летишь и думаешь, что лишь бы не пузом. Пузом больнее всего приземляться на воду. Вот и сворачиваешься в воздухе в спасительную «бомбочку» — жопой падать не так страшно. Да, про жопу-то забыли рассказать. «Жопа» — это тоже название прыжка. Но за него старшие тоже могут раскачать и выкинуть. Жопа — это когда трусы снимаешь, причем белым задом к пляжу, ко всей публике, никак не по-другому, и прыгаешь, а в полете надо успеть себя шлепнуть по голому заду. Жопа — это весело. Все гогочут. Особенно если трусы в приземлении до щиколоток спадут, а то и вовсе свалятся. И выскакиваешь из воды — там же мелкотня — со всеми причиндалами наружу. А потом ныряешь и трусы ищешь по дну. Опять же старшие могут трусы словить и смотреть, как ты по дну ползаешь.

Местный дресс-код тоже все соблюдают. Плавки есть у всех — эка невидаль. Но плавки — для отдыхающих мужиков. Местные все в семейниках. Еще раз прав Федор, повторявший как мантру: «Здесь вам не Европа». В Европе нашего мужика сразу узнаешь — по плавкам, в которых он по пляжу рассекает. Европейцы аж слюной поперхиваются от возмущения — неприлично ведь вот так, чтобы все богатство видно. Есть же купальные шорты. Да что про них говорить? Они девочек маленьких, по слухам, даже двухлетних, в купальники наряжают, а без купальника — нельзя. Не то что у нас — раздолье. До пяти, а то и шести лет дети голожопые на пляже. А девочки лет до одиннадцати — без верха, только в трусах. И ничё — никто не удивляется. Дети же. Бабули еще сплетничают, что, говорят, там у них, за границей, дети в море в памперсах купаются специальных. Чтобы, не дай бог, не писало дите в воду. Это ж какой вред! Всем известно, что памперсы вредны — от них у мальчиков бесплодие бывает, потому что все там перегревается. Так-то. Да и что будет, если дите в море пописает — там же не моча, а, считай, божья роса.

•

Следующий этап взросления — большой камень, который в море. Это не камень вовсе, а кусок то ли бывшего причала, то ли еще чего. Там есть ручки — забираться удобно. Не так скользко — водоросли мягкие, как трава. И уже оттудова можно рыбкой тренироваться. Глубоко, дна не достать. Камень не высокий, если даже животом приземлишься, не больно. Прыгаешь, пока желудок не отобьешь. Но рыбкой не хочется. А хочется «бомбочкой», «солдатиком» или «скелетиком». Или высший пилотаж — сальто в воздухе скрутить, корявое, конечно, но все же. Малышня тоже на большой камень побыстрее рвется, но всему свое время. Дорасти сначала надо. Научиться отгребать не по-собачьи, а кролем. Девчонки еще ладно, могут и по-девчачьи отплывать, а с пацанов спрос строгий — плыви нормально, как мужик. Гребки делай. Пока не научишься, старшие на камень не пустят. Тут тоже своя этика. Заплывать с глубины, там удобнее, камень пологий. И не мешать тем, кто уже стоит, прыгать готовится. Когда волны, забираться тяжело. Волна подбрасывает, на камень закидывает и снова уносит в море. Не успел зацепиться, тебе ручкой машут «до свидания». С камня отдыхающие любят прыгать. Но тоже сразу понимают порядок. Если камень местные занимают, то не лезь, жди, когда освободится. А если отдыхающие набегают — с детьми или парни с дамочками накрашенными, то местные тоже не лезут. Пока мужики с камня сигают, выпендриваются, дамочки стоят, смотрят, улыбаются, а сами сползают в воду аккуратненько, задницей, чтобы не макнуться и тушь не размазать.

Ну и, наконец, буна. Та, к которой теплоходы пристают. Технический ведь пляж. С буны лет с десяти прыгают. Иногда и раньше. Здесь называется буна, а приезжие называют волнорез или пирс. Русским же языком написано краской: «С буны прыгать запрещено».

Мальчишки сигают гроздьями, поднимаются по здоровенным шинам, которые по бокам буны прикреплены для теплоходов. Вынырнуть, подцепиться, подтянуться. Сначала одна нога, потом другая, опять подтягиваешься. Вылезаешь. И тут же снова вниз. «Рыбкой» никто не прыгает. Тут в воздухе такие кренделя можно навертеть — ногу выставить, ручкой помахать, руки на груди сложить, будто умер. То есть «скелетиком». Каждый как может изощряется. И снова, в порядке общей очереди, на шину, подтянуться, вторая нога, снова подтянуться. Здесь уже без церемоний — силенок не хватает, пшел вон, скинут с колеса — иди тренируйся. Ногу не можешь задрать — снова пшел вон. Пихнут, скинут. Если без очереди влезешь, притопят так, что мало не покажется. Отплевываться замучаешься. Но есть правило — никто с буны не сбрасывает. Не по правилам. С шины могут, если за дело, но не с буны. Кодекс чести.

Но и это еще так, баловство. Вот с перил буны сигануть — это уже что-то. Высоко, страшно. Дно точно ногами достанешь, хотя глубоко. Только солдатиком, по-другому никак. Войти мягко, чтобы пятки не отбить. Пятки, оказывается, больнее отбивать, чем живот. Так что кренделя выписывай в воздухе, а в последний момент успей сгруппироваться — руки по швам, ноги ровные. Только так можно в воду входить. Но пацаны помогут. Рядом двое в воде дежурят, если что — нырнут и вытащат. Потом те, кто уже прыгнул, дежурят, и так по очереди.

Но следующий трюк самый восхитительный. Это тебе не с буны прыгать. И даже не с перил. Нужно дождаться, когда подойдет теплоход, и прицепиться за якоря. Якорей два — с двух сторон. Поэтому и седоков два. По двое на одном тоже можно, но неудобно, далеко не уплывешь. Теплоход отчаливает, и теперь — кто дольше не сдрейфит. Кто быстрее отпустит руки и спрыгнет, тот проиграл. Далеко не заплывают — капитан все равно орать начнет как полоумный. Прыгаешь с якоря почти в открытое море и гребешь к берегу. Счастье. А еще большее счастье, если работает дядя Коля.

— Дядь Коль, брось! Дядь Коль, брось! — кричат мальчишки.

И дядя Коля бросает в воду швартовочный канат. Мальчишки на него гроздьями цепляются, как обезьяны, и плывут далеко-далеко. С канатом можно далеко. Если дядя Коля выпил, то есть добрый, то долго канат не поднимает. Сидишь на канате, и восторг — даже круче, чем на бананах и надувных таблетках. Это — для отдыхающих. По-настоящему, чтобы уписаться от восторга, — на канате. Руки обдерешь, пока держишься, ладони горят, потом плывешь до берега, и все равно восторг.

Ильич, едва уснув, снова проснулся — в туалет захотелось. Море приснилось, канат этот, на котором все детство просидел. Пошел в сортир, заглянув к Славику. Он здесь же — в спальне. А Ильич на диванчике. Спит сын. Сейчас хорошо спит, а раньше каждую ночь кричал.

Этот этаж всегда заброшенным стоял. Тот вход, который считался черным и куда Федор дверь насадил на кодовом замке, на самом деле вовсе и не черный. Выходит на террасу, под кипарисы. А настоящий черный вход за каштаном. Маленькая дверка, деревянная, вовсе без всяких замков. Про нее знают только местные дети и обслуживающий персонал. Играют в прятки и прячутся за этой дверью. Никто найти не может. Особенно если местные играют с детьми отдыхающих. Те всегда водами остаются. А местные довольны — за дверь, и нет их. Хоть обыщись.

Если кто-то из родителей зовет ребенка, а ребенок не откликается, — только что во дворе бегал и вдруг как сквозь землю провалился, — ищи его за каштаном, за дверью деревянной. Ильич, Галина Васильевна, Настя, Федор, Светка сразу идут туда и выводят пропавшего.

— Где же ты был? — восклицает мать или бабушка.

Но дети укрытие не выдают, не раскалываются. Даже столичные, избалованные, молчат как партизаны.

Посторонние сюда не суются — в коридорах темно. Конечно, свет есть. Но надо встать на стремянку и подкрутить лампочку, тогда она зажжется. Когда уходишь, лампочку опять чуть вывинчиваешь. Выключатель тоже есть, только давно сломан. Так что щелкай не щелкай — света не будет. Первые комнаты, которые ближе к выходу, стоят запертыми. Ильич и сам не помнит, когда заходил сюда в последний раз.

Раньше эти комнаты предназначались для подающих надежды молодых художников, приезжавших на этюды студентов-отличников, победителей конкурсов и прочего талантливого подрастающего поколения. Им доставались самые плохие комнаты — душные, окнами на кухню столовки и мусорку. Да и окна маленькие, узкие. Чтобы молодежь знала свое место, понимала, как труден путь наверх. А наверх — это в хорошие комнаты, с видом — хошь на море, хошь на горы. На море — для членов союзов, конечно же.

Там своя терраса. Огромная, просторная, со стульчиками — белье развешивай, кури, вино пей, видами любуйся. И тихо. Только море и слышно. А в тех номерах, которые с видом на горы, — не уснешь, если трезвый. Окна на площадь выходят, где главный винный магазин поселка, еще одна столовая, два ресторана и единственный проход по лестнице наверх, собственно в сам поселок. Где живут местные, где сдают комнаты частники, где дешевле. Чем выше от набережной, тем цена за комнату ниже. А их пансионат, считай, на самом почетном месте — центральными воротами на набережную, окнами на главную улицу. До винного — минута, до набережной — минута.

Федор любил на эту тему порассуждать. Если отдыхающие жаловались на шум, он строго отчитывал: «Вы хоть понимаете, где живете? Да вы в музее, считай, живете!» И люди умолкали. А ведь и вправду — в музее. «Вам вид на горы? Так пожалуйста». И действительно, из окна выглядываешь — и гора перед тобой. Кто же будет жаловаться, если по этим коридорам ходил, говорят, Шаляпин? Может, врут? Еще скажите, что Лермонтов ходил. Или Александр Второй. Или кто там был? Савва Мамонтов! А кто знает? Может, и ходил. Живешь, пытаешься уснуть на жестком матрасе и думаешь, что в те времена и таких матрасов не было. На узких кроватях спали. Вроде как прикоснулся к прекрасному, к искусству. Хоть одним боком. И потом будешь всем знакомым рассказывать, какой необыкновенный дух времени в этом пансионате. Как по-другому начинаешь себя ощущать. Какие мысли приходят в голову. А вдохновение? Да тут воздух пропитан искусством. Не захочешь, а начнешь писать, творить, сочинять. Особенно по вечерам, когда ветер с моря, когда лунная дорожка прямо перед носом, огни, тени от огромных деревьев и литр вина в желудке. Куда там рука должна тянуться? К холсту, к бумаге? Ну, говоря откровенно, тянется рука к бутылке. Вино пьется легко, литрами, баклажками и канистрами. Как не выпить, когда такой вечер, такой воздух, такое вино — с местных виноградников. Есть и пирожок с вишней на закуску. Пирожок шикарный, вишня аж сочится. Сладкий, сдобный, здоровенный, с ладонь крепкого мужика. Не хочешь сладким закусывать? Так вот пирожок с капустой или мясом.

И вот садишься с мыслью написать непременно целый абзац или сделать набросок и не замечаешь, как бутылки вина уже нет, пирожков тоже, а ты все еще настраиваешься, таращишься на лунную дорожку.

Номера, те, которые для бывших членов и заслуженных, отремонтировали, как могли. Но бачок все равно в десятом номере течет. Менять надо, чини не чини — толку на день. А как менять? На какие деньги? Галя уже замучила этим бачком. Поменяли, только еще хуже стало — все равно течет. В пятом кран капает. Если повернуть не до конца, то не капает. Но отдыхающие же не знают, как поворачивать.

Внизу, в полуподвальном этаже, где сотрудники обжили комнатушки, никакого вида. Зато и дела до них никому нет. И ремонта нет, и не было еще с тех, позапрошлых, времен. И вот удивительно — не течет ничего. Хоть бы подтекало там, или слив засорился. Умели люди ремонты делать. Нет, не на совесть, за страх — за бочок, неправильно посаженный, и посадить могли. Вот на страхе все до сих пор и держится.

Сюда сначала Ильич перебрался со Славиком, потом Галя комнатку обустроила, чтобы Светка на ночь возвращалась после своих гулянок. Иногда и сама оставалась, когда уставшая сильно была. Да и днем вздремнуть спускалась. Минут на сорок, не больше. Федор тоже угол себе присмотрел. Баб не водил, телевизор смотрел, пиво пил. Настя заняла сначала один номер, а потом и второй присмотрела. К ней то племянница приезжала, то тетка двоюродная. Ильич прекрасно знал, что такого количества родственников у одного человека быть не может. Даже если по всем линиям считать. Настя тайком сдавала комнатушку знакомым, за полцены. Ильич не возражал. Настя не зарывалась. Жильцов подбирала тихих, спокойных, непритязательных. Так все и жили: сдавали и продавали все, что могли, крутились, вертелись. В сезон поработаешь, в несезон — полопаешь.

По ночам, когда ветер или шторм, кипарисы скрипят. Славик очень кипарисов боялся. Кто уж его напугал — Ильич не знал. Или никто не пугал. Да нет, Ильич сам виноват. Рассказал как-то Славику про эти кипарисы. Вроде увлечь хотел, будто сказку рассказывал, а оно вон как обернулось. Кипарисы эти посадили в позапозапозапрошлые времена. И они, собаки, проросли корнями вниз. Да, их терраса была не самым низом. Под террасой стоял еще один дом, почти у воды, чуть ли не падал в море. Там Катя-дурочка жила. Конура конурой, обветшалый деревянный сарайчик, но с собственным крошечным садом и спуском на пляж. Сарайчик бы подлатать, починить, ему б цены не было. Катя за садом следила. Так у нее целый ботанический сад разросся. Она в растениях все понимала, чувствовала их. Да еще и рука легкая. Даже кипарисы к ней проросли корнями. Катя любила сидеть в саду на колченогом пластмассовом стуле, в зарослях, и смотреть на море. Каждое утро она плавала — прыгала по камням, без всякого страха. Не каждый мальчишка решится вот так по камням скакать, а Катя скакала. Дурочка, одним словом. Как не зашиблась еще? Но дураки, они что пьяные, их судьба бережет.

Ильич-то знал, что Катя дурочкой была не всегда, а была даже очень приличной женщиной, и богатой к тому же. Этот дом ей муж подарил, свадебный подарок сделал. Дом считался хорошим по тем временам, две большие комнаты, кухня, даже участок, который поди обустрой среди камней. Катя с мужем, которого никто никогда не видел, жили в столице. Она сюда приезжала в сентябре — октябре, в бархатный сезон. Всегда одна, без супруга. Жила тихо, гуляла, плавала, со всеми приветливо здоровалась. Сажала растения, в земле копалась. Плавала подолгу, сигая с камней так, что Ильич, в те времена еще Витек, голову сворачивал. Как и Артур. Как и все остальные пацаны, у которых гормоны уже кипели. Катя красивой была невыносимо, но хоть и считалась местной, своей, держалась обособленно. С тетей Валей вежливо здоровалась, но дружбы не заводила. Несмотря на замужний статус и подходящий возраст, детей у нее не было. Тетя Валя думала, что Катя страдает от невозможности иметь ребенка, и советовала поехать на местные грязи, которые очень даже помогают. Или к местному старцу обратиться. Может, он чего подскажет. Но Катя вежливо благодарила и никуда не ездила.

А однажды явилась и больше не уезжала. Все привыкли к тому, что Катя сама по себе, поэтому никто за ней странностей долго не замечал. Жила она, как всегда: плавала по утрам, здоровалась вежливо. Первой заметила тетя Валя, когда увидела Катю в купальнике и плаще-дождевике. Стояла жара, просто невыносимая, и тетя Валя вышла подышать на террасу. Свесилась с перил и внизу увидела Катю, стоявшую на одном из камней в дождевике.

— Кать, ты че? — не удержалась и спросила тетя Валя.

— Дождь льет, — ответила Катя.

— Да уже три дня как не было.

— Дождь, я люблю дождь. Слышите, капает? И пузыри по воде. Очень красиво. Жаль, я рисовать не умею.

Тетя Валя посмотрела на стоячую и мутную от жары воду, на медуз, которые лежали на воде ковром, на грязь, прибитую к берегу, и покрутила пальцем у виска. Ненормальная.

В следующий раз тетя Валя встретила Катю на площади, около фонтана. Фонтан, надо сказать, никогда не действовал. Построили чашу, выложили мозаикой, слепили дельфина: из его рта должна была струиться вода, а воду не подвели. Потом выяснилось, что подвели, но не туда. Куда — непонятно, но точно не в дельфина. Чтобы переделать, нужно сносить и дельфина, и бассейн, и всю мозаику ко всем чертям. Дельфина оставили. Без воды. С пустой чашей бассейна и открытым ртом или что там у дельфинов вместо рта? Перед дельфином всегда собирались экскурсии. Фонтан, который так и не стал фонтаном, считался местом сборов. Здесь стояли частники, точнее риелторы, которые предлагали туристам комнаты внаем. Тут же расположилась основная точка продажи всего — от карточек на телефон до туалетной бумаги.

Возле фонтана тетя Валя и увидела Катю, которая стояла в купальнике и с чемоданом и смотрела в небо.

— Кать? Ты че? Загораешь? — спросила тетя Валя.

— Самолет задерживается, — ответила та.

— Куда собралась-то? Ты ж в купальнике!

— Решила улететь. Странно, никогда не было так жарко. Цветы гибнут. Всегда же прохладно было. Каждый день цветы гибнут. Не могу на это смотреть.

Стоял июль, для Кати — первый июль здесь.

— Столько людей. Просто толпа. Дышать нечем, — посетовала она.

Тетя Валя оглянулась и на всякий случай посмотрела на часы. Шесть утра. Вокруг — никого. Дышать пока есть чем. Вот к полудню точно задохнешься.

— Кать, рейс задерживается, пойдем, я тебя завтраком накормлю. Может, оденешься? Чё у тебя в чемодане-то?

— Рассада, — ответила Катя, — решила увезти, дома пересадить.

— Пойдем пока со мной. Мы и рассаду пересадим. Самолета сегодня не будет. Пойдем, потихоньку...

Тетя Валя увела Катю в столовую. Положила ей вчерашних сырников и налила чаю. Катя послушно ела. Тетя Валя вытаскивала из чемодана рассаду. На помощь она призвала Галю, притащившую цветочные горшки и пакет с землей. Пересаживала, поливала. Катя очнулась от крика баклана: тот прилетел и сел на подоконник.

— Который час? — спросила она.

— Половина седьмого, — ответила тетя Валя.

— Что я здесь делаю?

— Сырники ешь.

— Я схожу с ума. Мне плохо. Я не помню, что делала вчера. Не помню, какой сегодня день, — призналась Катя.

— И я не помню. Сезон. Просыпаешься — вроде понедельник, засыпаешь — уже пятница. Это нормально, — ответила тетя Валя.

Катя спокойно доела сырник.

— У тебя случилось что?

— Случилось? Да, наверное... я пойду, спасибо. Валя? Вас Валентиной ведь зовут?

— Тетей Валей. Я уж лет с тридцати как тетя Валя.

— Тетя Валя... Как красиво, — Катя показала на ростки в кадках, над которыми колдовала Галя.

— Я пересажу и скажу Федору — он к вам перенесет.

— Что? Горшки? Нет, мне не надо...

Тетя Валя, конечно, всем рассказала, что Катя сошла с ума, но ей никто не поверил. Катя, как и прежде, плавала, ходила в красивом платье по набережной, рылась в своем саду, улыбалась. Заходила к тете Вале, кормила кошек остатками еды.

Когда она сошла с ума? Никто точно не помнил, не мог сказать с уверенностью. Тетя Валя считала, что тогда, когда она в дождевике стояла под палящим солнцем. Ильич думал, что позже. После того, как к ней муж приехал.

Муж, которого никто никогда не видел, действительно существовал. Ильич тогда уже жил в пансионате. Как и Галя. Тетя Валя задержалась в столовой, чтобы накрутить фарш на утро. Можно было прийти пораньше, но ей было неспокойно, и она включила мясорубку. Мясорубка ее всегда успокаивала.

Тогда Катя влетела в столовую, прямо на кухню:

— Он меня найдет. Мне надо спрятаться. Куда?

Катя стала стаскивать кастрюли с полок. Смотреть на нее было страшно — бледная, глаза вполлица, руки трусятся.

— Пошли, — тут же среагировала тетя Валя и отвела ополоумевшую Катю к Ильичу. Катю оставили в номере Гали. Тетя Валя ей еду носила. Но на третий день Катя не выдержала и вышла. Вернулась домой, где ее ждал муж, и уехала в Москву.

Вернулась она через год. Уже сумасшедшая. Тете Вале, которую Катя узнавала и с которой не боялась разговаривать, она сказала, что ее держали в больнице. Что досочинила тетя Валя, а что на самом деле было правдой, никто не знал.

Тетя Валя рассказывала, что муж был маньяком. Издевался над Катей. Избивал, но точно знал, куда бить. Лицо не трогал. Несколько раз Катя хотела уйти, но не могла — богатый муж оплачивал частный пансионат-клинику, в котором лежала Катина мама. Мама умирала уже четыре года и никак не могла умереть. Она давно не узнавала Катю, только сиделку, которая была к ней приставлена. Но сердце работало. Давление было в норме. Катя терпела мужа ради мамы.

Потом делала аборты, чтобы не рожать. Не желая иметь ничего общего с этим мужчиной. Она ждала, когда мама умрет и можно будет развестись, начать все заново. Но муж не позволял. У него были другие женщины, совсем еще девочки, но Катя была ему нужна как жена, ширма.

Он давал ей передохнуть — отпускал в дом на море, который сам и подарил. Когда она сообщила, что не вернется, взвился, обезумел. Он не привык к отказам. Катя — его собственность, он был ее хозяином. И только по его воле она могла уехать или остаться. Он ее даже не искал — знал, что сама придет. Их разговор длился меньше минуты — муж сказал, что в этот самый момент ее мать сидит на лавочке во дворе частного пансионата-клиники с собранной сумкой. Она не понимает, почему сидит на лавочке, плачет, потому что замерзла, но к ней никто не подходит. Потому что он прекратил за нее платить. И не заплатит больше ни копейки, если Катя сейчас же не соберет чемодан и не уедет с ним.

Она уехала. Он избил ее сразу, едва они вошли в квартиру. Избил до такого состояния, что сам отвез в больницу. Где она вообще перестала соображать. Ей давали лекарства — сломанный нос болел. Она думала, что ей дают обезболивающие. И покорно принимала таблетки. Муж приезжал и говорил, что с мамой все хорошо. Даже показал фотографию с датой — мама смотрит в холле телевизор. Там же, в больнице, которая тоже была частной, муж ее изнасиловал. Ей было уже все равно — будет ребенок, не будет. Но случился выкидыш. Кроме «чистки», по живому, без анастезии, на чем настоял муж, она ничего не помнила. Даже того, как уезжала из больницы — не помнила. И почему муж ее вдруг отпустил — не понимала. Но он больше не объявлялся. Может, нашел себе другую жертву. Может, Катя, ставшая буквально за год старой, больной и лысой, стала ему неинтересна.

Ильич не верил в рассказы тети Вали. А Галя верила. И Настя верила.

Катя стала местной сумасшедшей, которую никто не обижал. Катя-дурочка. Наоборот, заботились как могли. Подкармливали, проведывали. Некогда хороший дом превращался в обветшалую конуру. Ильич, когда делал косметический ремонт в номерах, отправлял рабочих и к Кате. Обои в домике переклеили, подкрасили, что могли. Но крыша нужна была новая, а на это денег не было.

Катин дом несколько раз пытались отобрать. Риелторы думали, что чокнутая дамочка подпишет все, что ни подсунешь. Место-то уникальное — пусть небольшой участок, а с собственным спуском к морю. Вид такой, что закачаешься. Да если эту халупу снести и дом нормальный поставить, ему цены не будет. Риелторы появлялись на Катином пороге регулярно. Но они не учли того, что хозяйка была не просто чокнутой, а буйной. Если к ней приходили незнакомцы, Катя начинала кричать, да так громко, что на набережной было слышно. И все немедленно сбегались. Риелторы быстро улепетывали — одна только тетя Валя, которая тут же начинала вопить, материться и чуть ли не в драку кидаться, чего стоила. А еще Настя, оравшая так, что заглушала Катю. И Ильич с Галей, которые тут же вызывали милицию. А милиция у нас кто? Милиция у нас дядя Саша. Дядя Саша был еще одним другом детства Ильича, как Артур. Он сам на вызов не приезжал, а присылал кого-нибудь из молодых да наглых, предварительно объяснив, на чьей стороне должен быть закон.

Катю с домом оберегали как могли. Тетя Валя была уверена, что риелторов подсылает бывший муж. Ильич считал, что и своих дельцов хватает.

Теперь про кипарисы. Как уж они проросли через кадку, утопленную в бетоне, на голову Кате, непонятно. Но на ее участке образовалось настоящее чудо природы — в разросшемся саду сверху висели корни. Ильич предлагал Кате корни обрезать, кипарисы пересадить, но она наотрез отказалась. Ей нравились корни, которые свисали, считай, с ее потолка. Она ими любовалась. Только переживала, что непонятно, как за ними ухаживать. За теми корнями, которые в земле, она знала как, а за теми, что свисают, не знала.

Только новая напасть случилась. По ночам, когда шторм или дождь, кипарисы скрипеть начинали. Громко, протяжно, будто стонали и плакали. Или вели нескончаемый диалог на своем языке.

•

Славик от этих звуков просыпался и начинал кричать. Он просыпался, забивался в угол кровати и кричал на одной ноте, будто подпевая, нет, подвывая, кипарисам. Катя тоже в ответ кричала. Как эхо. Это был утробный крик. Катя кричала о своем. Это было страшно. Настолько страшно, когда не знаешь, что делать и чем помочь. Ничего не помогало. Ильич успокаивал Славика, Галя спускалась к Кате и сидела с ней. Но они — мальчик и женщина — продолжали кричать. Будто в их легкие закачали столько воздуха, что он никогда не закончится. Срывались и Ильич, и Галя. Ильич кричал на сына, хотя не должен был, знал, что не должен, но ничего не мог с собой поделать.

— Замолчи немедленно! Замолчи!

Славик застывал на мгновение, замолкал, и принимался кричать с новой силой. Галя же заваривала самый сильный отвар из трав и заставляла Катю пить:

— Пей немедленно! Пей!

Отдыхающие просыпались, волновались, даже те, которые не жаловались, после двух бессонных ночей подходили к измученной Гале или шли сразу к Ильичу.

Галя извинялась, объясняла, про кипарисы рассказывала. Многие понимали, сочувствовали. Но были и те, кто скандалил: они отдыхать приехали, а не в чужое положение входить. Пусть и в тяжелое положение. Но не свое ведь, чужое, совершенно посторонних людей.

Тех, кто жаловался, Ильич в другие номера переселял — которые подороже, с лучшим видом. Один сезон был совсем тяжелым — штормило постоянно, кипарисы скрипели, Славик кричал, Катя кричала. Ильич с Галей совсем сон потеряли. Отдыхающие обещали жаловаться куда надо и грозились вызвать милицию, а те пусть этих сумасшедших в психушку везут. Разве можно таких людей с нормальными держать рядом? Нервы тогда у всех были расшатаны — отдыхающие жаловались на головные боли, на то, что отпуск пропадает из-за погоды. И в том, что лил дождь и штормило, тоже были виноваты Ильич и Галя, Катя со Славиком.

Очередной ночью, когда Славик закричал, Ильич не выдержал. Он вытащил сонного сына из постели, нацепил на него куртку и повел к кипарисам. Славик кричал уже в полный голос, упирался, кусался. Ему было страшно идти к деревьям ночью. Он хотел домой, в кровать. Но Ильич тащил сына на террасу. Он подвел вопившего и извивавшегося Славика к кипарисам и начал рассказывать про корни, которые сейчас внизу. Они спустились к Кате, и Славик, задрав голову, смотрел на корни. И Катя смотрела, будто впервые увидела, что у нее с потолка свисает. Ильич говорил, что кипарисы — их защитники, их дома, пансионата. Что, пока стоят кипарисы, с ними ничего не случится.

После этого Славик решил, что кипарисы живые, как почти настоящие рыцари. Он стал с ними разговаривать, они ему отвечали скрипом. Славик больше не кричал, а сидел в своей кровати и общался с деревьями. Рассказывал про новый самокат, который папа подарил. Или про то, что завтра не будет есть котлету. А Ильич носил рубашку с длинным рукавом — прикрывал укусы, которые оставил сын. Глубокие, саднящие.

Славик... боль и счастье. Проклятие и наказание. Единственный смысл в жизни. Сын. Сейчас детей по именам зовут, да еще имена такие заковыристые. Радомир или Святозар, Богдан, Милена, Владлена, Святослава. А раньше по-простому было. «Сын, иди сюда», «Сын, пошли, пора». Или доча. «Доча» — красиво звучит. Мягко, нежно. Особенно если говор, как у тети Вали, — у нее «доча» нежно получается, на конце «я» слышится. Иногда даже совсем мягко — «дося».

Ильич мечтал о дочери. Но об этой мечте никому не говорил. Даже самого себя перебивал в мыслях и пугался — какая доча? У него сын. «Сын, тихо, тихо, все хорошо». Дочь у него тоже, можно сказать, была — Светка. Светка и Славик. Дети. Роднее не бывает.

Славика все знали, конечно, не обижали, не дергали. А какой интерес? Дурачок.

Как называлась эта болезнь, которая у Славика, Ильич не знал и не хотел знать. Врачи разное говорили. Сколько этих врачей было? Да не перечесть. И никто не помог. Ильич думал: как же так? Время другое, все другое, а лечить болезни не научились. Другие хвори лечили, вакцины изобрели всякие, а такую, как у Славика, нет. Даже не знают, как она называется. Говорят, синдром. Надо в Москву ехать, чтобы точно узнать, или в Европу. Но Ильич не мог в Москву. А уж в Европу — тем более. Славику и ДЦП ставили, и аутизм, и много чего еще. Синдромы с такими заковыристыми фамилиями называли, что не запомнишь. Детей научились в пробирке выращивать, а готовых, которые уже родились, — вылечить не могут. Ильич себя одергивал — ведь помогли. И лекарства выписывали, и процедуры. Если бы не делали, может, и хуже все было. Кто знает? Никто не знает. Как никто не знает, отчего такие дети, как Славик, рождаются. Наследственность? Инфекция? Кто виноват? Мать? Отец? Или никто не виноват? Врачи так и не смогли объяснить Ильичу — за что? За что именно ему? Почему не кому-нибудь другому? Почему у других здоровые дети, а у него Славик? Нет, Ильич не роптал на судьбу, он бы Славика на сто здоровых детей не променял. Но за что Славику такое? За что ему такая судьба? Ведь ничего плохого не сделал.

Он один раз спросил у Гали: почему не нашли способ лечения? Разве мало таких детей? Разве нельзя сделать операцию и все вылечить? Изобрести таблетку?

Галя тогда со Светкой мучилась. Светка перекупалась, и у нее разболелось ухо. Галя уже и масло подсолнечное ей капала, и перекисью водорода промывала, и компрессы из водки делала. А Светка оглохла, ничего не слышала правым ухом, и говорила, что болит.

Галя ее к врачу потащила, хотя Светка орала дурниной. Галя боялась, что воспаление среднего уха или еще что-нибудь. Но оказалось — пробка. Банальная серная пробка. От перекиси пробка размякла, и стало еще хуже. Время изменилось, люди в космос летали, а Светке выковыривали пробку длинным стержнем с намотанной на конец ваткой. И Светка кричала, что ей прямо в голову этой палкой лезут. Вырывалась. Ей уже и промывали, под давлением большим шприцом вливая воду в ухо, но пробка все равно сидела. Светка ходила к лору уже три раза.

— Ну вот как? — чуть не плакала Галя. — Обычная серная пробка, а вытащить не могут. И лекарства не придумали.

Здесь, в поселке, было другое отношение даже к болезням. Никто не знал про ротавирус, говорили, что «гриппует». Хилых и бледных называли «золотушными». Главным лекарством от всего оставалась марганцовка. Ее и внутрь, и наружно. Отравление? Вода теплая и два пальца в рот. И ромашка, конечно же, которая тоже — и внутрь, и наружно. Галя очень верила в ромашку — она и дезинфицирует, и жар снимает. От всего. За лекарствами для Славика ведь нужно было ездить в город, там стоять в очереди в аптеку, потом возвращаться в поселок и снова ждать, когда нужный препарат закажут, и опять ехать забирать. А ромашка на каждом углу — и сушеная, и с цветками, и россыпью. Галя мыла голову отваром из ромашки, Славику делала ромашковые ванны, Светка та вообще была ромашкой пропитана с ног до головы. Но толку от ромашки было мало. Славик не выздоровел, Галя стала повязывать платок на голову — волосы выпадали. Она красилась, подводила брови, а потом плюнула. И ходила седая. Тетя Валя ее подстригла прямо на террасе, и для Ильича новый Галин вид стал шоком. Она оказалась совершенно седая, с коротким ежиком. На фоне новой прически резко проступили глаза, вполлица, губы, скулы. Отдыхающие из числа женщин считали Галину Васильевну очень современной. Обнаружилось, что седой ежик вошел в моду. Галину Васильевну сравнивали со знаменитой актрисой. Галя улыбалась. И всем советовала покупать ромашку. Ее и в чай, и в ванну можно. Как и лаванду. Женщины записывали рецепты и скупали травы.

— Зачем ты их обманываешь? — спросил както Ильич.

— А что, я им правду должна говорить? Что у меня седина в тридцать лет появилась? Что я не знала, как лысину прикрыть? Или ты хочешь, чтобы меня жалели? Нет, я буду седой, лысой, но модной. Людям нужно во что-то верить. Хотя бы в ромашку.

Ильич кивал. Да, ему тоже хотелось во что-нибудь верить. Но он уже не мог, не был способен. Закончился запас веры. Когда Славик был маленький, он и в монастыри ездил, и молился святым. Просил за Славика. У всех просил, но никто не дал его сыну здоровья. Потом Ильич стал просить о терпении, о том, чтобы избавиться от ненависти, злобы. Дать душе покой. Но и этого не дождался, хотя молился усердно. Потом враз плюнул и забыл про веру. Иконы отдал Федору, который выставил их в закутке около стойки администратора. Ильич, когда увидел, хотел рот открыть, но промолчал. Людям нравилось. Федор же повесил портрет президента на видном месте, на том самом, где раньше висел Ленин, потом Сталин, потом два вождя рядом, затем Хрущев и Брежнев. Место на стене было, так сказать, затертое, со следами от рамки. Обои сколько раз переклеивали, а то место все равно темнее оказывалось. Ильич думал, что старые портреты вождей Федор давно выбросил, а оказалось, он их в свою комнату унес и сложил в ящик. Это ему Настя рассказала, которая не удержалась и проверила ящики.

— Коммуняка вшивый, — брезгливо сказала Настя, — они у него все лежат, стопочкой, в нижнем ящике. Да что б у него руки отсохли!

— Как же твои принципы? — ухмыльнулся Ильич. — Ты же в ящики на лазишь.

— Так я для безопасности. Чтоб знать, что у этого извращенца на уме.

Настя Федора ненавидела. Все думали, что за тот удар в челюсть, и только Галя знала, что Настя ненависть испытывала по политическим мотивам. У нее дед с бабкой в лагерях умерли. И даже неизвестно, где похоронены. Настя тогда, кстати, портреты забрала и сожгла. И Федор даже не пикнул. Будто и не было никаких портретов. Побоялся рот открывать. Настя все ждала, что он хавальник откроет, но Федор молчал как рыба. Настя так и не высказала ему все, что собиралась, что давно отрепетировала и проговорила про себя. Федор не дал ей такой возможности. А вместо этого, паскуда, повесил новые портреты. Чтобы прикрыть зияющее темное место — нынешних вождей. Тут же и иконы выставил. И как в воду глядел. Отдыхающим нравилось. Прямо посмотришь — портрет президента, направо взгляд кинешь — иконы. На любой вкус: тут и Богоматерь, и Николай-угодник, и Семистрельная, которая плохих людей от дома отваживает, и Кирилл с Мефодием — как раз для творческих людей. Ведь их пансионат — Дом творчества, а не абы что. Федя собирался еще лампадку повесить, но Галина Васильевна запретила. Требование пожарной безопасности. Федор же чутко ловил предпочтения клиентов — дамочкам, бабулечкам занавесочку приоткрывал, чтобы иконы виднее были. Когда мужчина солидный появлялся, без шеи, с часами дорогими, — Федор пыль с портрета президента начинал тряпочкой стирать. Потом к его коллекции добавился «глаз от сглаза». Федор, конечно, не знал, что оберег называется «глаз Фатимы», что он мусульманский, но знал, что он турецкий. А в Турции многие отдыхающие были, так что им понравится. И опять, зараза, оказался прав. «Глаз» прижился, соседствуя с иконами и портретами. Президента Федору показалось мало, и он еще местного губернатора вывесил, но пониже, под президентом.

Галина Васильевна аж рот раскрывала от изумления.

— Федь, ну ты еще мезузу повесь — и все, полный набор, — сказала она.

— Это чё такое? — не без интереса спросил Федор.

— Это еврейское. Рядом со входом в дом вешают.

— Не, еврейское не буду. Не люблю их.

— Дурак ты, Федор.

— А вы, Галина Васильевна, шибко умная. Только кто умнее оказался? А? Людям нравится.

Она лишь пожимала плечами — Федор был прав.

— А если проверка какая? Так опять же у нас все как положено.

— Ты про портрет или иконы?

— Зря вы так, Галина Васильевна. Между прочим, даже на прокат катамаранов повесили портрет. И катамараны освятили.

— С ума сошел? Там же Вань-Вань. А он ни в бога, ни в черта не верит.

— Он не верит, а люди верят. У них после освящения знаете сколько клиентов появилось?

И как президента повесил, так ему разрешили расшириться. Вань-Вань хочет школу дайвинга открыть.

— И как он будет нырять?

— Он не будет. Пацаны будут. Зато ему кредит на оборудование дали. Кто-то из чиновников мимо проходил, увидел, что портрет висит, что поп стоит и катамараны святой водой окропляет, вот и распорядился.

— Господи, совсем с ума все посходили.

— Зря вы так, Галина Васильевна, надо идти в ногу со временем. Сами так говорите.

— Ну да, вера сейчас в моде.

— Если вы не верите, то не значит, что люди не верят. Вот я — верю. И в церковь хожу.

— Федор, у тебя отец — татарин!

— Мать — русская. Православная, значит. А я крестился, между прочим.

— Федя, это у евреев по матери считается... ладно, делай что хочешь.

Федор с того самого разговора затаил обиду на Галину Васильевну. Только месть приберег на будущее. Когда время настанет, он уж молчать не станет. Он все расскажет. Про то, что главный администратор живет во грехе, хотела заставить его выбросить иконы, и что воспитывает дочь-шалаву.

— Ильич, ну ты-то куда смотришь? — спросила Галина Васильевна.

— Галь, пусть что хочет, то и делает. Я устал. Мне скандалы не нужны. Особенно в сезон.

— А то, что Настя готова глотку Федору перегрызть, тебя не волнует?

— Пусть перегрызает. Поверь, я ее не остановлю. Давай этот сезон закроем, а там видно будет. Пожуем — увидим.

— Ненавижу, когда ты так говоришь.

Эта присказка стала у Ильича привычной: «пожуем — увидим». Галя чуть на стену от нее не лезла.

Ильич не спал. Каждую ночь, когда можно размышлять о том, о чем днем думать себе запрещаешь, он хотел уйти. Все бросить. Оставить этот пансионат. Но бросить нельзя. Он хотел быть один, ни за кого и ни за что не отвечать. Он хотел быть молодым, как раньше. И тогда бы все было по-другому. Некоторые люди, вспоминая прошлое, говорят, что не изменили бы ни одного дня, если бы можно было вернуться назад. Ильич хотел изменить все. С самого начала. Но теперь он должен был терпеть. Ради Гали, Светки и Славика. Самое главное — ради Славика.

Что там твердили врачи? Славику нужна привычная обстановка, знакомая до мельчайших подробностей среда — где стоит его кровать, что он будет есть на обед, с кем играть. Любые перемены плохо сказывались на его самочувствии. Славику требовался четкий порядок, который бы не менялся годами. Да, Ильич это прекрасно знал, не хуже врачей. Когда они только переехали в пансионат, Славик терялся. Он не мог спать, потому что кровать была другой, новой. Не мог есть, потому что тетя Валя в тот сезон тарелки новые закупила. Славик был консерватором, в том болезненном проявлении, когда дети боятся новой обуви, новой рубашки. Ильич покупал сыну сандалии сразу нескольких размеров, чтобы незаметно менять, когда сын вырастал из старой обуви. Славик чувствовал подвох, но не мог понять, в чем дело. Сандалии были точно такими же, как предыдущие, с теми же ремешками, того же цвета. И Славик соглашался их носить. Точно так же Ильич закупал рубашки — одного цвета на несколько размеров вперед. Трусы и носки. Зубную щетку Славик признавал только синего цвета, а пасту — только с клубничным вкусом. Если тетя Валя забывала налить на сырники сгущенку или поливала не так щедро, как обычно, мальчик отказывался есть. Он привык, что сырники плавают в сгущенке, но не мог попросить больше или меньше — не понимал, сколько ему нужно.

Точно так же Славик мог отказаться от еды, если тарелка или стакан оказывались другими. Только Светка могла уговорить что-то поменять. У нее это получалось. Светке Славик доверял безгранично. И тем более было страшно, когда он вдруг не узнал ее с красными волосами и начал плакать.

Светка взяла и покрасила Славику прядь волос, тоже в красный. Славик смеялся. Смотрел на себя в зеркало и смеялся. К зеркалам его тоже Светка приучила. Он вел себя как кошки или собаки, которые, видя свое отражение, начинают нападать. Славик зеркал боялся. И именно Светка подолгу стояла с ним перед зеркалом — они поднимали руки, дурачились, строили рожицы, пока Славик не понял, что в зеркале он, а не другой мальчик. Светка же приучила его к тени. Она делала руками голубей, собачек, зайчиков. Славик смеялся. А потом Светка научила его складывать руки и делать собственных голубей из тени. Тогда Славик долго кричал вечером, оплакивая собственную иллюзию, обман, в который верил, тайну, которая была раскрыта. Но Светка была беспощадна. Она заставляла Славика жить, понимать, вырываться из собственного мира.

Федор был не прав, когда называл Галину Васильевну неверующей. Галя верила в себя. Пока Ильич ездил по монастырям, Галя воспитывала Славика. Когда Ильич ставил там свечки, Галя давала Славику таблетки.

Раньше называлось просто — «местный дурачок». И все знали, что дурачков нельзя трогать, нельзя обижать. Никакого диагноза и не было. Понятно сразу: «дурачок». Славик был таким.

Он боялся медуз, камней, которые к обеду становились раскаленными. Зато любил все летающее, ползающее — муравьев, бабочек, жуков, пауков. Любил кошек и птиц. Рыб боялся до истерики, даже мальков. Славик не мог есть горячий суп, но любил горячий чай. Ел только мягкое мороженое, а то, что в стаканчике, — не понимал. Сидел и смотрел, как оно тает в руках.

Катя-дурочка сходила с ума по-другому. Незаметно. Если Славик застыл в пятилетнем возрасте, то ее сумасшествие прогрессировало. Ей было уже под пятьдесят, но она говорила, что двадцать четыре. Она остановилась в том возрасте, когда была счастлива.

Ходила она в шляпе в цветах, носила сумку в цветах, в руках всегда держала засохший пучок лаванды. Катя вдруг резко постарела — лицо превратилось в печеное яблоко, проявились носогубные складки и залегли морщины между бровями.

Катя вдруг стала думать, что она цветок. И жила как цветок. Поливала собственные ноги из детской лейки. Стояла на пляже, куда спускалась из своего сада, набирала воду в лейку и поливалась. Потом поливала шляпу, чтобы те цветы, которые на шляпе, не завяли. И вдруг, как очнувшись, обнаруживала себя на пляже. Не помня, как вообще там оказалась. Катя перестала плавать. Вдруг стала бояться глубины. Заходила по пояс и стояла. Могла стоять часами. Удивительно, что не замерзала, не заболевала. Иногда она делала несколько гребков, возвращалась. И минутные просветления сменялись привычным состоянием — Катя снова набирала лейку и поливала свою цветочную сумку. Она выходила на берег и бежала к тете Вале.

— Почему я мокрая? — спрашивала Катя.

— Дождь был, — отвечала тетя Валя.

•

Она садилась за стол рядом со Славиком. Тетя Валя кормила их манной кашей. Катя удивлялась — такая каша вкусная, оказывается. Почему она раньше никогда не ела манную кашу? Славик смотрел на Катю и тоже начинал есть. Они шли за добавкой. Большим половником тетя Валя наваливала в тарелки еще по порции. И Катя со Славиком ели. И подходили снова за добавкой. Но тетя Валя знала, что больше нельзя. Они оба — Катя со Славиком — не чувствовали насыщения, сытости, как и не испытывали голода. Если их не кормить, не сажать за стол, оба умерли бы от истощения. Или от переедания, если позволить им съесть столько, сколько захотят. Тетя Валя строго говорила: «Больше нельзя», — и Катя со Славиком покорно шли и ставили тарелки на стол грязной посуды. «Нельзя» — это слово они понимали.

Катя со Славиком дружили, но молча. Ни разу — ни за обедом, ни за завтраком — они не заговорили. На пляж Славик любил ходить с Катей — он помогал ей поливать сумку или шляпу, или ее ноги из детской лейки. Катя улыбалась. Славику нравилось поливать, а Кате нравилось, что ее поливают.

Детских леек у нее было много. И Славик думал, что все лейки — Катины. Или должны быть у Кати. Славик отбирал лейки у маленьких детей, которые играли на берегу, и нес их Кате. Дети плакали, мамаши негодовали. Требовали отдать лейку. Катя отдавала с мягкой улыбкой сумасшедшей. Но

Славик снова забирал игрушку. Тетя Валя, которой из окна был виден тот кусок пляжа, где обычно бывали Славик с Катей, выбегала, забирала лейку у Славика в обмен на пирожок с вишней, уводила Катю, успокаивала мамаш.

Иногда Славик прыгал с детского камня вместе с малышней. Кодекс поведения он заучил твердо — никого не сталкивал, помогал забраться. Ему нравилось помогать маленьким детям. И при этом он вдруг мог прыгнуть невпопад и подтопить ребенка. Или неловко повернуться и столкнуть малыша с камня. Славик не понимал, что сделал не так. Ильич не разрешал ему прыгать, если на пляже собиралось много отдыхающих, чужих, а не местных. Когда камень был свободен, Ильич разрешал прыгнуть, но Славику было неинтересно одному.

Впрочем, мальчик не умел долго расстраиваться и придумывал себе другое занятие. Например, брал трехлитровую пустую пластиковую бутылку из-под воды и складывал в нее камни, набивая по горлышко. Когда бутылка оказывалась полной, Славик высыпал камни и принимался снова заполнять емкость. Ильич знал — пока Славик не заполнит камнями бутылку по самое горлышко, с места не сдвинется. И спокойно уходил плавать. Как в молодости. Нырял, плыл под водой, потом кролем, брассом. И назад. Он плавал бы еще, но нужно было возвращаться, пока Славик не положит последний камень в бутылку. Ильич мечтал о том, чтобы поплавать всласть, уплыть далеко и вернуться часа через два.

Галя об этой мечте знала и предлагала посидеть со Славиком. Но Ильич чувствовал, что не сможет расслабиться. Станет о сыне думать. А если он чудить начнет, что тогда? Гале будет неудобно, хотя она все про Славика знала. Больше, чем кто-либо. Но переживать начнет. Пока Славик был маленьким, Гале было проще. Но он стал подростком, и Галина растерялась — не знала, что с ним делать, как себя вести, как объяснять посторонним людям болезнь мальчика. Тетя Валя, когда скандалить прекращала, сразу всем сообщала:

— Вы че? Не видите, шо ребенок больной? Да молитесь Богу, что ваш таким не уродился! Нужель не понимаете? Из-за лейки какой-то! Пожалеть ребенка надо! Он хоть здоровый с виду, а по мозгам — дите неразумное. Вы ж мать. Вам не совестно?

И мамашам, которые только что кричали, мол, взрослый парень, а так себя ведет, замолкали немедленно. Ведь и вправду больной. Его пожалеть надо. И слава богу, что мой нормальный. Вот ведь горе для родителей.

Но находились и такие, кто продолжал вопить. Да что тут сумасшедший делает? Почему его на пляж пускают? А если он утопит кого? Что от него ждать? Сейчас лейку забрал, а потом камень возьмет и по голове ребенка стукнет. И тогда тоже в положение надо входить?

Тогда тетя Валя багровела лицом, которое и так было всегда красным от долгого стояния над плитой, духовкой и кастрюлями, вытирала пот со лба и начинала орать так, что бакланов перекрикивала.

— Ты мать? Да это тебя надо прав лишить! Вон, ты уже бухая с утра! Я ж знаю, где ты накачиваешься! Я тут всех знаю! У Анжелы уже заправилась?

Мамаша тут же прикусывала язык. Потому что у Анжелы в магазинчике с утра заправлялись все — кто водой, кто «Отверткой» в банке, кто пивком, а кто и вином дешевым.

— Да шоб ты горя не знала! — продолжала вопить тетя Валя. — Да шоб твой муж никогда не узнал, с кем ты тут валандаешься! Ребенок больной ей помешал! За своим следи, шоб он был здоров!

Галя так не могла. Она извинялась. Сто, двести раз. Ни про Славкину, ни про Катину болезнь не говорила. Не могла. Больше не могла. Язык не поворачивался. Извинялась и лепетала, что Славик — добрый, никому зла не причинит. Он нежный, ласковый. Вы не смотрите, что он взрослый. Да он как младенец. Ему тепло и любовь нужны. Только матери у него нет, мать его бросила. Бедный ребенок.

— А вы ему кто? — спрашивали мамаши.

— Никто, — отвечала Галя.

Ильич никогда не вступал с отдыхающими в объяснения. Он сразу забирал сына и уводил с пляжа. Следом послушно шла Катя, будто ее тоже «забрали». Катя Ильича слушалась, как и тетю Валю. Если Ильич говорил: «домой», значит, надо идти.

Славик рос, оставаясь маленьким. Он понимал, что если целуют — это хорошо, приятно. Если обнимают, тоже приятно. Если ругают, положено плакать. Но он совершенно не понимал, что такое стыдно. Мог снять трусы на пляже, потому что они мокрые и ему неприятно. Славик не любил, когда ткань к ногам липнет. Галя купила ему плавки, но лучше не стало. Славик помнил, что папа станет ругать, если трусы будут мокрыми. А плавки были мокрыми. Значит, папа расстроится. И Славик сдирал с себя плавки. Галя говорила, что от моря плавки всегда мокрые, что это специальные трусы, а мокрыми не могут быть другие трусы, и что папа ругать не будет, но Славик не улавливал разницы. Он понимал только «мокрое» и «сухое». Тогда Галя решила класть Славику запасные трусы, чтобы он мог переодеться. Но мальчик боялся заходить в раздевалку. Ту самую, где ноги все видят. Железный закуточек. Славик ни в какую, до слез, до истерики отказывался заходить в раздевалку. Галя опять объясняла, что нельзя снимать трусы прямо на пляже, он уже большой, а большие не должны так делать. Должны переодеваться в раздевалке. Но Славик опять не понимал разницы. Почему ему нельзя на пляже, а маленьким детям можно? Разве он уже большой? Разве не ребенок? Раздевалки он боялся панически. Наверное, это была

4 - 2362

своеобразная форма клаустрофобии. Но Славик с ней жил. Потому что ни лифтов, ни других закрытых помещений в их поселке не имелось. А те, что имелись, — подвалы, душевые, — Славика не пугали. Раздевалка же вызывала ужас и приступ паники.

— Подожди, видишь, там уже занято, — сказала однажды Галина, показывая на чужие ноги, которые были видны от колена.

И Славик перепугался. Он плакал навзрыд, а Галя не могла понять, в чем дело. Потом догадалась. У мальчика в голове не укладывалось, как у раздевалки могут быть ноги. И что это за фокус такой — человек исчезает, а ноги остаются. Галя на себе показывала — заходила, выходила, а Славик продолжал рыдать.

А потом пришла еще одна напасть. Дамочки стали без лифчиков загорать. Топлесс. Уходили на дикий пляж и раздевались. В тот сезон Славик на пляже почти не был. Он подходил и начинал рассматривать женскую грудь. Дамочки открывали глаза, видели перед собой половозрелого детину, который нависал сверху, тянул руки, чтобы потрогать, и начинали вопить как резаные. Славик тоже начинал орать, потому что очень хотел потрогать то, что никогда не видел, а ему не разрешали.

Тот случай на Галю пришелся. Она и предположить не могла, что Славик, всегда равнодушный к половым признакам, вдруг проявит интерес.

Она задремала. И тут крик. Тетка отмахивается, полотенцем Славика лупит, а тот не понимает, кричит. Галя кое-как утащила Славика домой, зашла в кабинет Ильича и уже там расплакалась.

— Не могу, я не могу, — рыдала Галина Васильевна.

— Что случилось?

И тут Галя сказала то, чего не должна была говорить никогда, ни при каких обстоятельствах. Вырвалось на нервной почве. То, о чем она молчала много лет.

— Давай его в больницу положим. Хотя бы на сезон, — застонала Галина. — Ты знаешь, я его люблю как родного. Но я боюсь. Мне страшно. Я с ним давно не справляюсь. Что будет дальше? Он меня даже не узнает! После того, как я перестала краситься. Он не узнает меня! Я для него — чужой человек! Я не могу!

— Успокойся, расскажи.

— Что рассказывать? Ты сам все знаешь! Вчера Катя с лейками, сегодня тетка без лифчика! Хотел потрогать! Он не понимает! Когда был маленьким, я могла объяснить. Сейчас не могу... Прости меня. Не могу. И не хочу больше. Я столько лет с ним... Силы кончились.

— Я не положу его в больницу.

— Знаю, знаю. Но и я больше не могу. Все. Думай, что хочешь. Можешь меня проклинать. Не могу.

Галина ушла. Ильич сидел в своем кабинете и вспоминал, как она точно так же плакала много лет назад.

Тогда Славик был еще маленьким. Ну как маленьким? Восемь лет. Местные пацаны в этом возрасте уже в магазин ходят наравне со взрослыми, гуляют допоздна, сами на пляж бегают без присмотра, на набережной стоят, старшим помогают. Славик в свои восемь был выше сверстников на голову, а по развитию — Светка. Хотя тоже — как можно сравнивать? Светка в два года могла одеться-обуться самостоятельно, говорила вовсю. В три уже посуду мыла, в пять — гладила, за плитой смотрела. Могла накормить и себя, и Славика. Развита была не по годам. Жизнь заставила. Так вот тогда Галя со Славиком и Светкой пошла на детскую площадку. Вернулась с красными, заплаканными глазами. Дома долго отмалчивалась, но потом рассказала.

Славик на карусели детской крутился. Он любил карусель эту ржавую и скрипящую, как любил раскаленную горку и песочницу. На этой площадке только малышня играла. Те, что постарше, облюбовали другую площадку — где сетка натянута рваная, можно мячик перебрасывать. Где перекладина, на честном слове державшаяся, чтобы подтянуться и виснуть вниз головой. Светка по возрасту пока на малышовой площадке играла. И Славик с ней. Обычно хорошо играл — маленьким мячик кидал, пинал аккуратно, качал качели осторожно. Все думали, что старший брат привел сестричку на площадку. Заботится. Но Славик был уже взрослым. И раскручивал карусель сильно. Светка была привычная, держалась. А другие дети падали, некоторых тошнило. Или вдруг Славик забирался на горку и сталкивал ребенка, потому что тот мешал ему съехать. Мог залезть в песочницу и насыпать песок на голову малыша, который едва сидеть начал. Славик хотел как лучше...

Мальчишки его возраста в это время пинали мяч в стену. Камушками выкладывали ворота и целились в середину. Иногда мяч прилетал случайно в чью-то голову. Мальчишки быстрой скороговоркой просили прощения: «Извините, случайно, больше не будем». Местные тут были спорые и умелые — у всех младшие братья и сестры. А то и по двое. И они знали, что нужно малышу дать мяч, сделать десять куличиков за минуту, покачать сильно на качелях и все — ребенок успокоился, можно вернуться к футболу. Местные дети гуляли под присмотром старших братьев или сестер, пока мамы и бабушки зарабатывали деньги в сезон. Поэтому в умении остановить кровянку — послюнявить, прилепить листик подорожника, отвлечь болтовней — им не было равных. Многие матери из отдыхающих диву давались — они так не умеют, как эти местные мальчишки. Да эти пацаны лучше любой няньки. Если уж совсем ребенок не успокаивался, то у этих ребят в карманах кусок сахара находился. И сахар, с пылью, с нитками от штанов, вкуснее любой конфеты казался. Многие дети такой кусковой сахар впервые в жизни видели. Пихали за щеку, пока мать или бабушка не видят, и готовы были терпеть новый удар мячом, лишь бы еще кусочек получить.

Эти мальчишки семи-восьмилетние умели делать с младшими детьми все. Только потому, что были старшими в семье. Могли высморкать в грязный лист подорожника, обтереть слезы подолом рубахи. И даже знали, что делать с капризными и неуправляемыми детьми, на которых усталые матери уже махнули рукой.

Местный мальчишка скрывался в кустах и выходил, держа за шкирку котенка. Вид котенка приводил в чувство самого плаксивого ребенка. Старший мальчик учил малыша, как правильно брать за шкирку, как почесать за ушком, чтобы заурчал и раскрывал лапку, чтобы ребенок увидел когти и подушечки. Мать, которая уже представляла, как будет выводить блох у ребенка, не двигалась с места. Ее неуправляемые сын или дочка немедленно становились ласковыми, улыбчивыми, ангельскими созданиями, которые прижимали к груди драного блохастого котенка и прекращали капризничать. Они придумывали клички, смеялись и прибегали к матери, суя ей под нос этого самого котенка.

— Мам, давай его домой возьмем! Мам, ну пожалуйста!

•

И местные дети знали, что котенка заберут в съемную комнатушку, будут кормить, поить молоком, выведут блох. Котенок не подохнет хотя бы в ближайшие две недели. А если повезет, то и в течение месяца. Только потом его оставят вместе с миской и уедут. Но котенок уже выживет. У него появится хоть призрачный, но шанс. А затем самые стойкие, которые умудрятся не попасть под колеса машины, прибьются к столовой тети Вали, или к ресторану, или к пансионату и будут жить там. А может, и хозяйка, которая угол сдавала жильцам, себе оставит животное. При условии, что кот будет мышей ловить и крыс. И приносить хозяйке на порог. Да, котам было проще выжить. Кот ушел, погулял и вернулся. А кошка придет брюхатая, устроится рожать на полке с постельным бельем, и потом что делать? Топить котят? Раздавать? Кормить?

Славик, у которого не было ни братьев, ни сестер, не умел извиняться, потому что не понимал, за что? В чем его вина? Но он знал, что если кто-то плачет, то это плохо, надо успокоить. Не понимал, как правильно обращаться с малышами, потому что Светка никогда не была маленькой. Она родилась со взрослым взглядом. Смотрела внимательно. И она была старшей в их странной семье. Славик знал, что если плачет тетя Галя, это плохо. Если плачет тетя Валя, тоже плохо. Он не помнил, чтобы и Светка плакала.

•

В тот раз он толкнул девочку. Маленькую, лет двух. Девочка упала и расплакалась. Мать начала возмущаться:

— Ты же взрослый, зачем толкнул?

И Славик тогда кинулся успокаивать чужую тетю, мать упавшей по его вине девочки. Девочку, вполне возможно, Славик и вовсе не заметил. А вот тетю заметил точно. Для него все были «тети». Он не мог сказать — женщина. Тетя Валя, тетя Галя, тетя Настя. А это — просто чужая тетя. И она испугалась. Славик знал, что такое «волновалась». Это когда лицо совсем другим становится. Как будто привидение увидел и очень страшно. Хочется плакать, а нельзя. Когда волновалась тетя Галя, его отец всегда подходил к ней, обнимал и целовал. И Славик сделал то же самое — подошел к матери девочки, которая кинулась успокаивать дочку, обнял ее и начал целовать. В щеки, в губы. Женщина, из числа отдыхающих, онемела, потеряла дар речи от такой бестактности и, главное, неожиданности. Ну, представьте себе — уже взрослый мальчик, по виду лет десяти, лезет к тебе целоваться и обниматься. А в это время плачет ребенок, которого он толкнул. Женщина, конечно, отстранялась, но деликатно, как могла. Говорила: «Мальчик, не надо, перестань немедленно», — но Славик все еще лез слюнявыми губами, грязными руками пачкал тетин сарафан и норовил обнять ее покрепче. Женщина отпихивалась из последних сил, предпринимая последнюю попытку отвлечь странного ребенка.

— Как тебя зовут? — спрашивала она.

— Вероника, — отвечал мальчик.

И только в тот момент до женщины доходило, что с мальчиком что-то не так. Что он не просто странный, а очень странный, и даже больной. Она хватала свою дочку, которая от резкого дерганья за руку снова заходилась в рыданиях, хотя уже было успокоилась, и сбегала подальше с этой площадки, где играют такие больные на голову мальчики.

Галя тогда долго сидела на скамейке. Она хотела встать, она все видела, понимала каждый жест Славика, каждое движение, но не могла себя заставить подойти к нему. Ее пригвоздило к скамейке. Она смотрела на женщину, которая искала глазами взрослого — маму или бабушку, с которой пришел больной мальчик. Ведь не может такой ребенок гулять совершенно один. Кто-то же должен за ним присматривать. Но Галя рассматривала собственные ноги. Она боялась столкнуться взглядом с той женщиной. Не знала, как все объяснить. Коротко не получится. А если долго — то и целого дня не хватит. И с какого момента начинать рассказывать? Только про Славика? Тогда почему она с ним гуляет? Кто она ему? Тогда про себя тоже надо рассказывать и про Ильича? И про Светку, которая уже деловито собирает игрушки, вытряхивает от песка пасочки, складывает в кулек. Знает, что они тоже сейчас уйдут... И сил никаких нет на объяснения. Сколько раз так было? Сколько раз Галя говорила Славику, что нельзя целовать и обнимать чужих теть. Но он не понимал. Как не понимал, за что его ругают.

— Славик, ты уже большой мальчик, — твердила Галина, — должен быть осторожным. Особенно с маленькими. Их нельзя обижать. Повтори.

— Нельзя обижать, — повторял с охотой Славик.

— Ты понял?

Славик кивал. Он знал, что надо кивнуть.

И тут же, завидев мальчика на самокате, бежал к нему. Просить покататься. Славик не умел ждать и терпеть. Он не понимал, что такое «по очереди». Сначала катался хозяин самоката, потом другие дети. Девочек надо пропускать, уступать очередь.

— Славик, нельзя! — только успевала крикнуть Галя.

Но Славик опять не понимал. Почему нельзя? Мальчику и другим детям можно, они катаются. Почему именно ему нельзя? И Славик резко сталкивал мальчика с самоката и катался сам. Обиженный ребенок плакал, а Славик смеялся. Ему нравилось кататься. Того, что мальчик плачет, Славик тоже не замечал. Галя кидалась к нему, отбирала самокат, возвращала владельцу, успокаивала. И тут начинал плакать Славик, недоумевая, почему у него отобрали игрушку. Ведь ему было так весело. Галя боялась, что маленькая Светка будет подражать

Славику и тоже отбирать у детей игрушки. Но Светка, пока Галя занималась Славиком, находила лавочку, раскладывала на ней игрушки и тихонечко играла. Ни разу ни у кого она не отобрала ни машинки, ни лопатки. Ни разу не расплакалась на площадке.

Позже, когда Светка подросла, уже она останавливала Славика. И скорее она следила за ним, чем он за ней. Светку Славик слушался беспрекословно. Она подходила, просто брала его за руку и уводила. И мальчик шел.

Галя тогда молчала всю дорогу домой — слова из себя не могла выдавить. Они зашли на почту, как делали всегда, чтобы посмотреть на открытки. Светке нравились открытки — с цветами к Восьмому марта, с елочкой к Новому году, с салютом к Девятому мая. Галя покупала две открытки. Одну для Светки, другую для Славика. Одинаковые. Светка свои открытки берегла, складывала в ящик. Славик тут же забывал, хотя минуту назад просил купить и ему тоже. Так что у дочки все открытки хранились в двух экземплярах.

— Что случилось? — спросил Ильич, когда они вернулись.

— Славик снова стал говорить, что он Вероника, — призналась Галя и наконец заплакала.

И тогда, в тот момент, все стало между ними — Галей и Ильичом — ясно. Они не будут вместе. Никогда. Потому что есть Славик, который называет себя Вероникой. Но и по отдельности они быть не могут. Ведь у Славика есть Светка и тетя Галя. А у Светки — Ильич и Славик, за которым нужно присматривать.

— Прости, я больше не могу, — сказала Галя Ильичу.

Но на следующий день снова смогла. И еще на следующий. Славик хотел на площадку, Светка хотела на площадку, и Галя смогла.

Несколько дней, а то и неделя могли пройти спокойно. Особенно если Галя выводила детей в непопулярное время, когда многие отдыхающие с детьми или спали, или были на пляже, или еще не вышли на вечерний променад. В эти часы Галя со Светкой и Славиком оставались практически одни. Иногда забредали ребята постарше, вяло пинали мяч и быстро уходили. Светке компания не требовалась — она росла самодостаточной девочкой. Наоборот, радовалась, что песочница и горка в полном ее распоряжении. А Славик хотел играть с другими детьми. Ему было скучно. Галя это видела, но говорила, что дети скоро придут, вот-вот.

— Скоро придут? — интересовался в сотый раз Славик.

— Да, уже идут, — обещала Галя.

И Славик успокаивался минут на пять и снова спрашивал:

— Скоро дети придут?

— Через пять минут, — отвечала Галя, чувствуя себя обманщицей. Славик не понимал, что такое пять, десять минут. Что такое час. Галя его учила, показывала стрелочки на часах, объясняла, но Славик не понимал. Как не понимал, что такое месяц, год, два года. Он жил сейчас, в эту самую минуту. Утро, день, вечер он тоже не умел определять.

— Славик, утро — это когда завтрак, — билась над ним Галя.

— Когда блинчики со сгущенкой?

— Да. А когда вечер? — спрашивала Галя.

Славик сосредоточенно молчал, но не мог ответить. Вечером всегда разное можно есть. Можно макароны, а можно и гречку. Но ведь днем тоже дают и макароны, и гречку.

— Вечер — это когда темно и фонари зажигаются, — подсказывала Галя.

— Когда звезды? — переспрашивал Славик.

— Звезды ночью. Но и вечером бывают, да.

Он снова путался. Как могут звезды быть и ночью, и вечером. И что такое ранний вечер и поздний?

Светка, которую никто не учил определять время, быстро сама всему научилась. И даже могла сказать «безчетвертипять», чем приводила в полный восторг тетю Валю. Светка же узнала эти слова от матери, которая объясняла Славику, как время можно называть по-другому. Славику нравились слова. Он слушал, как сказку, мало понимая их смысл. После полудня, полночь, полдень... Славику нравилось слушать про то, что он не понимал. Галя учила его прилагательным. Например, каким бывает дождь. Славик слушал, раскрыв рот. Оказывается, дождь бывает грибным, проливным, кратковременным и даже серым. Славик смеялся, так ему нравилось слушать про дождь, хотя вряд ли он запомнил хотя бы слово. Только вдруг он закричал. Галя перепугалась.

— Не серый! Не серый! — кричал Славик.

— А какой?

— Зеленый!

Славик думал, что дождь бывает зеленого цвета. А солнце, которое Галя просила его нарисовать, — не желтое, не красное, не оранжевое, а его просто нет. Потому что не видно. Светка послушно рисовала круг с палочками-лучами, раскрашивая в задорный желтый, а Славик отказывался рисовать такое солнце. Это неправда. Такого не бывает. Не бывает лучей. Галя не знала, как объяснить Славику, что нужно рисовать так, как принято, как положено. Ровный кружочек и палочки вокруг. Можно еще глазки и улыбку — ведь солнышко улыбается. Не хочешь желтым, тогда красным. Славик рисовал звезды, луну, как раз красную или желтую, а солнце — никогда. Он не видел солнца. Поэтому его не существовало.

Светка оказалась более покладистой — у нее все было так, как у всех нормальных детей. Эту девочку вообще можно было выставлять в качестве образцово-показательного экземпляра. Именно такими и должны быть детсадовцы. Тем более удивительным для Гали стало то, что Светка не спорила со Славиком. Дома она тоже не рисовала солнце, а луна у нее была желтой. Но в садике ее рисунки становились абсолютно правильными. Луна белой, солнце — желтым. Дома Светка лепила черных снеговиков или смешивала белый пластилин с черным. Именно такими были их снеговики — грязными, с примесью земли. А в садике ее работы выставлялись на полочку над шкафчиками — снеговики сияли белизной. Так Галя поняла, что Светка не пропадет в этой жизни. А Славик пропадет. Уже пропал. С самого своего рождения пропал.

Потом Галя узнала, что Славик не всегда представлялся Вероникой. Только когда испытывал сильные эмоции. Сильные для его, Славика, восприятия. Особенно в начале сезона, когда эмоции обострялись. И это было страшно. Галя так и не смогла привыкнуть. Мальчик, который называет себя женским именем. Вероникой звали мать Славика. Хотя почему звали? Зовут до сих пор.

Иногда были и вовсе удивительные случаи на детской площадке. Галя знала, что такие случаи бывают, что люди такие встречаются, но все равно удивлялась и плакала. В начале сезона она становилась совсем нервной.

Они гуляли на площадке. И вдруг появились бабушка с внучкой. Совершенно не вовремя. Моросил дождик, мелкий. Ветер был теплым, но от него отдыхающие кутаются в шарфы и куртки, прячутся в кафе или сидят в номерах. И тут вдруг бабуля в панамке с внучкой тоже в панамке, которые ведут себя как местные — дождя не замечают. Девочка по виду шести-семилетка. Она растерялась — то ли играть с маленькой Светкой, то ли со взрослым Славиком. Она села на лавочку рядом с бабушкой. Та достала веревочку и накрутила на пальцы. Галя замерла, она прекрасно помнила эту игру, но давно не видела, чтобы в нее играли. Тем более не местные, а приезжие. Бабушка расставила ладони, внучка аккуратно сняла пальцами нитку, вывернула, и получился новый узор. Бабушка тоже сняла, чтобы получились две параллельные веревочки с каждой стороны. Девочка подумала, сложила пальцы особым образом и снова сняла, высунув язык от усердия и растопырив ладонь. Бабушка же снимала легко, расслабленно. Славик присел рядом и стал смотреть. Узоры смешивались, превращались один в другой. Из одной обычной веревочки. Галя тоже засмотрелась. Некоторых узоров она и не знала. Или забыла. Вот этот очень сложный — нужно поддеть мизинцами одну нитку, продеть большой и указательный палец в другие и ухитриться вывернуть, удержав всю конструкцию.

— Как называется? — спросил Славик.

— «Колыбель для кошки», — сказала девочка.

Славик засмеялся. Кошек он любил, и все, что было с ними связано, — ему очень нравилось.

— Что такое колыбель? — спросил он.

— Кроватка, — ответила девочка, — только я не знаю, почему игра так называется. Разве кошки спят в колыбели?

Он опять засмеялся.

— У нас называлось просто — «веревочка», — заметила Галя.

— Я тоже хочу, — Славик протянул две руки и растопырил пальцы так, как делала девочка.

— Попробуй, — согласилась бабушка и распустила узор, превратив паутину на пальцах в обычную веревку.

Он заплакал. Славику было жаль узора. Девочка показывала, как нужно снять нитку, но у мальчика не получалось, хотя он старался.

— Тебя как зовут? — спросила бабушка.

— Вероника, — назвался Славик, разрывая от отчаяния нитку, с которой не смог справиться.

Галя замерла. Сейчас начнется то, что начиналось всегда. Бабушка подхватит внучку и уйдет с площадки. Но ни бабушка, ни девочка не удивились странному имени мальчика.

— А меня Саша зовут, — сказала девочка, — давай в догонялки?

Славик побежал. Он бежал и размахивал руками от восторга. Он не играл с девочкой, он просто бегал по площадке. Потому что его не ругали, не уводили. Светка, которая, почувствовав приближение бури, уже собрала свои формочки и сидела на лавочке рядом с матерью, тоже не знала, как себя вести. Галя плакала навзрыд. Славик бегал по площадке. Девочка висела на турнике и кричала: «Ножки на весу!»

Бабушка же порылась в сумке и достала печенье, которое вручила Светке и Гале. Подбежала внучка и тоже получила печенье.

Славик подошел — бабушка протягивала ему печенье. Славик смотрел на Галю — можно взять? Галина же ничего не могла сказать. Она плакала так, как давно не плакала. Другими слезами. Но на ее слезы никто — ни бабушка, ни внучка — не обращал внимания.

— Мозьно, — сказала Светка, и Славик взял печенье. Светка потянулась за еще одним, получила, засунула за щеку и убежала играть в песочницу. А Славик не ел. Он рассматривал печенье, самое обычное, простое, купленное на развес, будто увидел чудо. Мальчик сел на скамеечку и поцеловал печенье. Откусил аккуратненько, осторожно, подставляя ладошку, чтобы крошки не сыпались. И снова поцеловал следующий кусок, который собирался откусить. Сколько раз он поцеловал это печенье, Галя не считала. Она плакала. Славик, доцеловав и доев печенье, увидел, что Галина плачет, и начал целовать ее руку. Сначала запястье, потом локоть, потом плечо. Потом, не сдержавшись, хотя знал, что так делать нельзя, подошел к бабушке и поцеловал ее руку тоже. Руку, дающую печенье. И бабушка не отдернула руки, а сграбастала Славика в охапку и расцеловала его в обе щеки. И Славик от этой нежности размяк, растаял, обалдел.

•

Но такую бабушку, которая все понимает, может задушить чужого ребенка в объятиях, которая не удивляется, что мальчика зовут Вероникой, такую девочку, которая тоже ничему не удивляется и начинает играть в догонялки, поди еще поищи. Один случай на миллион.

И Галя, не переставая плакать, начала рассказывать бабушке про Славика, про то, что Вероникой звали его маму, да что там звали, до сих пор зовут. Бабушка, что важно и ценно, не охала, не ахала, не вздыхала, а слушала молча и внимательно. Она не прерывала рассказ бессмысленными вопросами, ненужными восклицаниями. Бабушка давала возможность выговориться. А таких случаев — один на десять миллионов.

Галя рассказывала запойно, будто прорвало. Кран сорван, и вода льется — не остановишь. А если кипяток? Для Гали Славик был кипятком. Когда ошпаривает не только снаружи, но и внутри.

В пять лет Славик почти не говорил. Объяснялся знаками — мотал головой, выставлял вперед руку, если хотел сказать «нет», много плакал, сердился, если его не понимали. Кидался на шею и обнимал так, будто хотел задушить, если хотел сказать «спасибо» или если ему было хорошо. Он умел сказать, что его зовут Вероника. И на пальцах показать, что ему пять лет.

Начинал мычать, когда в столовую, где работала тетя Валя, прилетал на окно баклан Игнат, воровавший блины прямо с тарелок и не боявшийся людей. Если ему говорили «кыш», Игнат даже клювом не вел. Славик мычал, потому что хотел предупредить других — баклан, сидевший статуей на подоконнике, мог вдруг рвануть к столу и цапнуть еду. Эта наглая птица с добычей в клюве улетала, но снова возвращалась и садилась на подоконник. Столик у окна был самым желанным, и его всегда занимали — не из-за открывавшегося вида на море, а ради прохлады. Игнат на блинах растолстел, летал тяжело. Знающие про баклана отдыхающие садились подальше, к другому окну, с видом на набережную. Но всегда приходили новые гости и тут же занимали столик у окна. Дети восторженно кричали: «Птица, птица!» Родители говорили «кыш». Стоило зазеваться, и с тарелки исчезал блин. Славик мычал и размахивал руками. Галя привычно отодвигала от него тарелку с кашей, чтобы не задел и не столкнул на пол. Но Славик все равно задевал и сталкивал. Каша расплескивалась по полу. И тут же появлялся кот Серый, живший при столовой, который слизывал манную кашу. Овсянку Серый терпеть не мог, как и конкурентов. Всех котов, желавших присоседиться, завести выгодное знакомство с Серым, а то и подружиться, Серый драл беспощадно. Разрешал кормиться только кошкам с котятами, но потом и тех прогонял. Кот терпел только баклана. Так они и жили от сезона к сезону.

Галя как-то предположила, что бакланы столько не живут, и наверняка Игнат вовсе не Игнат, а другой баклан. Но тетя Валя считала, что на здоровом полноценном питании из ее рук птицы, пусть даже они бакланы, становятся долгожителями. Имена питомцам дала тетя Валя. Если с Серым всем было понятно — мальчик, то с чего она решила, что баклан мужского пола, неясно. Баклан мог оказаться и женщиной, так сказать. Но тете Вале было, конечно, виднее. Впрочем, Серый сначала звался Марком. Но отдыхающие замучили однообразными шутками:

— Он у вас что, еврей?

— Сразу видно, что еврей — своего не упустит.

— Странное имя для кота.

— У него что, папаша был из породистых? Или мамаша?

— Вы ему форшмак не готовите?

Отмучившись сезон, тетя Валя переименовала Марка в Серого. Серый не вызывал вопросов. Детям нравился кот. Они быстро запоминали кличку. Про себя или когда не было отдыхающих, тетя Валя звала Серого Марком. Тот откликался. Даже шел ластиться. Видимо, тоже понимал, что Марком жить тяжело, а Серым легче. Но имя, данное при рождении, помнил.

Тетя Валя, простояв у плиты столько лет, прекрасно знала вкусы отдыхающих. Впрочем, моде и новым веяниям не следовала. В последние пару сезонов дамочки спрашивали про кашу на воде. Без молока, без сахара, без масла. Или придумали еще — рыбу на пару. Безо всего, даже без соуса.

— Галя! Они идиотки! Думают, я рыбу сама ловлю? Да если я ее на пару сделаю, так пусть они шланг дяди Пети пожуют! Ее же без соуса не проглотишь! Пусть идут к Жорику и там едят сырую рыбу. Как она называется? Суси, соси, соши?

— Суши.

— Глистуши! — парировала тетя Валя. — Они что, худеть хотят? Чтобы глистов завести? Они не хотят быть здоровыми? Зачем они хотят есть глистов? Так я им здоровья желаю! Галя, зачем они хотят есть кашу, которую я не могу готовить? Пусть возьмут водички и запьют хлопья. Так какая им разница? Галя, скажи, я такая старая, что очень умная стала? Или они будут мне рассказывать, как варить кашу?

Конечно же, тетя Валя не сообщала отдыхающим, что Жорик на самом деле вовсе не Жорик. Как Серый вовсе не Серый. Жорика — киргиза по национальности и внешности — звали Жотаем. Но Жорик звучало привычнее. Жорик переделался в японца и стал делать суши. Хотя раньше плов варил. У тети Вали в поваренках ходил, учился с рук. Потом пошел в ресторан при отеле, который считался самым лучшим в поселке, и стал гордо именоваться сушистом. Пансионат сменил вывеску. Раньше назывался «Прибрежный», а теперь — «Желтый дракон», вроде как китайский. Внутри — будды разных размеров, драконы и денежные деревья.

Когда Жорик сообщил ей о том, что теперь он японец или китаец, что не так важно, тетя Валя хохотала так, что чуть не описалась. В ресторане Жорик снова стал Жотаем, что звучало как «бонсай», и вошел в роль. Даже повязал белую марлю на лоб и научился делать страшное лицо.

— Жорик, ты ж кыргыз-мыргыз, куда ж ты со своей рожей поперся! — хваталась за живот от смеха тетя Валя. — Ты сделал мне так смешно, что я даже не обижаюсь за то, что ты меня бросил.

Она научила Жорика всему, что знала сама. Она бы его никогда не простила за предательство, но Жотай всегда поздравлял тетю Валю со всеми праздниками, включая православные, мусульманские, советские и современные. И приносил хорошую водку. Тетя Валя пила только водку и, можно сказать, любила Жорика как сына. Поэтому простила. И радовалась, когда тот закусывал водку печенкой — так, как жарила ее тетя Валя, никто не умел. Чтобы и с корочкой, и нежная внутри, и лука не много, но и не мало. Жорик не научился «за печень», хотя был способным учеником.

Кормила тетя Валя не только отдыхающих, Славика, Светку, Настю, Федора, Ильича и Галю, но и Игната с Серым. Отдельно, по особому меню. Повариха считала, что питание должно быть раздельным. Не в современном понимании, когда мясо нельзя смешивать с картошкой, а в том, что каждому нужно подавать любимое блюдо. Для

Ильича тетя Валя готовила жаркое — мясо с картошкой. Ильич мог кастрюлю съесть за день в три приема. Настя любила блины с мясом, и у тети Вали всегда находился фарш, который она быстро закручивала в блины. Федор не любил борщ, но обожал щи. Для Гали тетя Валя строгала винегрет. Но не такой, как для отдыхающих, а с фасолью. Галя любила фасоль.

Тетя Валя разбаловала не только людей, но и животных. Игнат, как уже было сказано, предпочитал блины, и тетя Валя оставляла на окне блин. Но Игнат оказался вороватым на клюв. Он не хотел блин, лежавший для него на подоконнике, ему надо было непременно своровать с тарелки. Такая вот натура обнаружилась. Если отдыхающий начинал кричать, размахивать руками, отбирать у Игната блин, то баклан аккуратно гадил на разнос. Игнат не любил рыбу, зато за кусок свинины мог свою птичью жизнь отдать. Если тетя Валя включала мангал и жарила шашлык, Игнат чуть слюной не истекал на подоконнике.

Да, шашлык был в меню с самого утра. Как и окрошка. Или котлеты с макаронами. Галя смеялась и говорила, что тетя Валя с ума сошла с такими завтраками, а оказалось наоборот. Только в столовой у тети Вали, которая открывалась в восемь утра, можно было поесть с утра котлет, шашлыка и картошки жареной. И у тети Вали не было отбоя от клиентов, которые предпочитали пообедать утром. В остальных заведениях предлагали кофе, кашу, омлет. Стандартный завтрак. И только тетя Валя на всем местном побережье могла предложить еду. И не кофе, а пиво. Не чай, а какао. И забытый вкус утренних сосисок, упругого омлета, который нарезан квадратиками, молочного супа, которого днем с огнем не сыщешь в заведениях общепита, манной каши со шматком масла посередине и яичницы, лежащей на котлете, хорошо, как скажете — бифштексе. Но тетя Валя говорила «на котлете». Она сильно проигрывала в ужинах конкурентам, но в завтраках ей не было равных. Да что говорить, если сам Жорик, шеф-повар ресторана лучшего в поселке отеля, посылал к тете Вале мальчика на подхвате, если отдыхающие вдруг спрашивали, нет ли сырников, каши на молоке или еще чего-нибудь. Жорик успокаивал нервного официанта и говорил, что через пятнадцать минут все будет. И было. Мальчик бежал по набережной в столовую к тете Вале, забирал сырники и несся обратно. Жорик подогревал сырники в микроволновке, официант подавал. И гости приходили в восторг. Надо же, японский шеф, а как наши сырники научился делать! Да почти как у бабушки!

Жорик платил за сырники двойную цену тете Вале. А за «еще чего-нибудь» даже тройную. Тетя Валя же веселилась. Она еще раз убеждалась в том, что люди — идиоты, раз не могут распознать в Жорике киргиза и считают, что сырники приготовил японский шеф-повар.

За «еще чего-нибудь» обычно сходили вареники с вишней. Тетя Валя их лепила для Славика и Светки. Они обожали ее вареники. А она лепила их с закрытыми глазами. Вишни всегда было много. Жорику оставалось только красиво налить сметанки сверху, в виде цветка лотоса, или варенье поставить в крошечной чашечке, переложить в красивую тарелку и все — клиенты оставляли щедрые чаевые.

Но тетю Валю больше заботили вкусы подопечных животных, чем отдыхающих. Серый Марк, как и Игнат, оказался оригиналом. Рыбу он терпеть не мог, как и сметану, и овсянку. Зато обожал макароны. А за печень все свои семь кошачьих жизней готов был отдать. Но съедал лук, а печень лишь надкусывал. Главное, чтобы лучка было побольше, горочкой сверху. Серый любил виноград, а Игнат — инжир. Серый охотился за упавшей долькой арбуза, а Игнат разрешал тете Вале покормить себя кусочками дыни.

Кто-то из отдыхающих принес Серому кошачьи консервы. Кот понюхал и сделал такую морду, будто ему отраву поднесли. Тетя Валя была счастлива. Она не понимала, почему для котов и собак придумали специальную еду. Как не понимала, когда отдыхающие кормили маленьких детей банками — яблочным пюре или разведенной водой кашей из пачки. Тут у тети Вали просто сердце останавливалось.

— Попробуй сама консервы жрать каждый день, — говорила она мамаше и тут же впихивала в ребенка нормальную кашу. На окне появлялся Игнат, под ногами начинал крутиться Серый. И ребенок, глядя на чужую тетю, на птицу и киску, уписывал целую тарелку каши. Мамаша только руками разводила. Скольких детей тетя Валя перевела с баночного питания на домашнюю кухню — и не упомнишь.

Славик вообще-то был всеяден, только ему непременно нужно было видеть еду, которая лежала в больших поддонах на раздаче.

— Славик, будешь сырник? — спрашивала тетя Валя, не успевшая выложить сырники горкой.

Мальчик мотал головой и отказывался. Но стоило тете Вале поставить на раздачу тарелку — Славик тут же радовался и просил сырник. Точно так же, по виду, а не по названию, он определял котлеты, гречку или макароны. Супы у него подразделялись по цветам — белый, желтый и красный. Белый — окрошка на кефире, из которой Славик тщательно вылавливал колбасу, которую любил. Желтый — куриный. Красный — борщ. Точно определить цвет солянки, например, Славик не мог, поэтому солянку не ел.

Светка же оказалась привередой, но в другом смысле. Когда она заговорила, а говорить она начала рано и много — за себя и за Славика, то приставала к тете Вале с вопросами. «Почему сырники — сырники? Они же не сырые? Они жареные. Почему солянка — солянка, она же не соленая?» Светка ела, если знала, из чего сделано то или иное блюдо. Ей нужен был точный рецепт, в граммах. Если Светка видела что-то неопознаваемое в тарелке, есть отказывалась наотрез.

Впрочем, у тети Вали дети голодными не ходили.

Славик был единственным, кому Серый разрешал брать себя на руки и крутить хвост. Даже когда Славик придавливал невзначай коту яйца, тот терпел из последних сил. Вырывался, но когти не выпускал. И Славик был единственным, у кого Игнат не воровал блины с тарелки. Более того, если Славик садился у другого окна, а не у окна, которое считалось окном Игната, то баклан перелетал. Славик разговаривал с Игнатом, очень правдоподобно пародируя крик чайки. Баклан мальчику отвечал. И этот язык Славика очень устраивал. Только он никак не мог понять, почему другие люди не понимают языка бакланов. И если он говорит, как Игнат, почему папа сразу становится грустным? Светка смеялась, когда Славик разговаривал с Игнатом, издавая гортанные звуки. И даже просила поговорить по-собачьи или по-кошачьи. Но Славик не умел. Не знал как. Собак в их округе не было. Что тоже, кстати, было удивительным. Даже в частных домах собак держали редко. А те, которых держали, были молчаливыми. Да и никакой глотки не хватит облаивать каждого проходящего за забором. Серый же оказался молчаливым котом.

Что касается Игната, то он умел не только кричать, но и плакать. Он умел плакать как младенец, и у отдыхающих с маленькими детьми опять начались бессонные ночи. Они просыпались от того, что где-то рыдал ребенок. И кидались к своему, который преспокойно спал. Но чужой ребенок продолжал надрываться. А когда за стеной ребенок плачет, то никакая мать не уснет. Она под музыку дурацкую уснет, под матюки пьяные под окном, даже под собственным мужем уснет, если сильно устала, но если плачет ребенок, то сна ни в одном глазу. А Игнат будто специально выбирал недели, когда отдыхающие с детьми приезжали — в мае — июне, чтобы не в самую жару, и потом — в сентябре — октябре, в бархатный сезон. В июле Игнат не плакал. Кричал, да и то ради забавы.

И тогда Ильич переселял матерей с младенцами в номера с видом на горы: Игната там не было слышно.

Когда Славику по возрасту было положено играть в «чай-чай-выручай», он по-прежнему катал с малышами машинки. Иногда его принимали в игру, но быстро изгоняли — Славик бегал как дурачок, правил не понимал, сколько ни объясняй. А кому охота с дурачком возиться — никакой игры не получается. Единственное, на что Славик годился, это стоять воротами. Не в воротах, голкипером, а именно воротами. Дерево на площадке было одно, а второй столб изображал Славик. Если в него попадали мячом — в штангу, — Славик терпел и не двигался. Но кто поймет этого шизанутого? Вдруг, в разгар игры, когда на счет и решающий матч, он уходил к малышне. И ломал всю игру. Если старшие его не принимали играть даже «воротами», Славик мог бегать по полю и отбирать мяч, вообще не давать играть. И тогда для него придумали специальную игру — «у тебя съехал квартирант». Славик был квартирантом, который съезжал, то есть уходил с площадки. И должен был скрываться, пока его не найдут. Славик прятался в песочнице и радовался, что его не нашли. Ребята же доигрывали в футбол.

— Что будет дальше? — иногда спрашивала Галя Ильича, не рассчитывая на ответ. Никто не знал, что будет дальше.

— День прошел — и ладно, — отвечал Ильич.

Много лет они жили в напряжении, которое нельзя снять никакими средствами, никакими таблетками. Галя не выдержала первой, чего не могла себе простить. Она отказалась от Славика, и не было такого святого, который бы не простил ее за такой поступок. Сколько раз она говорила Ильичу: «Все, я больше не могу. Не проси». И вроде как снова могла. Но в один момент не выдержала. Не после чего-то, а на ровном месте. Когда все было хорошо. Ильич спрашивал: «Что случилось? Почему именно сейчас?» Галя не знала, как объяснить — ничего не случилось, а сейчас, потому что сейчас.

— Сделай что-нибудь, — попросила Галя Ильича.

Этот взгляд он прекрасно знал — Галя была словно в трансе. И от нее всего можно было ожидать. Это был взгляд сумасшедшей.

Тогда-то Ильич и переехал в подвальные номера Дома творчества. Галя боялась, что мальчик заметит ее отсутствие, но Славик не заметил. А если и заметил, то не мог спросить — почему, что случилось? Он плакал по ночам, страдая от перемены места, но Галя не слышала его плача. Славик все равно был при ней, при Светке, каждый день. Но хотя бы световой день. Не ночью. Не в одной квартире. И Галя сняла сама с себя ответственность. Так с собой договорилась. Она физически больше не могла отдавать себя Славику. У нее была Светка. Она была нужна дочери. А Светке нужна была нормальная жизнь. Галя после переезда Ильича перестала спать — вскакивала на каждый шорох, привыкала к тому, что тихо, можно спать, можно читать или смотреть телевизор. Так и не привыкла. Светка тоже стала беспокойной. Она чувствовала пустоту в доме, тишину. Ей не хватало Славика, Ильича. Светка, в отличие от Славика, могла все выразить словами.

— Тоже хочу там жить, — объявила Светка.

— Где?

— Там, где дядя Витя и Славик.

— Почему? Разве здесь плохо?

— Плохо. Им плохо.

— Ничего, мы привыкнем.

Но не привыкли. Каждый день Светка просилась жить в Дом творчества. Каждую ночь Галя не могла уснуть. То ей казалось, что Ильич пошел на кухню, то вдруг подскакивала — Славик затих, вдруг приступ? Дальше так продолжаться не могло, и Галя со Светкой переехали в Дом творчества. Пусть в другую комнату, но рядом, за стенкой. Все слышно. Галя слышала, как Славик плачет, как кричит. И Светка слышала. Но все равно стало легче, потому что за стенкой. Отдельно. Внутри стало легче. Будто часть пут, которые держали, Галя все равно сбросила. Хотя бы дышать могла. Отодвинув от себя Славика, Галя снова начала смеяться, шутить, болтать ни о чем с отдыхающими, тискать других детей.

— Давно я тебя такой не видел, — как-то сказал Ильич.

— Я сама себя давно такой не видела, — ответила Галя, которая сидела на террасе, подняв ноги на перила и потягивая вино.

Она сидела и смотрела на море. И улыбалась. Когда она так делала в последний раз? Не упомнишь. Со Славиком она не могла себя так вести. Со Светкой могла. Дочка же своя. Славик чужой. Да, тогда Галя поняла, что, как бы она ни заботилась о Славике, он все равно останется чужим. Не ее с Ильичом, а Ильича с Вероникой. Светка же — ее, только ее дочка. В единоличном пользовании.

Спустя много лет Галина Васильевна думала, что все могло сложиться по-другому. Если бы у них с Виктором был общий ребенок. Почему она не сделала так, как делали многие? Сколько таких историй она слышала? Когда у мужа свой ребенок от первого брака, у жены — свой, и они рожают общего. И этот общий всех объединяет. Его не надо ни с кем делить. Да, он становится заложником ситуации, но спасает семью. С этим общим ребенком все становится на свои места. Мать делает то, что должна делать, то, что чувствует. А с чужим-родным все не так. В какой-то момент включается ступор — я не родная мать, я не могу, не знаю, не имею права. Животный инстинкт.

Со Славиком Галя это проходила. Ему было лет семь или восемь. И очередной врач прописал препараты. Говорил, что Славику они нужны, что могут помочь и в минимальной дозировке — одна восьмая крошечной таблетки — безвредны. И не будет побочных эффектов.

Такие препараты прописывали тяжелобольным, в психушке. Виктор тогда кричал, что его сын — не буйный сумасшедший, а ребенок. Маленький ребенок. И что Славик имеет право на плач, крики, капризы и не всегда адекватное поведение. Ведь дети часто себя ведут неадекватно. И что — всех такими таблетками поить? Аннота-

5 - 2362

ция — на четыре листа с дикими побочными эффектами, включая летальный исход.

Галя тогда поймала себя на мысли, что если бы была матерью Славика, то послушалась бы врача. Стала бы делить таблетку на восемь частей и давать. И выбросила бы аннотацию в мусорную корзину, не читая. Она бы не боялась, а верила. Хуже быть не могло — Славик стал совсем неконтролируемым. У него все чаще случались приступы агрессии. Он не просто плакал, а бился в истерике. Начались эпилептические припадки. Он стал вредить не только посторонним детям, но и себе. Мог разбежаться и врезаться в стену. Или разбить чужую игрушечную машинку так, что резал себе руки. Ильич же настаивал на том, что Славику такие таблетки не нужны. И Галя согласилась — она не мать, а Ильич — отец. Значит, он должен принимать решение. И много позже корила себя и за это — надо было настоять, убедить. Если бы она была матерью, не стала бы никого слушать. Только этого врача, Юрия Дмитрича. Врач был хорошим, знающим, из Москвы. Работал главврачом в психдиспансере. В этот диспансер попадали неугодные, политические — художники, писатели, журналисты. А врач не пичкал их таблетками. Держал, сколько положено, но не травил препаратами. Выписывал раньше времени. Выдавал липовые справки. Когда вскрылось, он уже был здесь, в местной больнице. Сам уехал, когда почувствовал, что пора. Здесь лечил алкоголизм, без работы не сидел. В Москве про него забыли.

По сути, он был таким же изгоем, как Галя и Ильич.

— Славика еще можно скорректировать, — говорил Гале Юрий Дмитрич.

— Я не мать, — отвечала она.

— Обманите, подсыпьте таблетки в кашу, — настаивал Юрий Дмитрич.

— Я не могу. Не имею права.

— Дальше будет хуже. Потом пубертат... снова все может всплыть.

— Знаю, нам говорили, я читала... но я не его мать.

Она и в самом деле думала, что могла бы обмануть, подмешать таблетки в кашу, как делала это со Светкой. Дочку Галя постоянно пичкала — то рыбьим жиром, то магнием, то кальцием, то витаминами группы B. Со Славиком она не имела такого права. А Виктор по-прежнему был против. Категорически...

Да, Ильич был прав: день прошел — и ладно. Но что принесет следующий?

Однажды Славик заметил, как женщина на пляже бросает монетку в воду.

— Зачем? — спросил он у Гали.

— Хочет вернуться. Примета такая. Если бросишь монетку в море, обязательно вернешься, — ответила Галина.

Славик начал плакать и стал неуправляемым. Он хватал камни и бросал в море — в других детей, которые плескались на мелководье. Во взрослых, выходивших из моря. Славик бросился в воду, в ту сторону, куда улетела монетка, но не смог справиться со страхом — нырять боялся. Он стоял по пояс в воде и кричал, будто ему нестерпимо больно. Дети от испуга выбежали на берег. Галя стояла рядом со Славиком и пыталась его утащить — тянула за руку. Славик вырывался. Он замерз, зубы стучали, губы посинели, но не вылезал из воды. Галя не знала, сколько времени продолжается этот крик. А Славик без устали кричал и кричал. Он уже забыл о монетке, он орал оттого, что не мог нырнуть, а нырнуть хотел. Зачем ему нужно было нырнуть — не помнил.

— Славик, это примета такая, — снова и снова объясняла ему Галя, — люди хотят сюда вернуться, поэтому бросают монетки. Монетку заберет море, а потом вернет — на берег. Как стеклышки или ракушки. Мы найдем эту монетку, обязательно. Потом.

— Они уедут?! — кричал Славик. Он пытался дотянуться руками до дна, но не мог опустить голову под воду.

— Уедут, ты же знаешь. Отдыхающие всегда уезжают. Пойдем на берег. Ты замерз. Я тебе куплю трубочку со сгущенкой. — Галя не знала, как успокоить Славика. У него давно не было таких сильных приступов. И как назло — никого на пляже из знакомых. Никого, кто мог бы позвать Ильича. Светка, как всегда в таких ситуациях, сидела на берегу, складывала камушки. Так ее научила Галя — если Славик плачет или кричит, надо сидеть тихо, играть, никуда не бежать, а ждать.

— Они уедут, как Вероника? — не унимался Славик.

— Да, как Вероника, — подтвердила Галя, которая уже сама замерзла и обессилела от попыток вытащить Славика.

— А Вероника бросала деньги?

— Наверное, я не знаю.

— Не вернутся! Обманут! Лучше не бросать, а мороженое купить! Зачем они обманывают? Вероника не бросала! Не бросала!

— Они не обманывают. У них отпуск. В следующем году они захотят поехать в другое место. Или вернутся сюда через два года или три. А может, через десять, так тоже бывает.

— Вероника приедет? У нее тоже отпуск? Она в другом месте? Она приедет через десять лет?

Славик находил в себе последние силы, и погружался с головой, но быстро выныривал — в слезах, в соплях, задыхающийся от попавшей в рот воды. Под водой он ничего не видел и чувствовал себя обманутым. Почему другие люди и даже дети под водой видят, а он не может?

— Там ничего нет! Нет! Темно! Как ночью!

— Под водой, Славик, надо глаза открывать, тогда увидишь. — Галя стояла рядом и плакала.

— Нет! Там темно! Монеты нет! Значит, никто не вернется!

Тогда Славика вытащила маленькая Светка, которая подошла, взяла его за руку и строго сказала: «Пойдем!»

На следующий день Славик уже и не вспоминал про монеты. Если Галя видела, что кто-то бросает мелочь, старалась Славика отвлечь. Но не всегда получалось — если он видел, как отдыхающие кидают монетки, то начинал плакать навзрыд. В его несчастной голове отложилось только то, что деньги бросать нельзя — пропадут. И Славик снова залезал в воду и пытался найти монетку.

Светка уже вовсю плавала в очках под водой, а Славик так и не смог заставить себя нырнуть, не закрывая глаза. Один раз он стукнул Светку, которой удалось достать монетку. Славик ее ударил больно, в глаз. Светка не плакала, хотя под глазом образовался синяк.

— Мам, не ругай его, он по очкам бил, а не меня. Он думает, что очки виноваты, — защищала она Славика.

— А если он тебе ногу сломает, если подумает, что ласты виноваты, а не твои ноги?

Галя поймала себя на том, что говорит так же, как мамаши на детской площадке. А если... а вдруг... и что тогда? Славик становился опасен не только для чужих, но и для своих. Тогда мальчик вдруг понял, что сделал Светке больно, и прибежал с какой-то тряпкой — вытирать на лице Светки синяк. Тянулся, пытался смыть синеву, но никак не получалось. Светка расплакалась. И у Славика, а он испугался по-настоящему, случился припадок. Но даже тогда Ильич не захотел послушаться Юрия Дмитрича. Даже тогда сказал, что его сын — не сумасшедший. Да, мальчик с проблемами, но не сумасшедший. И его нельзя лечить таблетками для чокнутых. А Галя опять не настояла. Она же не его мать.

Ильич часто думал о том, что их пансионат, ставший домом, само это место, зажатое в глубине улочек, самое лучшее место на всем побережье, откуда открывается удивительный вид, оказалось дурным или проклятым. Пятачок, где все сходят с ума, лишаются рассудка, будущего, замирают во времени. Как Славик, который замер в шестилетнем возрасте и не взрослел. Как тетя Валя, которая упорно не хотела менять ни строчки в меню. Как он сам, живший не прошлым, не будущим и даже не настоящим. Застрявшим в междувременье. Их пансионат, то ли пансионат, то ли Дом творчества, то ли дом для своих, тоже застрял не пойми где. Новые обои соседствовали со старыми кранами, теми, которые без смесителей, а нужно отдельно крутить горячий кран и холодный. Кондиционер соседствовал с вентилятором. Старый паркет с новым ламинатом. Старые правила с новыми. Даже сушилки на террасе стояли новые, а прищепки на них старые, деревянные.

Место, по своей сути удивительное — находящееся на пересечении всех дорог, точка между ровной набережной и крутым подъемом наверх, оказалось гиблым.

Бессонными ночами Ильич думал о том, что в этом городе много разных мест. Например, на набережной, около третьей пальмы, всегда кто-нибудь скандалил. Именно там случались семейные разборки. Под этой самой пальмой дети получали по попе за несносное поведение. В этом самом месте Вероника когда-то сказала Виктору, что уезжает. Ильич считал, что рядом с пальмой находилась дыра — в небе или в земле, неважно, — с плохой энергией. И люди начинали ругаться, обижаться, дети принимались капризничать. Виктор даже поделился своим наблюдением с Галей, но та рассмеялась.

— При чем тут пальма? Вчера у нас тут внизу парочка отношения выясняла, а морды всем в арке бьют, — ответила она.

Но Ильич твердо был уверен — странные, особые места в городке были. Иначе как объяснить тот факт, что в бывшем ресторане Артура на всех нападала тяжелая дремота, такая, что даже двигаться не хотелось. Слипались глаза, невыносимо тянуло в сон. Галя, конечно же, считала, что дело в вине и еде — любой уснет, если столько съест и выпьет.

Драки случались в арке. Это была единственная арка в единственном многоподъездном доме на весь поселок. Ну да, удобно разбивать носы там, где раз и навсегда вывернута из цоколя лампочка. Да и от цоколя один провод остался. Но ведь были и другие места, подходящие для драк.

Или вот, например, их буна. Почему все пацаны прыгали с левой стороны? С правой то же самое — Виктор сам проверял. Но все прыгали с левой. А если с правой, то или пятки отшибешь, или пузом хряпнешься. С левой же входишь в воду идеальным солдатиком. Как такое объяснить?

Их место, Ильич был уверен, сводило людей с ума. Здесь было хорошо Славику, Кате. Почему Катя не жила на другом краю поселка, а именно под их пансионатом? Концентрация сумасшествия. Да все они ненормальные. Федор со своими мечтами, тетя Валя, маниакально привязанная к своим кастрюлям. Старым, тоже с незапамятных времен. Кастрюль таких объемов сейчас и не сыщешь. Разве что в армейских частях найдешь. Тетя Валя над этими кастрюлями тряслась. Если уж и уместна параллель с писаной торбой, то в этом случае. Все вокруг сходили с ума. Настя, даже Галя. Галя! Про нее Виктор никак не мог предположить. Галя же была другой, совсем другой, из другого мира, из другого теста.

Что там люди — животные и растения тоже были сумасшедшими. Прорастающие корнями через бетон кипарисы, плачущий по-младенчески Игнат, Серый, он же Марк, повадками больше похожий на собаку, чем на кота. Разве не странно?

Гиблое место. Если попадешь сюда, не вырвешься. Да никто и не пытался. Светка со Славиком — следующие в этой цепочке. Хотя Светка, ей-то зачем? Зачем она сюда влезла? Ведь девочка другого полета. Не чета местным. Как когда-то Галя.

Да что там их Дом творчества? Весь поселок сводил с ума. Кто-то из местной шантрапы недавно на асфальте нарисовал указатели краской: на пляж — сюда, в город — туда — и стрелочки. Развлекались. Местные, те вообще не заметили, что там под ногами нарисовано — как ходили, так и шли. А отдыхающие послушно по стрелочкам двигались и оказывались то на местном рынке вместо пляжа, то около автобусной остановки. Обливаясь потом, спрашивали дорогу у местных, стрелочки показывали, возмущались. Как объяснить разницу? Отдыхающие под ноги смотрят, куда ступить, как на ступеньках не сверзиться попой вниз, а местные — те на облака поглядывают, будет дождь или не будет. Шторм или нет? Жара или ничего, облачно. Как объяснить, что стрелки — шутка? Отдыхающие не понимали юмора, злились, а местные смеялись. Как же можно ходить по стрелочкам?

Здесь, в поселке, — все по-другому, по своим законам. Даже прогнозам погоды нельзя верить. Вечером-то все равно холодно, лучше теплое надеть, чтобы потом снять. Местные одеваются как капуста. Несколько слоев одежды, чтобы можно потихоньку снимать, раздеваться до трусов или купальника, а к вечеру снова одеваться. Кофта или свитер, куртка, шарф. Отдыхающие всегда не по погоде одеты. Дамочки в октябре ищут летние штаны на местном рынке, потому что жарко, а в июне на том же рынке скупают ветровки, потому что холодно.

Шутка со стрелками повторяется каждый сезон как заново. Новое поколение шутников подросло, изменилась только технология — раньше краской и кисточкой по асфальту рисовали, сейчас из баллончиков прыскают. Отдыхающие идут и идут послушно, по стрелочкам, и уходят то к старой почте, которая уже два года как закрыта, то в КПП пансионата упираются, то еще куда.

Тут нельзя заблудиться. Все дороги ведут наверх в город и вниз на набережную. По какой ни пойди, выйдешь или к больнице, что на самом верху, или к морю. Но путаются все равно. Идут по главной улице, которая сначала широкая и на ней магазины, салоны красоты, снова магазины и... выходят к обрыву. Главная улица ведет к обрыву. Новое поколение навигатор включает, но видали мы их навигаторы. Адрес? Да, на карте есть такой адрес, а на самом деле — давно нет. Или есть объезд, а на карте — гора. Никакого намека на дорогу. Да нет, гиблое место, гиблый поселок. И подъезды к нему гиблые. На крутом серпантине, на неосвещенной дороге аварий почти никогда не бывает. Все аварии — на перекрестке, на пешеходном переходе, где остановки троллейбуса с двух сторон.

Там часто пешеходов сбивают. Местные знают и по правилам никогда не переходят, даже на этой остановке не садятся. А бегут по трассе, где совсем не положено, где машины несутся. И хоть бы хны. Вот как это объяснить?

А пансионат? Кто придумал эти переходы? В чьей голове зародились планы подвальных помещений? По какой странной логике комнатам присваивали номера? Ильич, когда стал директором, совершал вылазки — обходил помещения, заглядывал в каждый закуток, в каждую подсобную комнатку. И мог заблудиться. За дверью могла оказаться не одна подсобка, а целая анфилада каморок, одна за другой. Идешь, а эти комнатки, размером на две швабры и ведро, никак не заканчиваются. Для чего они были построены? Кровать не встанет, только кресло, окон нет. Между комнатушками — добротные двери. Как в детском кошмаре или страшном сне — открываешь одну дверь, попадаешь в комнату, а там еще одна дверь, и снова комната, и опять дверь. Уже хочешь дойти до конца, появляется азарт, с ним же приходит страх перед неизвестностью. Идти дальше? Узнать, что там, в самом конце? Или вернуться назад?

На дверях обычными гвоздями прибиты номера. То один номер, то сразу два — поди пойми. Отдыхающие путаются. Пытаются найти логику, но логики нет. Есть седьмой номер, есть девятый со звездочкой, что означает суперлюкс, директорский, для важных гостей, там удобства в номере и душ тоже в номере, да еще две комнаты. А восьмого номера нет. Ильич обошел весь пансионат, но восьмого не нашел. Кто-то из прошлых хозяев считал восьмерку несчастливым числом? Зато обнаружились еще два девятых номера, но не под звездочкой, а под буквой «А». Ильич постоял, посмотрел и решил, что «А» — это полулюкс. Есть прихожая.

Казалось бы, все лестницы должны были рано или поздно приводить на огромную, самую большую и красивую в поселке террасу. Но нет. На террасу вела только одна лестница, а остальные вливались в коридор или уводили в переход к другому зданию. Тоже удивительно. Здания задумывались как один комплекс, соединенный переходом. Но переход вдруг обрывался, неожиданно, резко. Будто кто-то взял и замуровал проход. Стена была не картонная, как между номерами, а добротная, кирпичная. Если ее сломать, рухнут сразу два здания. Ильич это специально выяснял, и все архитекторы в один голос говорили — не трогай, хуже будет. Для отдыхающих в другое здание, называвшееся спальным корпусом номер два, сделали отдельный вход. Но чтобы попасть во двор, под кипарисы, им приходилось выходить на улицу, потолкаться в толпе, пройти мимо входа в столовую, нажать кодовый замок на железной двери... Ощущения уже не те. Не так, что вышел в купальнике на улицу с чашкой кофе, сел на скамейку и разглядываешь горизонт.

Это если идти на нижнюю террасу, а на верхнюю ведет та самая, единственная, лестница. И прямой, с балкона, выход из четырех номеров. А еще в трех — только окнами. Но тоже хорошо — окна всегда настежь, через подоконник перешагнул — и на террасе. Ильич больше любил нижнюю террасу, а Галя — верхнюю. Она ее обустроила — поставила несколько сушилок для полотенец, цветы в разномастных кадках. Перила подкрасила. Консоли деревянные лаком покрыла. Консоли эти были под стационарные телефоны приспособлены. Только теперь и телефоны с проводом можно как музейный экспонат выставлять. А консоли служили — отдыхающим нравились. Туда и пепельницу можно водрузить, и пачку сигарет бросить, и чашку поставить. Вся терраса была в календуле. Галя любила календулу. И фиалки. Но фиалки, они тень любят, поэтому Галина Васильевна их по подоконникам расставила. А в кадки — яркие желтые цветы. Каждый вечер Галя наливала воду для полива в большие пятилитровые бутылки, чтобы отстоялась до утра. Утром тащила наверх десять литров, по пять в каждой руке, и поливала цветы.

— Галина Васильевна, а у вас баклажка-то опять завоняла! — радовался Федор, но быстро затыкался.

Он побаивался Галину и старался не нарываться. Не потому, что она путалась с начальником, о чем все, конечно, знали, а потому, что Галина

Васильевна в лице так менялась, что страшно становилось. Был у нее такой взгляд, который не из этой однообразной и покорной жизни с ежедневным поливом цветов, а из позапрошлой.

Галя нашла себя в цветах — пересаживала, расставляла кадки, покупала новые. Ильич не нашел себе такого занятия. Пытался пилить, строгать — не увлекало. Ничто не увлекало. А Галя, кто бы мог подумать, возится на террасе, сухие листы у цветов обрывает, лопаткой детской землю вскапывает и счастлива.

Отдыхающих в последнее время стало немного. Это раньше, скажи, что Дом творчества, практически музей, и все приедут — за духовными ценностями, за атмосферой. Да и не попасть сюда было простым, не творческим, людям. За счастье считалось, если путевка перепадала по случаю. А сейчас главное, чтобы кондиционер, удобства в номере и завтрак — шведский стол. И ну ее, духовную жизнь. На работе по горло сыты.

Даже в «Главном» пансионате стало меньше народу. Путевки дорогие, а условия остались прежними. Как было всегда душно в номерах, так и осталось, хоть и с новыми обоями. Ванная крошечная, пусть даже унитаз новый. И плитка с черной плесневой окантовкой. От этой плесени никакого спасу нет — въелась и не вытравишь.

Пансионат этот всегда славился бильярдными столами — сюда шары погонять приходили и свои, и чужие, но по рекомендации. Курили, дым нависал над зелеными лампами, мужчины с собственными киями, принесенными в чехлах. Да у некоторых и перчатки модные, специальные. Рядом бар, чтобы можно было коньячок пригубить. Пепельницы здоровенные, хрустальные: такой башку разбить — раз плюнуть. Был и бильярдный кружок, но так, для галочки. Настоящие игроки ближе к девяти вечера подходили. Свой клуб, можно сказать.

И что сейчас? Запретили курить в помещении. Что делать? Правила для всех одни. Курить на улице, в специальном месте. Пепельницы для красоты оставили, как предмет интерьера. И что же? Столы стали рассыхаться, лампы перегорали одна за другой. Вот как объяснить? Конечно, проводка старая, тоже менять надо. Да и столы уже антикварные, считай. Ну а вдруг дело в табачном дыме? Вдруг дерево, привыкшее впитывать запах табака, окуриваемое на протяжении десятилетий, не выдержало удара кислородом? И стало дышать, рассыхаться, давать едва видимый уклон? Бильярдисты перестали ходить. Что они, мальчики, — на улицу курить бегать? Играют в частных домах, пансионах.

Да, в новое время и новые дома отдыха появились — частные пансионы. Дешевле, а по условиям лучше. И никаких табличек. Никто косо не посмотрит. Хочешь — с женой живи, хочешь — с любовницей, хочешь — втроем. Никому нет дела. Курить можно, все можно, лишь бы платили. Есть пансионы, где с детьми, есть те, куда с собаками карманными можно. Для детей — стульчики, кроватки, качели в саду. Для собак — миски. Хочешь заработать — думай, как привлечь клиента.

Ильич вышел из кабинета — ему, как директору, был положен кабинет. Он заходил туда с тихой тоской и выходил при первом удобном случае. Не любил он это помещение. Голова начинала болеть, и духота всегда была страшная. Хотя Галя и вентилятор на тумбочку пристроила, и цветы по подоконнику расставила, кресло притащила откуда-то. Стол лично каждый день протирала. Но опять — то ли место такое, то ли еще что. Наверное, надо к врачу сходить, провериться — Галя уже все уши прожужжала. Или просто возраст дает о себе знать. Вот Федор бы в этом кабинете себя прекрасно чувствовал. Не выходил бы. Этот кабинет для таких, как Федор. Не для Ильича.

Со двора раздались крики. Кричала женщина. В принципе тут все всегда кричали — и дети, и женщины, и чайки. Воплями никого не удивишь. Ильич за много лет научился распознавать — этот крик был опасным. Он выскочил из кабинета, уже зная, что увидит, но все еще надеялся, что ошибся.

Славик держал на руках ребенка. Мать малыша — двухлетнего с виду — пыталась выдрать сына из рук странного подростка, который малыша не отдавал. Ребенок при этом не дрыгал ни руками, ни ногами, а с интересом смотрел на того, кто его держал.

— Помогите кто-нибудь! — кричала мать. Отец ребенка стоял и не знал как поступить.

Ильич прекрасно понимал, что было до этого.

Малыш не хотел уходить. Возможно, засмотрелся на Серого, который чинно расхаживал по двору. Или хотел подобрать упавший каштан. А родители — мать с отцом — его уводили. И наверняка произнесли фразу, которая действовала на детскую психику безотказно: «Ну ладно, мы пошли с папой (бабушкой, тетей, сестренкой), а ты оставайся здесь один». И махали ручкой, вроде как на прощание. Еще и приговаривали: «Пока-пока».

Ребенок в слезах топал за родителями. Потому что страх остаться одному был сильнее желания посмотреть на кота или подобрать упавший каштан. Но малыш мог сделать всего несколько шагов, а когда видел, что родители его ждут, останавливался. И все повторялось: «Ну все, мы ушли. Пока-пока».

Славик очень боялся таких фраз. Он вообще боялся того, что его оставят одного, бросят. Он никогда ни с кем не прощался. Когда он был маленьким, Галя пыталась научить его говорить «пока-пока» и махать ручкой, но Славик начинал плакать. Попытки научить Славика-подростка говорить вежливое «до свидания» тоже не увенчались успехом. Славик умел здороваться, но не умел прощаться.

— Славик, если сказать «до свидания», значит, будет свидание. То есть вы еще увидитесь. А если навсегда, то говорят «прощай». Но ведь никто не говорит «прощай», правда?

— Прощай — это значит простить, а не уехать, — стоял на своем Славик.

Сначала было тяжело — если отдыхающие уезжали и начинали устраивать долгие проводы, мальчик садился на корточки, зажимал уши руками и плакал. Потом он привык. И уже не плакал, когда люди уезжали. Но Славик не понимал, что такое «понарошку», хотя Галя и Светка ему объясняли тысячу раз. Он отказывался понимать, что родители никуда не уйдут, хотя уже сказали «пока-пока». И никто ребенка одного не оставит.

Когда Славик видел такую сцену, которая повторялась регулярно, особенно в сезон, он подхватывал ребенка на руки и прижимал к себе изо всех сил.

— Он его задушит! — кричала мать. — Помогите! Сделайте что-нибудь! Мальчик, отпусти ребенка! Слышишь? Я сейчас милицию вызову!

Если мать пыталась применить силу и начинала отдирать собственное дитя от Славика, становилось только хуже. Славик принимался кричать. Перепуганный ребенок тоже. Оба плакали. И это было по-настоящему страшно. Славик еще сильнее прижимал малыша. Ребенок еще сильнее плакал. Славик плакал, как взрослый, у которого отбирают ребенка. Плакал, как плачут взрослые мужчины, когда им нестерпимо больно.

Галя уже была во дворе. Пыталась успокоить мамашу. Говорила, что Славик просто испугался. Что он — добрый мальчик, просто немного болеет. А ребенка он не душит, а защищает, оберегает. Не хочет, чтобы малыш остался один.

Ильич сел на лавочку и зажал уши ладонями. Он знал, как бывает больно. Пережил это однажды и больше не хотел.

Вероника решила забрать Славика. А Ильич, тогда еще просто Виктор, сидел вот так, зажав уши, на кровати, раскачивался и плакал. Матери, если у них отбирают детей, — кричат, плачут, дерутся, кусаются. Отцы не дерутся. Они замирают в горе. Им становится настолько больно... Это другая боль, которая не выплескивается, не забывается, не успокаивается. Ильич жил с этой болью всю жизнь, ожидая ее — Вероника могла появиться в любой момент. И у него не нашлось бы сил не отдать ей Славика. Тогда, в тот единственный раз, ведь не нашлось, за что он не мог себя простить. Он ведь дал ей увезти Славика. Не остановил. А почему не остановил? Почему не вырвал?

Вот этот мужчина, отец малыша, тоже не вырывает, хотя жена вопит как полоумная. Он тоже застыл и не знает что делать. Ведь одним махом мог уложить Славика ударом в ухо и отобрать сына. Но ведь не сделал этого. И никто не делал. Ни разу никто из мужчин не ударил Славика. Скандалили женщины — орали, угрожали. Мужчины — никогда.

Галя же, успокаивая мать и убеждая Славика отпустить чужого ребенка, тоже плакала. Ничего не могла с собой поделать. Ведь знала, что плакать нельзя: Славик еще больше испугается. Но не было сил сдержаться. И Славик ложился на землю, подминая под себя ребенка.

— Иди, Славик, под вентилятором постоишь, — спокойно сказал сыну Ильич.

И он тут же отпустил малыша. Ополоумевшая мать, ошарашенная тем, что больной мальчик освободил сына, подскочила, сгребла в охапку ребенка и убежала. Галя продолжала плакать.

Славик побежал в отцовский кабинет, расставил руки и застыл перед вентилятором. Вентилятор трещал, вращался, что Славику очень нравилось. Так он мог стоять долго, пока не приходила Галя и не выключала. Славик закрывал глаза и тихонько раскачивался, обдуваемый теплым ветром.

— Вероника приедет? — вдруг спросил Славик.

Мальчик так и не смог выучить времена года, месяцы, дни недели. Он знал, что есть сезон и не сезон и выучил всего два месяца — июнь и сентябрь. У него было собственное летоисчисление.

— Сколько месяцев до июня? — спрашивал он Светку.

— Четыре.

Славик кивал, хотя и не понимал. Как не понимал, что сентябрь — осень. Почему осень? Осень, это когда листья красные или желтые, когда листья на земле, а не на деревьях. И когда дожди. Холодные. И все уже в шарфах ходят.

— Сейчас лето, — говорил Славик.

Да, на море было лето. Все плавали, никакого листопада не было и в помине. Солнце светит, дожди есть, но теплые. Летом тоже дожди, даже сильнее. Осенью грибы. Но не в их местности. Какие грибы в горах, в жару?

С июнем тоже было сложно. Начало сезона. Но купаться еще нельзя — холодно, вода ледяная. Дожди льют. Разве это лето? Все ходят в куртках и в сапогах. И в шарфах. Разве это лето?

Славик считал, что лето может длиться одну неделю, потом неделю — весна или осень, а потом снова лето.

— Сейчас июнь? — спрашивал он.

И если июнь уже прошел, а Вероника не приехала, Светка, Галя и Ильич говорили Славику, что еще нет. И он ждал июня.

Он знал, что Вероника приезжает или в июне, или в сентябре. Он выучил, что июнь — это лето, а сентябрь — осень. Галя в него вдолбила. Но Славик, даже если ему врали, все чувствовал. В июне и сентябре у него случались обострения. Нужны были препараты. Седативные.

— Вы должны с ним разговаривать, готовить, — советовал врач Юрий Дмитрич. — Везите в город, там есть хороший специалист. Психоневролог. Я ему позвоню.

— Как готовить? — плакала Галя. — Она может и не приехать. Пообещать, что приедет, и не приехать. Много раз так было.

— Надо договариваться с этой женщиной. Надо, чтобы Славик знал, что если пообещали, то сделают.

— Это невозможно. Договориться невозможно. Она сначала сообщит, что приезжает, потом что не приезжает, и вдруг сваливается на голову.

Сколько раз Ильич просил — не приезжай, не надо, но она едет, как назло, будто специально.

Июнь и сентябрь. Переживешь июнь, жди сентября. А потом снова июня. До сентября можешь расслабиться, а потом по новой. И так каждый год. У Ильича и Гали было свое летоисчисление. Вероникино и Славикино.

Если Ильич верил в то, что в каждом месте — своя аура, своя энергия, что есть места, которые или убивают, или дают жизнь, то Галя верила в месяцы. В июне у нее всегда была ангина, жесточайшая. Она лишалась голоса, могла только шептать. В сентябре сваливалась с гриппом или другой инфекцией. С температурой, слабостью и рвотой. В июне только голос, будто звук выключили, в сентябре — две, а то и три недели в лежку. Как в последний раз. Два самых тяжелых месяца. Ильич болел обычно в октябре, Светка в феврале. В ноябре Настя делала аборт, ставший традиционным. В январе тетя Валя говорила, что больше не будет работать, и писала заявление по собственному желанию. Сама себе писала, поскольку начальника у нее не было.

Инна Львовна появилась в марте, считавшемся спокойным, даже счастливым месяцем, в котором никто не болел. До сезона еще далеко. Ильич каждый день ходил на работу — поднимался в кабинет с подвального этажа, включал компьютер в кабинете, раскладывал «косынку» и в обед появлялся в столовой. Тетя Валя ругалась на кастрюлю и на себя — хотела сварить рассольник, а кислит. Кастрюля новая, дорогущая, купила себя порадовать, для своих готовить. И ручки красивые. Всегда кастрюлю с такими ручками хотела. А суп не получился. Есть можно, но кислит. В больших, старых бадьях, с несмываемым налетом жира, не кислит, а в новой кислит. И ручки неудобные оказались. В прежних-то на ручки бинт намотан или тряпка старая. То есть кусок марли, которая лучше всякой тряпки. А эти с деревянными брусочками. Красота, а взять не возьмешь. Маленькие слишком. У тети Вали руки распаренные, пальцы отекшие. Так только два пальца и всунешь в эти ручки. Она вдруг расплакалась. Из-за кастрюли и неудавшегося рассольника. Да и вообще — март как не март вовсе. Да еще и год високосный. Повариха верила в несчастья, которые високосный год несет.

Игнат давно не появлялся. Пропал, скотина. Сдох, что ли? Уже две недели его нет. Прилетал другой баклан, только тетя Валя не стала его кормить, прогнала. Игната ждала. Окна распахивала настежь. Да еще Серый повел себя как мужик. Сначала пустил кошку, вроде как соседку. Кошка была красавицей — черная как уголь, тонкая, быстрая. Голова маленькая, лапы длинные. Ела мало, аккуратно, на еду не бросалась. А потом стала обычной бабой — ела, много спала, переругивалась с Серым. Тетя Валя даже не сразу поняла, что кошка-то беременная. А когда поняла, начала кормить, теплый матрас на пол постелила, на кухню, на батарею пускала греться.

— Как ты ее назвала? — спросила Галя. — Ночкой?

— Почему Ночкой? Нелей.

— С чего вдруг?

— Все Нели — черные. Брюнетки. Ни одной блондинки Нели не видела.

Неля благополучно окотилась. Котята красавцы, как на подбор. Но от Нели или от Серого — ничего. У одного — мальчика — черное пятнышко на брюхе. А два остальных — рыжие. Серый терпеливо ждал, когда Неля откормит котят. Но когда повариха пришла очередным утром, Неля пропала. Котята копошились в коробке, Серый за ними приглядывал издалека, а Нели и след простыл. Тетя Валя весь поселок обегала, но Нелю не нашла.

— Может, она сама ушла? — спросила Галя.

Тетя Валя уставилась на кастрюлю с рассольником.

— Да вылью его на хрен! — объявила повариха. И в этот самый момент на пороге столовой появилась Инна Львовна.

Все-таки придется рассказывать о предыдущей жизни. Без нее, получается, никак. Все оттуда тянется. И Славик, и Галя, и даже Инна Львовна, которая в столовой лет двадцать не появлялась. И вот на тебе.

— Только рассольник, — рявкнула тетя Валя.

— А кофе можно? — спросила Инна Львовна.

— Нету кофе. Пиво и напиток.

Галя сидела над коробкой, гладила котят и спиной чувствовала, что Инна Львовна на нее смотрит. Тут, как назло, появилась Светка.

— Теть Валь, можно мне кофе? А где Неля? Здрасте, теть Ин. Как котята? Оставите? — затараторила Светка.

— Здравствуй, Света, — поздоровалась Инна Львовна, — я слышала, ты здесь работаешь?

— Ну да, а че?

— Учиться дальше не собираешься?

— Собираюсь.

Тут Светка увидела напряженную спину матери, которая так и сидела над коробкой.

— А вы чё тут, теть Ин? Мимо проходили?

— Не мимо, Светочка, я тут работать буду.

Тетя Валя уронила кастрюлю с рассольником.

— Твою ж мать, — сказала она. И было непонятно, к чему это относилось — к рассольнику или к Инне Львовне.

•

Как можно было забыть про Инну Львовну? Без Инны Львовны — никуда. Вот вроде бы забыл, вычеркнул, и тут на тебе — объявилась. Точно во всем високосный год виноват. Только ее не хватало.

— Ладно, пойду зайду к Виктору Ильичу. Он у себя? В кабинете?

— Ну да, — ответила Светка.

Инна Львовна поднялась и вышла. Галя продолжала сидеть над коробкой с котятами. У нее так и не нашлось сил подняться и заговорить с Инной Львовной.

— Галь, чё теперь? Ты чё-нить поняла? Чё это было? — стонала тетя Валя.

— Музей ее прикрыли, вот она без работы и осталась. Здесь будет экскурсии вести. Назначили ее. Распоряжение прислали. Больше ведь некуда, — сообщила спокойно Светка.

— А ты откуда знаешь? — ахнула тетя Валя.

— От верблюда. Вы же туда не ходите, а я хожу. Музей еще в октябре закрыли. Говорят, там чья-то дача будет. Ну, депутата какого-то. Тете Инне в городе работу предлагали, но она сюда попросилась. Вроде как сама захотела. Будет отдыхающим мозги прочищать. Мы же — Дом творчества. Решили, что так даже лучше — нам денег выделят на ремонт, чтобы перед отдыхающими не стыдно было. Ну и экскурсии — тоже можно заработать.

— Свет, ты давно знала? — спросила Галя.

— Да чё там знать? Сразу понятно было.

— Валь, у тебя коньяка нет? — спросила Галя.

— Ага, сама об этом подумала. Щас налью.

— Да ладно вам! Ильич-то все равно главным останется. Ну отдаст ей комнату под музей. Натащит она туда всякого старья и будет врать, кто из великих в эту комнату заходил да кто спал на кровати.

— Так Ильич ее возьмет? — Тетя Валя налила коньяка, хлопнула и снова налила.

— Конечно. Я слышала, что денег много дадут. Депутат откупается. Да чё вы паритесь?

Галя заплакала. Они сидели с тетей Валей и плакали вместе. Тихо, не голосили. Светка одним глотком выпила кофе и ушла.

— Валь, что теперь будет? — спросила Галя.

— А шут его знает. Снова-здорово, — ответила тетя Валя, — хочешь, пирожков с капустой напеку? Будешь?

— Буду.

— Пойду тесто поставлю.

У Гали были кадки с цветами, а у тети Вали — тесто. Руками работаешь, переключаешься и с ума не сходишь. Только у Ильича не было ни цветов, ни теста. У Светки была молодость и крепкая нервная система. А что делать со Славиком? Как поведет себя Федор? А Настя? Они-то ничего про прошлое не знают.

— Надо твою Светку с моей Лизой отсюда отправить, — сказала тетя Валя, наливая себе еще коньяка.

— Куда? — не поняла Галя.

— Да хоть куда.

— Они не уедут. Не послушаются.

— Надо с Вань-Ванем поговорить, — предложила повариха.

— Надо, — согласилась Галя.

— Слушай, а может, она нормальная стала?

— Не стала. Люди не меняются.

— А если она на Славика или на Катю-дурочку напишет?

Инна Львовна тогда, много лет назад, главную роль сыграла в той истории, которая теперь продолжается в этом пансионате. Если бы не было Инны Львовны, не известно еще, как бы жизнь сложилась.

Инна Львовна тоже была сумасшедшей, как Славик и Катя. Только не такой безобидной. По ней не видно так, как по Кате и Славику. Те — дурачки напоказ, не скроешь. А Инна Львовна — заслуженный работник культуры. Специалист по Пушкину. Экскурсовод со стажем. Кандидатскую защитила. Выглядит прилично, как может выглядеть специалист по Пушкину. Это Катя собственную шляпу поливает, а Славик детей пугает. Инна Львовна не такая. Она осторожная.

Инна Львовна была мастером доносов. Большим специалистом, можно сказать профессионалом. Писать начала еще в институте — на друзей, однокурсников, преподавателей. Только ее творчеству хода не давали. Но Инна Львовна дело свое не бросила, а стала более изворотливой. На преподавателя не стала писать в деканат, а написала анонимку его жене. А в анонимке все, как положено. Скандал гарантирован, и поди докажи, что ничего у профессора со студенткой не было. Преподаватель доказал, но осадочек у жены остался — все равно развелись. Про однокурсницу, которая ей ничего плохого не сделала, а просто не нравилась, вот просто на дух она ее не выносила, опять же не в деканат, а комсоргу и папаше на работу. А папаша — начальник. Комсорг внимания не обратил, а на папиной работе — письмо к делу пришили. До кучи. Папа там своих дел натворил, а тут еще и у дочки поведение аморальное. Папу посадили, дочку из института выгнали.

Инна тогда поняла, что главное — понимать, кому писать. Адресата верно угадывать. Сколько она доносов за свою жизнь написала — сама не помнила. Терпению научилась, ждать научилась, время нужное выбирать. В последнее время два верных адреса было — в газету и в прокуратуру. По любому вопросу. Но иногда газета вернее оказывалась — прокуратура после шумихи, которую газета поднимала да раздувала, за дело принималась. Деваться-то некуда. А иногда лучше было в прокуратуру. Тогда уже и пресса подключалась. Верно чувствовала Инна Львовна и те случаи, когда писать не стоит — как в ситуации с закрытием музея Пушкина. Депутата того, который помещение решил под собственную дачу обустроить, ни в прокуратуре, ни в газете бы не тронули. Пока, во всяком случае.

Инна Львовна прекрасно помнила, когда на кого что написала. Всех в тетрадку специальную заносила. И считала, что Ильичу мало досталось. А Галя, та и вовсе выкрутилась. На работу Инна Львовна сама напросилась, чтобы прошлое дело до конца довести. Написать в этот раз так, чтобы наверняка. А поводов хватит. Она посмотрит, послушает и уж так напишет, что мало никому не покажется. Надо набраться терпения, подождать. Лучше, конечно, коллективная жалоба. В последнее время коллективные быстрее рассматривались. А для коллективной надо найти подход к Федору, к Насте. Ну ничего, она еще всем покажет.

Инна Львовна сидела и по-ученически грызла кончик ручки. Злилась. Ильич ее встретил спокойно, даже виду не показал, что удивлен. Предложил комнату на нижнем этаже, для удобства, так сказать. Дал полную свободу действий. Показал номер, в котором музей удобно сделать. И даже не спросил, кого именно музей будет. Светка же, дрянь малолетняя, заладила — тетя Инна, тетя Инна. Неужели ничего не знает? Неужели ей мать не рассказала? Ну ничего. Федор любую бумажку подмахнет, лишь бы место Ильича занять. А Настю припугнуть можно. Да как он посмел предложить ей номер? Она приличная женщина, с собственной жилплощадью. Был бы Ильич поумнее, то и свою бы квартиру сохранил. Так нет же, продал, ради сына-идиота продал. Чтобы лечение оплатить. Только не помогло то лечение. Славик как был идиотом, так и остался. Да и зачем тратить на больных? И Галя туда же, все святую из себя корчит. Докорчилась — теперь ее ненаглядная Светка чужие унитазы намывает. Ни кола ни двора. Вот и живут теперь как цыгане. В любой момент под зад получат — и гуляй на все четыре стороны. Точно! Как же она сразу не догадалась. Надо в Министерство культуры написать! Что номерной фонд используется в собственных целях. Для проживания сотрудников! Но не сейчас, попозже. Сейчас еще не время. Надо писать, когда они ждать не будут и успокоятся.

А завтра непременно написать жалобу на то, что в арке надписи неприличные появились. И на шум с детской площадки пожаловаться. Это ведь невозможно окно открыть! Домой с работы приходишь, хочешь отдохнуть, а под окном дети орут. А мамаши их курят и окурки бросают мимо урны. Нет, на площадку нельзя жаловаться. Ее тот самый депутат отремонтировал, о чем свидетельствует баннер на заборе. «Спасибо Иван Иванычу за то, что...». Единственная на весь поселок детская площадка. Качели-карусели. И баннер, чтобы помнили, кто деньги дал.

Инна Львовна была бездетной и безмужней. И ненавидела тех, кого была лишена — мужчин и детей. Еще она ненавидела кошек, которые в последнее время расплодились и прижились при столовых и ресторанах. Отдыхающие их разбаловали — корм специальный покупали и кормили. И где это видано, чтобы кошек отдельным кормом кормили? Денег им, что ли, девать некуда? Инна Львовна, когда никто не видел, выходила на улицу, к детской площадке, с остатками котлеты и подзывала кошек. На площадке мамаши, которые снимали углы у частников, часто кошек кормили, причитая над своими чадами: «Ой, смотри, какие котятки. Ой, а у этого носик черненький. А этот рыжий. Только не трогай, они блохастые». Котов Инна Львовна не трогала. А вот кормящих кошек, тех, что с котятами слепыми еще, ненавидела люто. Она дожидалась, когда кошки, осатанев от кормежки котят, приползут на котлету, брала палку с гвоздем и лупила их по голове. Кошки умирали, не успев даже понять, что случилось. Почему вдруг после куска еды следует удар по голове. И еще один. И еще. Котят Инна Львовна не трогала — сами подохнут. Утром на площадке раздавался детский рев — кто-нибудь из детей видел убитую кошку, которая испачкала кровью весь асфальт и вход на детскую площадку. Мамаша ребенка оттаскивала, говорила, что кошка не умерла, сейчас она позвонит, вызовет врача и приедет специальная «Скорая помощь», которая увезет кошку в больницу, где ее вылечат. Где-то рядом пищали котята. Инна Львовна этих криков уже не слышала — она была на работе. Только знала, что из всего выводка выживет в лучшем случае один котенок. А остальные... Кого-то раздавит машина. Кого-то загрызет собака.

Но кошачья «Скорая помощь» действительно существовала. Иван Иванович, которого все звали Вань-Вань, выходил на детские крики. Выходил, конечно, не сразу, а как только получалось. Получалось не быстро. Хотя с годами он тоже присмотрелся, стал опытнее. Если рядом окотилась кошка, то лучше встать пораньше и начать спускаться с лестницы до того, как заголосит перепуганный ребенок.

У Вань-Ваня тоже была позапрошлая жизнь, в которой он был моряком и командовал большим кораблем. Это он детям на площадке рассказывал. А потом нырнул в море и попал под винт, который срезал ему ноги, которые так в море и остались. И Вань-Вань, который жил в том же доме с аркой, что и Инна Львовна, ковылял теперь на обрубках. Один почти под причинным местом заканчивался, другой до колена удалось сохранить. Но Вань-Вань приспособился. Сделал себе костыль, коротенький, крепенький, с набалдашником резиновым. Соорудил накладку на палку, которая под подмышкой, набил подкладку синтепоном из животов и лап забытых на детской площадке мягких игрушек. Иногда за игрушками возвращались — дети плакали, не найдя потерянных зайца или мишку. На Вань-Ваня никто не думал, конечно. А он не признавался, что любимый заяц или мишка, с которым ребенок спит, ест и не расстается, уже вспорот и лежит всем своим содержимым у Вань-Ваня под мышкой. И он помогал искать, сокрушался, угощал обмякшим переспелым инжиром безутешного малыша или дарил мамаше сухую веточку лаванды. А потом выставлял на бортик детской площадки коробочку из-под йогурта, в которую клал макароны или еще какую еду. И прибегали котята, из тех, которым посчастливилось выжить после смерти матери, и ели макароны. Мамаши умилялись и говорили: «Вот видишь, как хорошо котенок ест!» Малыши переключались с игрушки на котят и успокаивались. Подумать, что Вань-Вань был виноват в краже и гибели мягкого любимца, естественно, было невозможно. Более того, именно Вань-Вань уничтожал следы убийства кошки-матери, сгребая в совок труп с размозженной головой, поливая из баклажки землю, чтобы смыть кровь.

Он пытался остановить Инну Львовну. Дежурил вечером на детской площадке. Инна Львовна оказывалась хитрее. Она все равно находила время убить кошку и оставить котят сиротами. И как бы Вань-Вань ни бдил, все равно не всегда успевал убрать труп животного до того, как на площадке появятся дети.

На вторую ногу, которая до колена была отрезана, Вань-Вань соорудил себе калошу из резины, прочной, жесткой. Сделал как бы накладку на колено, а по сути — обувку. И шкандыбал прытко. Но не так прытко, как Инна Львовна расправлялась с кошками.

Вань-Ваня было видно издалека — он носил неизменную тельняшку. Торс и руки были такими, что молодой мужик позавидует. Разобравшись с трупом, Вань-Вань ускакивал на своей резиновой подкладке на море, где пил пиво с молодыми ребятами, которые катамараны наладились отдыхающим сдавать и байдарки двухместные. Там, под шатром, Вань-Вань проводил целый день. Иногда спускался к воде и плавал. Подолгу. Оставляя костыль на берегу. Снимая резиновые прокладки. Оголяя шрамы.

Про то, что Инна Львовна в приступе животной ненависти убивает кошек, а Вань-Вань крадет игрушки с детской площадки и хоронит трупы животных, все знали. Но молчали. Одним сумасшедшим больше, одним меньше.

Инна Львовна про Вань-Ваня тоже знала, а он про нее. Но они, сталкиваясь в арке, даже не здоровались. Если Инна Львовна слышала глухой стук, неравномерный, с интервалом, то заходила за угол, дожидаясь, когда Вань-Вань прошкандыбает мимо. А если он первым ее замечал, то тоже старался схорониться. Инна Львовна знала, что Вань-Вань ее сторожит, чтобы предотвратить убийство. А он знал, откуда перед его дверью появляется плюшевый заяц или медведь — Инна Львовна забирала с детской площадки «потеряшку». И тогда Вань-Вань не выходил из дома. В тот день Инна Львовна могла убить кошку.

И все в поселке знали, что до того, как Инна Львовна сошла с ума и Вань-Вань чокнулся, они были парочкой. Должны были пожениться. В те времена, когда его еще звали Иваном и он был с ногами. А Инна, которую он звал Инюшей, была миловидной улыбчивой девушкой. Он уходил учиться в мореходку, она обещала его ждать. Они даже целовались, спрятавшись под грибком на этой самой детской площадке, на которой собирались местные пацаны, играли на гитаре, пили портвейн, били друг другу морды и уводили на пляж местных же девчонок из тех, кто был не против.

После учебы в мореходке Иван вернулся уже не таким влюбленным и о женитьбе не заикался. Опять же возить туристов вдоль берега он не собирался, а грезил большими судами и другими морями. О чем и сообщил Инне. Она в ответ объявила, что такой муж ей не нужен, ждать его из рейсов она не собирается, пока он там не пойми с кем будет в портах развлекаться. Инна рассчитывала, что Иван начнет ее уговаривать, но он не стал. И уходил в рейс совершенно свободным. Деньги зарабатывал приличные. Спускал на случайных баб, на цацки всякие — часы, шмотки, бухло. С местными шалавами гулял, когда в поселок возвращался. Инна смотрела на него с ненавистью и скрытым удовлетворением от собственной прозорливости — значит, правильно сделала, что не связалась с таким гадом.

Когда Вань-Ваня протащили через арку на носилках, подняли на руках по лестнице на этаж, Инна пришла, вроде как по-соседски. Не посторонние люди ведь.

— Спьяну, что ли? — спросила она.

— Я человека спасал, — ответил он.

Инна Львовна не поверила Вань-Ваню и была права. В рейсе Вань-Вань надрался как скотина и свалился за борт, где ему винтом отрезало ноги. Про то, что он услышал крик и кинулся спасать человека, это не он придумал, а за него придумали, чтобы происшествие замять. А Вань-Вань вроде как и поверил в то, что слышал крики о помощи.

Вань-Вань думал, что Инна его пожалеет и согласится на сожительство — постоянная баба в его положении ему была необходима. Но она отказалась.

— Ну и дура, — спокойно сказал Вань-Вань, — я-то один не останусь.

— Кому ты нужен? Ты ж ничего не можешь.

— У меня ног нет, а все остальное — работает. Показать?

— Другим бабам показывай.

Два месяца Вань-Вань пил по-черному. Потом взял себя в руки и начал учиться ходить, то есть передвигаться. Сначала потихоньку, по квартире, потом стал по лестнице спускаться, зарядку делать, мышцы качать. Затем экспериментировал с резиновыми набалдашниками и размером костылей. Сначала на ручки одеяла наворачивал, чтобы мягче было. А потом стал плюшевых медведей вспарывать.

Баба нашлась. Местная шалава Снежана. Она с ним и по любви, и за деньги. Спала за деньги, убирала, готовила, продукты носила — по любви. Или наоборот. У Вань-Ваня пенсия по инвалидности капала приличная, да еще он подвизался у местных парней катамараны чинить. На море всегда дело найдется, особенно в сезон. Он и рейсовый теплоход водил вдоль берега, когда Сан Саныч в запой уходил.

Они с Вань-Ванем с детства вместе, и в мореходке вместе. Сан Саныч вернулся, женился на Наташке, троих детей нарожал. Наташка его при себе держала. Вот и водил Сан Саныч водное такси «Люба Шевцова», которое ласково называл Любаней. Сан Саныч вслепую мог теплоход провести, сколько раз пьяный в хлам мимо скал тютелька в тютельку проплывал. Но возраст брал свое. И Сан Саныч после того, как в шторм чуть не напоролся на байдарочников, перепугался не на шутку. Бухать не перестал, но подстраховывался — брал с собой Вань-Ваня. Для него даже специальное сиденье оборудовал, чтобы было удобно за штурвал держаться. Вань-Вань любил заплыть подальше и постоять, чтобы отдыхающие дельфинов увидели. Даже в шторм вел Любаню мягонько, аккуратненько, ни одного ребенка ни разу не стошнило.

Когда у Вань-Ваня юбилей был — пятьдесят лет, все местные скинулись и лодку ему подарили. С тентом для тени. И у него новая жизнь началась. Он стал возить частных туристов — кого на рыбалку, кого просто покатать, кому подальше, кому поближе. Пацаны ему клиентов и подгоняли. Так что все хорошо у Вань-Ваня было. И Снежана не жаловалась. Прижилась как гражданская жена. Хорошая, кстати, баба оказалась. Добрая, не скандальная. Детей только не могла иметь. А Вань-Вань и не требовал. Так что жили спокойно. Снежана знала и про Инну, и про кошек, и про медведей плюшевых.

Вань-Вань тоже со временем стал Снежану ценить. Даже уважать. Наверное, и любил по-своему. Получалось, что у него все хорошо, а у Инны — плохо. Все целку-недотрогу из себя строит. А может, и целка до сих пор. Вань-Вань сморщился — он не любил неопытных, с ними хлопот много. Ему нравились прожженные бабы, вроде Снежаны, которые сами все делали — быстро и качественно. Проституток Вань-Вань очень уважал за профессионализм. И болтают мало. А если говорить начинают, то им можно и в рыло дать. Сразу же замолкнут. Снежане он иногда припечатывал по пьяни да сдуру, но не сильно. Любя. Она не обижалась. Фингал замалюет, замажет, очки нацепит и на работу идет. Снежана стала экскурсии продавать. Место ей хорошее досталось, рядом с Домом творчества. А если рядом с Домом, то вроде и экскурсии другие, лучше, чем у других. Снежана хорошо продавала — умной оказалась, знала, кому что сказать. Да у нее такой опыт, какого ни у одной бабы нет. А если с детьми подходили, так Снежана и вовсе таяла — она детей любила. Инна тоже бездетная, а детей ненавидела.

Снежана, если с детками клиентки, к Вань-Ваню отправляла — чтобы хорошо покатал, дельфинчиков показал. А в лодке всегда и водичка, и влажные салфетки, и конфетки. Бутылочка вина для мамаши. Вань-Вань очень Снежану ценил — за деловую хватку, за понимание, за то, что все предусматривает. Снежана была крестной двух младших детей Сан Саныча — она с Наташкой сдружилась. И вроде как реализовала свои материнские инстинкты. Хотя бы как крестная. Она и постилась, в церковь ходила, грехи замаливала. Но Вань-Ваня не дергала, не привлекала. Умная баба.

Молилась за всех. Даже за Инну. Что взять с больной? Ведь Снежана сразу сказала, чтобы Вань-Вань с Инной помягче был, не связывался. От греха подальше. А то, что она делает, это все от бесов. Бесы в ней. Ее бы в церковь, чтобы бесов прогнать да отчитать. Но ведь не пойдет.

Про остальное Вань-Вань, конечно, слышал, слухи-то живут долго, но к сердцу близко не принимал. Снежана не сплетничала, с Инной приветлива была, когда в арке сталкивалась, улыбалась.

Инна Львовна ее ненавидела — Вань-Вань точно это знал. Да и Снежана знала. Но улыбалась.

— Не надо, а то хуже будет, — говорила Снежана Вань-Ваню, когда тот возвращался домой, похоронив очередную кошку.

— Она чокнутая, ей место в психушке!

— Да, только как докажешь?

— Докажу!

— Она же не людей убивает, а кошек. Бездомных. Если бы людей, тогда да.

— Она ненормальная.

— Я ее боюсь, — призналась Снежана. — Она и на нас может написать.

Они все были разными. Галя оказалась пластилиновой, мягкой. Нашла отдушину в цветах. Тетя Валя — в кастрюлях. Снежана — в Вань-Ване, а Вань-Вань в своей лодке. Они были тягучее и мягче, чем растоптанный резиновый набалдашник на колене Вань-Ваня. Старое не помнили. Ильич же и Инна Львовна — прошлым жили. Ильич часто фотографии того времени рассматривал.

— А помнишь, как ... — иногда спрашивал он у Галины Васильевны.

— Не помню, не хочу, даже не начинай, — отмахивалась она.

Инна Львовна все помнила, до последней детали. Она была злопамятна и мстительна. И у нее ничего не было, кроме ее умения, отточенного временем, писать доносы. И главным врагом для нее так и остался Ильич. Врагом, который не понес заслуженного наказания. А значит, она должна писать, чтобы призвать к ответу, довести до сведения, раскрыть глаза на преступление и так далее.

Вот и сейчас, оставив в покое обгрызенный кончик ручки, Инна Львовна принялась писать — к ней пришло вдохновение. Идея была до гениальности проста. Как только раньше ей в голову не пришло? Даже лучше, чем про Катю и Славика. Куда лучше! Надежнее. Тут уж можно и в газету, и сразу в прокуратуру, чтобы наверняка. По двум адресам. Такой повод, что не придерешься. С какой стороны ни посмотри — все идеально. И она — как-никак научный работник, сохраняет наследие, специалист. Ну да, про Катю со Славиком не надо. Сейчас модно детей больных любить да всяких сумасшедших опекать. Раньше-то по-другому было. Если ребенок — дебил, так все и говорят, что дебил. А сейчас? На пляже и в столовой никому замечание не смей сделать, косо не посмотри. А они едут и едут со своими выродками. Раньше дома таких детей держали, лишний раз на улицу не выводили, а сейчас — пожалуйста. И в столовую, и в ресторан, и на общий пляж, и даже на концерт, чтобы музыку ребенок слушал, развивался.

Инна Львовна опять не смогла сосредоточиться. Отвлеклась. Да, времена изменились, все изменилось. Вот была она сегодня на пляже. Позагорать решила, чтобы прилично выглядеть, не бледной молью. Она ведь не Галя, чтобы себя так распустить.

На пляже рядом расположился мужчина с ребенком. И вот ведь надо же — мужчина красавец, во вкусе Инны Львовны. Высокий поджарый брюнет. Загляденье, а не мужик. Он расстелил покрывало и принялся делать массаж сыну. Ребенок кряхтел, вырывался, а отец мял, растирал, сгибал ноги, руки. Крепко, настойчиво. Потом повел ребенка плавать. А ребенку, с виду года четыре, все это без толку. Да не станет он нормальным! И где, интересно, мать, которая родила такое чудовище? Вот она, нарисовалась. Красивая баба. Они вообще красивая пара со стороны. Если бы не ребенок. И не старые. Говорят, что риск с возрастом повышается, а эти оба молодые.

Мамаша как ни в чем не бывало — смеется, загорать улеглась. А муж с сыном на мелкоте барахтаются. Ребенок кричит, по воде руками бьет.

Сначала Инна Львовна собиралась скандал устроить, но потом задумалась. И почему этот красивый мужик не бросит жену с ребенком? Почему они этого не сдали в детдом и не родили себе нового? А кто виноват? Жена или муж? И почему они такие спокойные? Никакого страдания в глазах. Раньше такого не было. Раньше если больной, то изволь страдать, на показ, чтобы все видели. Мужики от баб, которые таких детей рожали, уходили сразу, без объяснений. Считалось, что женщина виновата.

Да и не помнила Инна Львовна, чтобы таких детей оставляли в семье. В роддоме же и отказывались. Конечно, находились такие, как Ильич, но то — исключение из правил. И за что Ильич так боролся? Да его сейчас голыми руками можно брать. Он из-за Славика все стерпит. Лишь бы сына не трогали.

Инна Львовна развернула в пансионате бурную деятельность. Выделенный ей номер объявила музейной комнатой и натаскала туда все, что смогла унести из бывшего музея: чехол от скрипки, самовар, скатерть кружевную.

— Про кого музей? — спросила Светка, которая мыла там пол. Инна Львовна выставляла палки, на которые цепляла шнур от шторы — «За заграждение не заходить».

— Максимилиана Волошина, — ответила Инна Львовна.

— Так он же не здесь вроде, а в Коктебеле, — удивилась Светка.

— Ты что, умнее меня? — возмутилась такой наглости Инна Львовна.

— Да все вроде знают, — пожала плечами Светка.

— Ему ничто не мешало посетить и это место, — с вызовом сообщила Инна Львовна.

Она стала проводить экскурсии и сообщать всем, что на этой самой кровати отдыхал, а на этом самом балконе писал стихи Волошин.

Но Волошин как-то не пошел, и тогда Инна Львовна переключилась на Айвазовского. Достала где-то старый мольберт, кисти засохшие, палитру и говорила отдыхающим, что с этого самого балкона, с этой самой террасы писал свои картины великий художник. На стены она повесила вырезанные из книжки репродукции.

— А картины где? — удивлялись отдыхающие, которые чувствовали себя обманутыми.

— Картины — в музеях.

— А он на этой постели спал? — спрашивали отдыхающие.

— Спал! — ответственно заявляла Инна Львовна, хотя на этой кровати спал Федор.

— И на скрипке играл?

— Играл!

— А чай прямо из этого самовара пил?

— У вас есть пять минут, чтобы сфотографироваться! — объявляла Инна Львовна, и вопросы тут же прекращались. Отдыхающие делали селфи на фоне самовара.

На десять минут она запускала всех на террасу, рассказывала про кипарисы, которые, с ее слов, тоже посадил лично Айвазовский, и снова призывала «сделать снимок». Люди с радостью соглашались, никто не жаловался. Сто рублей, и ты вроде как с Айвазовским на короткой ноге.

Стали приезжать столичные художественные школы. Тех, конечно, не проведешь Айвазовским, но виды все равно хорошие. Дети рассаживались на террасе и рисовали пейзажи. Счастливые родители платили. Инна Львовна чувствовала себя чуть ли не спасителем — Дом творчества в кои-то веки стал приносить хоть скромный, но доход.

Ильичу было все равно, что делает Инна. Гале — тоже. Но та жила в «низком старте», ждала удара.

— Она напишет, — говорила Галя Ильичу.

— Зачем ей?

— Затем. Она просто ждет момента. Ты же знаешь, что она ненормальная. Зачем ты ее взял?

— Не было выхода.

— У тебя всегда был выход. Сейчас — тем более! Ты что, до сих пор боишься? Ее?

— Боюсь. До сих пор.

Инна Львовна с увлечением и страстью принялась за любимое дело — писать доносы в инстанции. В подробностях, с деталями, — для газеты, а по существу — для прокуратуры.

Поводом к творчеству послужили пресловутые кипарисы, проросшие корнями на голову Кати-дурочки. Кипарисы эти могли иметь отдельную табличку, какую ставят у деревьев в столичных, например, парках. Этому дереву столько-то лет. Высажен во времена... Люди ходят, смотрят, удивляются. Да неужели? А с виду обычное дерево. Так вот местные кипарисы тоже, как уже говорилось, были высажены... и им столько-то лет... Что же происходит, товарищи? Подумав, Инна Львовна решительно зачеркнула «товарищи» и заменила на «граждане», потом еще подумала и написала «господа». Подумав еще, вычеркнула все обращения, оставив риторический вопрос. Что же происходит? Во время празднования дня рождения директора пансионата сотрудниками, среди которых присутствовали и любовница директора, и его сын, которого укрывают от спецучреждения, а он беспокоит отдыхающих своим поведением, был подожжен кипарис, который был высажен... и так далее. С одного боку кипарис стал желтым, в чем можно легко убедиться, придя с инспекцией. И ведь речь не только о кипарисе, хотя и о нем в первую очередь, ведь дерево было высажено... ему столько-то лет... и так далее, но и о соблюдении правил противопожарной безопасности. Ведь подпаленный с одного своего исторического бока кипарис — явное доказательство того, что правила не соблюдаются. Нет датчиков задымления, нет огнетушителей, нет ведра с песком. А кроме того, сотрудники незаконно проживают в номерах. Подумав, Инна Львовна вычеркнула последнее и оставила только про кипарис, поскольку проживание требовало отдельного доноса и отдельного разбирательства. Нечего все валить в одну кучу. Она не какая-нибудь городская сумасшедшая.

Перечитав, Инна Львовна вычеркнула строчки про Славика. Потом, позже, когда на первое письмо будет реакция. Тут уже и про Славика, и про Катю-дурочку можно добавить. Про незаконное использование пансионатского фонда — тоже отдельно. Как вишенку на торт положить, чтобы уже никаких сомнений. И про сожительство, образ жизни начальника, моральный облик сотрудников — тоже потом. Залакировать.

Инна Львовна легла в свою одинокую девичью кровать с легким сердцем. Хорошо вечером поработала.

Пусть проверяют. Факт празднования дня рождения был? Был. Кипарис желтый? Желтый. А из-за чего — из-за солнца, которое в этом году беспощадное, жгучее, вся трава желтая, или имело место преступное возгорание — пусть специалисты разбираются. Лишь бы отреагировали, а там Ильичу все равно жизни не дадут. С его-то «послужным списком». Да прямо под кипарисом скрутить обязаны. И тогда... На вожделенном «тогда» Инна Львовна уснула. У нее был крепкий здоровый сон.

А Ильич опять бессонницей мучился. Надо Галю завтра попросить — пусть траву заварит. Галя стала мастерицей травы сонные и успокаивающие заваривать — Виктору и Славику. Ильич сначала отказывался — боялся уснуть и сына «проглядеть». А если он кричать начнет? Или испугается? Но потом Ильич сдался, так что Галя обоих стала своим чаем поить. Славику сахар подсыпала, для сладости, а Ильичу покрепче делала. Галя нужна, ой как нужна. Она в быту спорая оказалась. Пусть с занавеской что придумает. Как тут уснешь? Про Инну он и так все знает. Только не хочет Галю беспокоить. Не хочет, чтобы она еще больше нервничала. Да, Инна еще устроит. Только вопрос — когда? Дала бы спокойно дожить хотя бы этот сезон. Может, как советовала Галя, с Вань-Ванем поговорить? Он единственный, кто на нее, возможно, влияние имеет. Но пока тихо. Может, и рассосется? Галя на него сердится, не понимает. Хотя лучше всех его знает. Он будет молчать, ради Славика. У нее Светка. Она не пропадет. А Славик пропадет. Они даже поругались. Из-за фразы, что Светка не пропадет.

— Почему? Почему ты так уверен? С чего ты так решил? Светка — не пропадет! Да я за нее каждую минуту боюсь! Что у нее в голове? Ты знаешь? И я не знаю! Ты что, не помнишь, какой я была? Забыл? Тоже думала, что не пропаду! Видишь! Посмотри на меня! Кто я? Разве это я? Славик, Славик... Ты из-за Славика и тогда, и сейчас дышать спокойно не можешь. Ты боишься. Даже Инну боишься! Понимаешь? Ты хоть понимаешь, кого ты боишься? Инну! Да как ты можешь? Я устала, понимаешь? Устала от всего. От тебя устала! Мне надоело бояться. Тебе не надоело?

Галя заплакала и ушла. Ильич подошел к вентилятору, включил, расставил руки, как делал Славик, и долго так стоял.

Галина Васильевна в номере расстилала постель, переодевалась ко сну. Все эти приготовления были бесполезными. Она никому, даже тете Вале не говорила, что уже и травы не помогают — не спит, и все тут. Днем проваливается в получасовое забытье, а ночью только и остается, что в потолок таращиться. Но это от жары — она точно знала. Как только пекло начинается, все — считай, не уснешь. И мысли всякие дурные в голову лезут. Тоже от жары. В сентябре не так. Полегче вроде бы. А сейчас, от духоты, вовсе не уснешь. И за Светку страшно становится до одури. Ильич думает, что она на него злится. Нет, она не злится давно уже. Даже не сердится. Жалеет, да. Остальное — от нервов. Инны Галя не боялась. Пусть пишет куда хочет. Ей терять нечего. Им всем — Инне, Гале, Ильичу — терять нечего. Уже все потеряли. Только дети и держат на этом свете.

Наверное, тогда, много лет назад, надо было поступить иначе. Уехать из поселка, наплевать на Ильича. Себя спасать и Светку. Жить по-другому, по другим улицам ходить. Но ведь и Гале тогда не хватило смелости. И здорового эгоизма. Материнского эгоизма, который заставляет думать о собственном ребенке, а до остальных детей — дела нет. Галя помнила, что была очень уставшей, вымотанной, сил не хватало. Не то чтобы уехать, даже думать об этом не было сил. Как и сейчас. Нет сил на Ильича. Ему плохо, она это знает, видит, чувствует, но — отдала ему все, что могла. А новых сил не прибавилось.

Как же не вовремя Инна появилась. Умеет ведь время выбирать. Ильич опять как на иголках. Ждет Веронику. Каждый сезон он ждет Веронику. Зачем? Раньше Галя не понимала, даже ревновала, злилась, пыталась поговорить с Ильичом, а потом плюнула. Ильич всегда будет ждать Веронику и никогда ее не забудет. Славик не даст. Сын, который все еще, когда волнуется, говорит, что его зовут Вероника.

Как же надоело жить сезонами. Это нормально? Вероника не приезжала последние три сезона, значит, уже три года. А до этого приезжала два сезона подряд. А до этого... Могла позвонить и сказать, что едет, и не приехать. Могла свалиться на голову без предупреждения. Если Славик представлялся именем матери, хотя и не понимал, кто такая мама, то Ильич так и называл Веронику женой. Хотя никакой женой она ему не была. Даже бывшей не была. А вот Галя как раз и была женой. И настоящей, и бывшей. Странная ситуация. Но про Галю Ильич никогда не говорил — «жена». Она всегда была Галей, Галиной Васильевной. А Вероника — жена. Или «она».

— Она звонила, приедет, — сообщал Ильич Гале.

— Для кого комнату-то готовим? — спрашивала Настя.

— Жена должна приехать, — отвечал Ильич.

Да, Галя думала, что у них с Ильичом все получится. Наверное, поэтому и осталась. И могло бы получиться, если бы не постоянное, незримое присутствие другой женщины, которая называлась женой и матерью, но не была ни той ни другой. Ни дня своей жизни. Так они и жили — она, Ильич, Славик, Светка ...и Вероника.

Надо было уезжать. Галина каждый раз говорила себе, что этот сезон последний. И каждый раз что-то случалось. Теперь вот и Светка в эту колею попала. Ей бы выбраться да на другую дорогу свернуть. Галя сто раз говорила дочери, что эта дорога никуда не выведет. По кругу будешь ходить и так никуда не придешь. Застрянешь в казенном доме, который хуже тюрьмы. В пансионате, который стал проклятием. На всю жизнь. Но вот что она не говорила дочери и ни за что бы не сказала: к этому куску моря, к этим видам, этому пляжу так привыкаешь, что ничего другого и не хочешь. Как к жареной печени под луком тети Вали. И вот хочешь сходить в ресторан в красивом платье, поесть другую еду, а все равно возвращаешься голодной. И жрешь печень, которую тетя Валя не в микроволновке, а на сковородочке разогреет. Специально для тебя. И ни в одном ресторане ни один повар не умеет так жарить лук, как тетя Валя.

В последнее время в их поселке чего только нет. Кафе разные появились, рестораны на любой вкус. Столовая «верхняя» стала очень популярной. Они кондиционеры поставили в зале, три микроволновки и девчонок на раздачу прытких. Чистенько все. Кофе из кофемашины модной. И для детей — стульчики для кормления, кашка диетическая, даже с собаками стали пускать. А почему бы не пускать, если это даже не собаки? Сидят на руках, дрожат, местные кошки на них и не реагируют.

Тетя Валя же держала марку. К ней только понимающие, разбирающиеся стекались. Мамочки из тех, кто поздно родил, знаменитости тоже захаживали, не брезговали. Потому что у тети Вали все было строго.

— Тебе сколько лет? — спрашивала она девчушку.

— Шесть.

— Так и шо? Разнос за собой унести не можешь? Большая девочка!

И девчушка послушно несла поднос на «стол для грязной посуды».

— Упадет! Она уронит! — пыталась подхватить поднос мать.

— Вытрем, — отвечала тетя Валя.

Дети чувствовали, кто здесь главный, и учились убирать за собой.

Если ребенок капризничал за столом, тут же появлялась из кухни тетя Валя.

— И шо ты делаешь маме нервы?

Ребенок, обалдев от такого построения речи, начинал давиться котлетой. Если в это время на окне восседал баклан Игнат и мать впихивала ложку каши в чадо, пока тот разглядывал птичку, тетя Валя снова грозно выплывала из кухни.

— Тебя как зовут? — спрашивала она строго ребенка.

— Коля, — говорил тот.

— А его зовут Игнат. Если ты сейчас же не возьмешь ложку и не начнешь нормально есть, он тебя клюнет. Видел, какой у него клюв? Смотри, как он на тебя смотрит.

Бедный Коля смотрел на птичку, которая минуту назад была милой, а сейчас превратилась в угрозу, и начинал орудовать ложкой. Игнат грозно крутил головой, демонстрируя клюв.

У тети Вали все перевоспитывались, даже мамаши.

— Мне только кофе, пожалуйста, — просила мать.

Тетя Валя появлялась из кухни и собственноручно наваливала порцию каши.

— Кофе только с кашей! — объявляла она.

— Я не завтракаю, — оправдывалась мамаша.

— Тю! Лучше бы ты не ужинала! Если ты сейчас съешь кашу, я тебе ужин не дам. Даже если умолять будешь, не дам. Так я за твою жопу спокойна буду. Нормальная жопа станет. А то и жопа, и желудок больной, — говорила тетя Валя.

И женщины начинали правильно питаться, не обижаясь на повариху за «жопу». Даже если они просили жареную картошку, тетя Валя накладывала им тушеную капусту. Если они просили жаркое, тетя Валя выдавала салат «витаминный». Повариха слыла местным диетологом. Она умела «худеть» мам и превращать субтильных малоежек в нормальных детей.

— Не съешь котлету — не получишь пирожок, — объявляла тетя Валя. И ее не волновало, что мать не собиралась брать пирожок.

— Я не люблю пирожки, — говорил ребенок.

— Ну и хорошо. Тогда я твой пирожок отдам Серому и Игнату.

Тут начинался цирковой номер. Тетя Валя разрывала пирожок с вишней пополам и бросала половину Игнату — тот встряхивал крыльями и ловил на лету, прямо перед носом ребенка. А во вторую половину впивался зубами Серый. И съедал, не жуя. Ребенок в ужасе запихивал в себя котлету, запивал морсом и просил пирожок, который тетя Валя торжественно выносила из кухни.

Повариха умела не только кормить детей, но и варить кофе. Внизу, прямо под ними, появилось якобы турецкое кафе «Мерхаба», где варили кофе по-турецки, в песке. Драли за это несусветные деньги. Тетя Валя не понимала кофемашин и варила кофе в старой турке, которая была обмотана по ручке бинтом. А ручка держалась на гвозде, загнутом для надежности. Уж сколько раз ее клеили, и не вспомнишь. И к тете Вале приходили настоящие знатоки.

И все эти отдыхающие — мамы с детьми, любители кофе, ценители хорошей еды — сидели в душном помещении без кондиционера, послушно ели овсянку и возвращались сюда из ресторанов, чтобы нормально поужинать. Официально столовая закрывалась в восемь, но для «своих» тетя Валя оставляла в холодильнике холодный ужин.

Микроволновку повариха тоже не признавала, считая ее вредным изобретением, которое облучает. Она грела еду на специальной «разогревочной» сковороде и только на сливочном масле. И от разогрева все становилось еще вкуснее. Масла, как и кофе, тетя Валя не экономила и считала это главным рецептом на все блюда — не жалеть, класть с горкой.

Ильичу удалось уснуть. И вдруг ему приснилось мороженое. Что он слизывает, а мороженое все равно по пальцам течет. Мороженое не такое, как сейчас, из уличного холодильника, всех видов, всех размеров, с шоколадом и без, а то, которое было раньше, и другого в поселке — не сыщешь. Из автомата. Мягкое. И аж трех видов. Белое, коричневое или и такое, и такое. Славик любил и такое, и такое — он никак не мог запомнить слово «разноцветное». А Ильичу снилось шоколадное, то есть коричневое. Мороженое выдавливалось конусом в вафельный стаканчик, тоже не современный, а тот, прошлый, который не хрустит и вовсе кажется несъедобным. Мороженое течет. Оно и так мягкое, и его невозможно заморозить. Липкое, сладкое, с финтифлюшкой наверху. Аппарат всегда оставлял финтифлюшку. Все пропало, исчезло, а автоматы сохранились. И будочки на тех же самых местах стоят. И очереди за мороженым тоже всегда стоят. Обычно взрослые мягкое покупают, дети капризничают и просят из уличного холодильника. Но взрослые помнят вкус «мягкого» мороженого, другого и не знали. Не у всех были деньги на вафельный стаканчик, а «Лакомку» или «Эскимо» только городские и пробовали. Местные о таком даже не слышали. Как современные дети не понимали, что такое «мягкое». Родители настаивали, просили: «Ты только попробуй». Но детям не нравились непривычный вкус и консистенция. Не нравился стаканчик, который вроде бы вафельный, а не хрустит и тонкий. И сразу течь начинает, только успевай слизывать. Ильич современное мороженое не признавал, как тетя Валя не признавала микроволновку. Галя не любила мороженое, но соглашалась съесть домашнее, тети-Валино. Повариха делала его сама, не жалея молока и шоколада. Выставляла в старых железных креманках, сверху посыпала шоколадом. Делала повариха его редко, только если отдыхающие, раз попробовавшие, очень просили.

Проснулся Ильич оттого, что по губе текла слюна. Видимо, заснул крепко. Кое-как додремал до шести утра и встал. Славик еще спал, но Ильич его разбудил, чтобы не терять драгоценные часы. В шесть утра море удивительное — чистое, спокойное, прозрачное, чуть прохладное, освежающее. На пляже только Вань-Вань и кто-нибудь из местных. Катя-дурочка тоже любила рано на пляж приходить и в этот час была нормальной. Она выходила в самом простом халатике и казалась обычной, немного несчастной женщиной. Вежливо здоровалась с Ильичом и уплывала к скалам. Плавала она отлично. Возвращалась, растиралась полотенцем, и Ильич каждый раз удивлялся — то ли Катя строит из себя дурочку, то ли болезнь отступает именно в шесть утра и дает ей возможность поплавать в удовольствие. И именно в шесть утра становилось понятно, какой красавицей Катя была в молодости и насколько время ее пощадило — сохранило и поджарую фигуру, и тонкую красоту. Катя обсуждала с Ильичом погоду, ожидавшийся или не ожидавшийся шторм, дела пансионата. Она была нормальной, обычной соседкой, очень милой женщиной. И Ильич не понимал, как буквально через пару часов эта же Катя появится на пляже в цветочной шляпе, с цветочной сумкой в руках и примется поливать из детской лейки собственные ноги, считая себя цветком.

— Может, она нормальная на самом деле, а симулирует? — как-то не выдержав, спросил Ильич у Гали.

— Все может быть. Она всегда была умной бабой. Жаль, что я до этого не додумалась раньше, а то бы тоже симулировала сумасшествие, — пожала плечами Галя.

— Зачем ей?

— Затем, что жить хочет спокойно. Ты же знаешь, сколько желающих на ее дом. Была бы нормальной, или подожгли бы, или убили.

Ильич очень любил плавать в шесть утра. И в это время тоже становился нормальным, таким, как раньше. Он нырял, проплывал под водой, долго, пока хватало дыхания и сил. И плыл, пока его не начинал звать Славик, сидевший на берегу. Возможно, Славик его и не звал вовсе, но Ильич слышал крик отчетливо. Внутри себя. И это означало — надо плыть назад.

Если бы не этот крик, который его возвращал на берег, Ильич бы уплыл и позволил морю забрать свое тело. Так, в море, он хотел бы умереть. Именно такой способ самоубийства вынашивал когда-то. Утонул, всякое бывает. Чистая смерть, без крови, без разрезанных запястий. Ничего не нужно — ни табуретки, ни веревки. Просто уплыть и расслабиться.

Даже Галя не знала о той его попытке самоубийства. Славик был еще маленький, они жили в одной квартире, и Ильич, тогда еще Виктор, знал, что Галя позаботится о Славике. Не бросит. Всегда знал, с самого первого дня. Ему было страшно, он не хотел жить. Давно не хотел, но в тот день его просто как будто подбросило, и он ушел на море — все еще спали. На пляже не было никого. И Виктор поплыл, не собираясь возвращаться на берег. Он был готов к тому, чтобы умереть. Ему было спокойно в тот момент, когда он уходил под воду. И все бы произошло, если бы он не услышал детский крик. Ребенок кричал громко и пронзительно. Виктор понимал, что здесь, на глубине, не может быть ребенка, но крик лишил его возможности спокойного ухода. Он вынырнул, отплевался, отхаркался, но не увидел рядом ни лодки, ни катамарана. Только баклан летал над головой. Он и кричал, но Виктор готов был поклясться, что слышал крик ребенка, а не птицы.

Он доплыл до берега, решив, что море никуда не денется. И, возможно, завтра или послезавтра, или через неделю он сумеет завершить то, что задумал.

Дома его ждала обеспокоенная Галя.

— Славик давно проснулся, кричит, плачет, не могу успокоить, — сообщила она.

Виктор вошел в комнату, и Славик, увидев отца, тут же перестал надрывно кричать. Только всхлипывал. И тогда Ильич понял, что никогда не сможет уйти в море и не вернуться. Потому что всегда будет слышать плач сына.

— Можно я возьму нарукавники? — спросил сонный Славик. Ильич пытался привить ему привычку плавать ранним утром.

— Можно, — согласился Ильич.

Сын так и не научился плавать. Греб по-собачьи на мелкоте. Боялся глубины, черноты под ногами. Ильич сколько ни учил, не получалось. Славик плавал в детском круге, пока мог его на себя натянуть. Потом, когда вырос и стало совсем стыдно в круге, надевал нарукавники. Сейчас совсем стыдно, Славик — большой мальчик, а все еще в нарукавниках, но Ильичу хотелось поплавать, и он разрешил. Славик обрадовался. Ильич знал, что сын будет сидеть по колено в воде, пока не посинеет и не начнет стучать зубами. Но даже после этого его с трудом из воды вытащишь. Сначала не затащишь, а потом назад никак. Хорошо, если Катя придет на пляж или Вань-Вань. Славик их знает и слушается. Они смогут его занять чем-нибудь, давая Ильичу возможность проснуться, смыть с себя дурной сон, дурные мысли.

Они спустились на свой, дикий, пляж — по самодельной лесенке, мимо Вань-Ваня, который уже сидел на буне как ее продолжение. Будто статуя, безногая, приделанная к бетону. Вань-Вань смотрел на воду и молчал.

— Вань-Вань, здоров, — поприветствовал Ильич, — тебя снять?

Без посторонней помощи Вань-Вань не мог спуститься с буны.

— Потом, когда назад пойдешь, — ответил Вань-Вань.

— За Славиком присмотришь?

— Славик, иди сюда, я тебе краба покажу.

— Настоящего?

— Конечно.

Нацепив нарукавники еще дома, Славик усаживался на буну рядом с Вань-Ванем, который в пластиковой бутылке, переделанной в аквариум, держал то крабов, то рыбок. Так, для развлечения детворы. Славик, забыв про море, смотрел за тем, как крабик пытается выбраться из бутылки. Если в бутылке, то Славик не боялся крабика, но в руки бы никогда не взял. Ильич кивнул — у него было полчаса, пока сыну не надоест наблюдать за крабом.

Однажды Ильич поругался с Вань-Ванем. На целый сезон. Не разговаривали, не здоровались при встрече.

Вань-Вань хотел как лучше — занять чем-нибудь Славика, дать возможность Ильичу поплавать. Сделать так, чтобы мальчик не кричал, не звал отца. Славик разглядывал рыбку в бутылке-аквариуме и вдруг попросил, показывая на резиновые набалдашники на ногах Вань-Ваня:

— Это фокус? Покажи!

— Не фокус. У меня нет ног.

— Фокус! Ты умеешь отрывать большой палец!

Славику очень нравился этот древний фокус с отрыванием пальца, который показал ему Вань-Вань и объяснил, куда прячется палец. Мальчик хохотал и требовал повторить снова и снова. Он думал, что ноги исчезают так же, как палец.

— Где ноги? Покажи! — настаивал Славик.

— Нет ног. Это не фокус, — отвечал Вань-Вань.

Славик начал кричать на одной ноте:

— Покажи фокус! Покажи!

И Вань-Вань не придумал ничего лучшего, как снять накладки с обрубков, размотать тряпки и показать Славику шрамы. Дать возможность мальчику убедиться в том, что так бывает — ног нет по-настоящему, не как в цирке.

Славик не испугался, а долго водил ладошкой по шрамам. Потом смотрел на свои собственные ноги и трогал их. Он молчал, не произносил ни звука. Славик тогда с радостью ходил с отцом на пляж рано утром. Ильич радовался. Надеялся, что сын рано или поздно приучится плавать, пусть хотя бы пока смотрит. Уже даже не кричит. Но дело было в Вань-Ване.

— Покажешь мне ноги? — просил Славик, и Вань-Вань снимал «галоши». Ему было хорошо. Ногам было хорошо. И Вань-Вань неожиданно стал рассказывать Славику то, что никому не рассказывал и не собирался.

— Я их чувствую. Как будто они есть. Их нет, но мне кажется, что я могу пошевелить большим пальцем ноги.

— Вот так? — Славик шевелил пальцем.

— Да.

— Ты сейчас тоже так делаешь?

— Да.

— А вот так можешь? — Славик крутил ногой.

— Могу.

— Значит, у тебя есть ноги. Только они исчезли. Как в фокусе. А ты знаешь, что они есть.

— Да, правильно.

— Как с Вероникой! — обрадовался Славик. — Я знаю, что она есть, но она исчезла, как твои ноги. Но я же знаю, что она есть.

Вань-Вань смотрел на этого мальчика-дурачка и думал, что у него больше мозгов, чем у многих здоровых.

— Давай шевелить пальцами, — предлагал Славик на следующее утро. Они садились на буну и шевелили пальцами или крутили ногой. Потом Славик придумал, что если пощекотать обрубок

Вань-Ваня, то это все равно как щекотать пятку. Вань-Вань впервые за много лет смеялся.

— Как дела? — спрашивал Ильич, который возвращался из заплыва и видел спокойного сына и улыбающегося не пойми чему Вань-Ваня. — Что вы делали?

— Как всегда, краба рассматривали, — говорил Вань-Вань.

Славик кивал. Краб был рядом, в бутылке. И они его рассматривали. Так бы длилось и дольше, если бы мальчик не придумал прыгать на одной ноге. Он прыгал по буне и спрашивал Вань-Ваня:

— Ты прыгаешь?

— Прыгаю, — отвечал он и видел себя молодым, здоровым, с двумя ногами. Он прыгает с буны. Отталкивается то одной ногой, то двумя. Разбегается и сигает в воду.

— Что делали? — спросил в очередное утро Ильич.

Вань-Вань не успел ответить. Его опередил Славик:

— Папа, мы прыгали! Вань-Вань, давай папе покажем, как мы шевелим пальцами! Ну пожалуйста!

— Славик, ты перепутал. Я тебе показывал фокус.

— Нет, папа, у Вань-Ваня есть ноги! Он умеет шевелить пальцем ноги! И прыгать умеет! Он — как Вероника!

Ильич отправил Славика собирать стеклышки.

— Что ты делаешь? Он и так ненормальный! — прошипел Ильич Вань-Ваню.

— Я хотел, чтобы ты спокойно поплавал.

— Больше к нему не подходи. Я запрещаю.

Сезон прошел. Новый сезон — новая жизнь. Короткая, но новая. И в новом сезоне Ильич помирился с Вань-Ванем.

Он поплыл, наслаждаясь прохладой. Перехватило дыхание, в уши затекла вода, и он оглох. Это было счастье — оглохнуть от воды. Но глухота быстро прошла, и Ильич услышал, как кричит Славик:

— Холодная! Холодная!

Все крики сына Ильич знал. Значит, Славик отвлекся раньше и пошел за отцом в море. А там его подхватила Катя. Славик кричал негромко, не надрывно, просто констатировал, что вода — холодная. Потом успокоился — значит, Катя рядом.

Ильич плыл дальше. Он знал, что Славик попрыгает на мелкоте, потом Катя его вытащит на берег, и сын будет сидеть в нарукавниках и ждать, когда приплывет отец. За ним присмотрит Вань-Вань. Хотя это смешно, конечно же. Безногий Вань-Вань с буны присматривает за дурачком в нарукавниках. И Катя-дурочка, которая тоже ушла плавать. И кто кого должен спасать?

Сегодня ему нестерпимо хотелось уплыть. Далеко. Надолго. И будь что будет. Надо было Галю предупредить, наверное. Но ведь невозможно сейчас вернуться, когда такая вода, такое море. И никого вокруг.

•

Он плыл размеренными гребками, не отвлекаясь, и уговаривал сам себя — еще двадцать гребков, и назад. Славик уже кричит с берега. Зовет. Он боялся, когда отец далеко заплывал. Звал. Ильич отплывал поначалу специально, надеясь, что сын поплывет следом. Но нет. Славик бегал по берегу и кричал. Значит, Катя тоже плавает. Хоть бы она приплыла первой. Тогда они будут поливать водоросли на камне. Славик любит поливать водоросли. Ильич нырнул и долго плыл под водой. Вынырнул и удивился тишине — Славик не кричал. Значит, Катя услышала крики и вернулась. И они со Славиком поливают водоросли или ищут стеклышки, кто больше. Мальчику нравились такие игры — кто больше соберет ракушек, кто найдет круглое стеклышко, кто камень с дыркой. Катя умела занять Славика. Или она перенесла Вань-Ваня с буны на пляж. Катя умела и это. Когда Ильич не разговаривал с Вань-Ванем, он все равно снимал его с буны, держал, как держат ребенка, и переносил или на набережную, или на пляж. Вань-Вань при всех своих накачанных мышцах был легким. Но он позволял себя переносить только Кате или Гале, если не было Ильича. Позже его уже пацаны местные переносили. Однажды его перенес Славик. И был очень горд собой. Вань-Вань тогда плакал. Сидел на набережной, опершись на костыль, и плакал.

Сегодня удачный день. Катя-дурочка в этот час — совершенно нормальная женщина, нормальнее многих, присмотрит за дурачком Славиком. Ильич поплыл дальше. Если Вань-Вань на буне, то поймает рыбу и позовет Славика — мальчик будет смотреть на рыбку. Или Славик перенесет Вань-Ваня на набережную, и они пойдут завтракать к тете Вале. А там уже и Галя присмотрит.

Гребки отчего-то шли под имя — Ве-ро-ни-ка, Ве-ро-ни-ка. Приедет или не приедет? В прошлом сезоне приезжала, но не к ним. До них — тридцать минут на катере. Вероника каждый день собиралась, но никак не получалось. Так и не приехала. И вот опять. Написала, что приедет. К ним. Повидать Славика. Везет велосипед в подарок. Что ему сказать? Галя опять будет плакать. Или уже не будет. Где ее селить? Если одна, то можно внизу, в подвальных номерах, а если не одна, то куда? Люксы заняты. Ильич всегда селил Веронику в люксе. Ради Славика, который заходил в люкс и удивлялся — какая большая комната, и еще одна. И туалет в номере. Пока Славик разглядывал номер, он забывал о Веронике. Ему нравилось рассматривать зеркала, телевизор, покрывало на кровати. Галя однажды устроила Славику экскурсию по всем номерам пансионата. Чтобы он знал, понял — за все номера отвечает его отец. И если мальчик захочет, то сможет переночевать в любом номере. Но Славик все равно думал, что Вероника живет как принцесса. Там, где обычные смертные не бывают. И ему все казалось удивительным — и душ в номере, и диван в гостиной, и большая кровать в спальне. Зачем Веронике такая большая кровать? Он считал, что его Вероника — самая лучшая на свете, раз живет в таких номерах. Он так ничего и не понял.

Галя много раз проводила Славика по всему пансионату — показывала переходы, выходы на террасу, разные номера. Чтобы он не заблудился, а если заблудится, то не пугался. В этом сезоне тоже все показала. Славик увидел и успокоился. Они уже дошли до выхода, и Славик вдруг показал на запертую дверь номера. Мальчик с удивлением уставился на висячий замок. Галя смотрела на замок с не меньшим удивлением. Славик дергал дверь, но та не отпиралась.

— Федор, это что за замок? У нас тут амбар? — спросила Галя.

— Галина Васильевна, это распоряжение Инны Львовны. Она велела замок висячий повесить. Это же теперь музей. В музей только по экскурсии.

— Что ты мне голову морочишь? Я знаю, что эту комнату выделили Инне Львовне. Я тебя спрашиваю, почему замок появился?

— Вход сто рублей, — пробубнил Федор, — вход с трех до четырех и с пяти до шести.

— Федор, если я тебе дам сто рублей, ты мне дверь откроешь?

— Не могу, Галина Васильевна.

— А за двести?

— Это же не просто номер, а музей. Инна Львовна сказала, что там экспонаты ценные...

— Федор, дай немедленно ключ. Я Славику покажу комнату, он успокоится.

— Галина Васильевна... — Федя развел руками.

— Федор, ты знаешь, что ты сволочь? И сволочью останешься.

Славик дербанил дверь, дергал и дергал в исступлении. Стягивал висячий замок, пытался сорвать. Он никогда не видел висячих замков, да еще таких огромных.

— Федя, я тебя сгною быстрее, чем Инна Львовна чихнуть успеет. Ключи дай.

Славик уже начал кричать. Галя знала, что дверь надо открыть во что бы то ни стало. Иначе у Славика будет нервный срыв. Или приступ эпилепсии. Он кричал уже на весь пансионат.

— Инна Львовна сказала, что напишет на вас. И что я стану директором, — затараторил Федор. — Она сказала, что это точно. На сто процентов. Только я не должен вам подчиняться. Я уже подписал. Бумагу. Она написала в газету и в прокуратуру. Про кипарисы.

Галя села на диванчик при входе. Славик орал как резаный и бился в закрытую дверь. Инна написала-таки донос, не стала ждать следующего сезона. Спокойствия никогда не будет.

— Славик! Ты чё орешь, будто я тебе есть не даю? — В коридоре появилась тетя Валя. — Ты так кричишь, что я уже оглохла! Галя, я в туалет шла, а теперь быстро мне скажи, за что кричит бедный мальчик, и я спокойно вернусь в свой туалет!

— Инна Львовна не разрешила открывать комнату, — перепугался и начал объяснять Федор. — Только по экскурсии. Строго по часам и за сто рублей.

— Валь, Инна донос написала. Про кипарисы. И замок на дверь повесила. Федор донос подписал. Она ему место директора пообещала.

— Тю, а шо у нас не так с кипарисами? — хлопнула себя по бокам тетя Валя. — Или я не только глухая стала, но и слепая? Так мне будет счастье, если я не буду ничего слышать и видеть.

— Инна Львовна написала, что вы их подожгли, — тут же сдал свою новую покровительницу Федор.

— Слышь, ты, говнюк, я ж в следующий раз тебе в суп отраву крысиную подмешаю, да так сготовлю, что ты ничего не заметишь. Жрать будешь как миленький. Неси давай топор или кусачки! Славик, хорош орать, щас снимем замок! — распорядилась повариха.

— Зачем топор? — перепугался Федор. — Вот ключ, пожалуйста.

— Да на хрена мне твой ключ? Щас мы так все срубим, чтобы вешать было не на что. А тебе я подсыплю что-нибудь. Не яд, так слабительное, чтобы просрался по самое не могу.

Федор подскочил. И тут в коридоре появилась совершенно спокойная Светка с кусачками. Она одним махом перерубила замок. Так же спокойно приблизилась к Федору и бросила ему сторублевку на пол, под ноги. Подошла к Славику и завела в комнату, что-то рассказывая, успокаивая. Она сдвинула шнуры, которые заграждали проход к экспонатам, и смотрела, как Славик ложится на узкую кровать, трогает чехол от скрипки и садится в кресло-качалку. Галя не могла пошевелиться. Тетя Валя обещала Федору все яды на свете. Появились Инна Львовна и Ильич.

Тетя Валя и Галя замерли. Федор скрылся в подсобке. Из комнаты вышла молодая, красивая, гордая Светка.

— Теть Ин, тут какое-то недоразумение. Федор что-то напутал. Своим ведь можно? Славик захотел комнату-музей посмотреть. Ведь это Федор замок навесил, не вы? Ну я и срезала. Федор все равно посторонних не пустит, а мне тут убрать надо, пыль протереть. Федор ключ куда-то задевал, вот я и срезала. Вот думаю, может, комод лаком покрыть? Я могу. А дядю Витю попросим, он и на замазку для паркета выделит. Да? Дядь Вить? Я умею, вы не думайте. Сама сделаю. Щели заделаем. Да, теть Ин? Правильно? Ой, теть Ин, как вы тут здорово все устроили! Мне очень понравилось!

Галя смотрела на дочь с восхищением. Вот ведь наглая рожа — врет и не краснеет. Дурочку из себя строит, а ведь как хорошо все придумала. Молодец. Инна аж опешила от такой наглости. И сказать вроде нечего. Светка улыбается, щебечет. Федор набычился, пытался что-то сказать, но промолчал. Федору, ему точно надо знать — за красных или за белых. А если непонятно, то он в сторону отползает. Светка продолжала паясничать.

— Федор, для своих дверь всегда открыта, — распорядилась Инна Львовна.

— Ой, теть Ин, как же здорово! А то меня отдыхающие уже замучили. Просятся посмотреть, а заперто. А так они зайдут, посмотрят, а потом и на экскурсию придут. Да еще на пляже всем расскажут, как интересно.

Инна Львовна онемела — отдыхающих в их пансионате она терпеть не могла. И от них замок на дверь повесила. А Светка каким-то чудом, одним махом выпросила у нее разрешение. На попятную идти уже было неловко. Так что Инне Львовне оставалось только кивнуть.

Ильич вяло следил за скандалом. Он думал о Веронике. Что сказать Славику? Он помнит, что Вероника — мама или она для него осталась просто Вероникой? Каждый сезон Ильич не знал, что говорить сыну. Особенно теперь, когда он вырос.

Когда Славик был маленьким, Ильич говорил, что приедет мама. Твою маму зовут Вероника. Нет, тетя Галя — не мама, она мама Светки, а тебе — тетя. У тебя другая мама. Тогда почему они живут с тетей Галей, а не с Вероникой? Почему если Светке тетя Галя мама, то ему не мама? Потому что, Славик, так бывает в жизни. Когда мамы живут отдельно. Нет, не бывает. Дети с мамами приезжают и живут в одном номере. Раз тетя Галя живет с ними, значит, она мама. Мама — это та, которая родила. А что такое родила? Это как?

Он сходил с ума. Не знал, как объяснить. И предпочитал молчать, переключать внимание сына. Галя считала, что Ильич над Славиком издевается, заставляя его помнить о матери. Матери, которая ни по документам, ни по жизни — не мать. Посторонняя женщина. Даже не дальняя родственница, а вообще не пойми кто.

— Пусть он меня считает матерью, — предложила однажды Галя.

— Это неправильно. Так нельзя.

— А бросать ребенка, отказываться от него — правильно?! — вспыхнула Галя. — Она никто, НИКТО! А я здесь, рядом. Всегда была рядом. Что ты заладил? Вероника, Вероника. Ты хоть думал о том, что делаешь больно не только мне, но и Славику? Ему каково?

— Ты ему не мать. У него есть другая мать. И я не имею права его лишать хотя бы того, чтобы он знал ее имя.

— Да ты такой же сумасшедший, как Инна, Катя и все тут вокруг. И я сумасшедшая, раз это терплю.

— Ведь ты не сказала Светке, что я ее отец.

— А ты не предлагал! Ни разу! Я столько лет этого ждала! Но ты ни разу не предложил!

— Если бы ты захотела, чтобы я ее удочерил, я бы согласился.

— Знаю. Но я хотела... чтобы ты меня попросил. А ты не попросил.

У Славика была своя память. Катю он узнавал только в шляпе и с лейкой. Вань-Ваня, естественно, помнил прекрасно. Настю и Федора не считал чужими, но и за своих не держал. Тетю Валю помнил по белому халату, высокому поварскому колпаку и по запаху. Славик всегда узнавал отца и Светку. Светку с красными волосами принял быстро, а к Гале, когда она отрезала коротко волосы и перестала закрашивать седину, никак не мог привыкнуть. Для Славика она вдруг стала незнакомой женщиной, которая почему-то говорила знакомым голосом. Такое возможно? Ведь Галя со Славиком каждый день. Каждый, едрит его за ногу, божий день. И она знает, что он любит, что не любит, во что играет, как засыпает, как ест, как пьет. Она — чужой ему человек — знает, как он дышит по ночам, как кричит, как смеется.

Галя не понимала, как болезнь влияет на память и восприятие Славиком людей. Светка считала, что мальчик всех прекрасно помнит. Если он не любил Федора, то и делал вид, что не узнает. А если безусловно любит кого-то, то узнает.

— Мам, ему просто не нравится твоя прическа, — говорила Светка, — кстати, мне она тоже не нравится. И ты мне не нравишься в последнее время. Нервная стала и дерганая.

— Свет, я всю жизнь — нервная и дерганая.

— Тебе бы пошло быть блондинкой. И постригись еще короче. Почти налысо. Очень круто будет.

— Свет, мне не надо, чтобы круто.

Опять же Светка считала, что у Славика есть собственное определение родства. Тетя Галя или тетя Валя — родные. Светка и Ильич — родные. Катя и Вань-Вань — родные. А все остальные, включая Веронику, — чужие.

— Мам, ну какая разница, как он тебя называет? Ты ему родной человек, — объясняла Светка.

— Он ждет Веронику, он ее помнит, считает матерью.

— А еще ждет Деда Мороза, про него помнит и считает, что он — настоящий. И что? Ты будешь говорить, что Славик любит Деда Мороза больше, чем тебя?

— Я не Дед Мороз.

— А Вероника — Дед Мороз. Она существует. Где-то там. А ты рядом, здесь. Ты будешь мериться любовью с Дедом Морозом?

— И в кого ты такая умная?

— Наверное, в отца, которого у меня никогда не было, про которого ты мне никогда не рассказывала, и мне совершенно наплевать — кто он. У меня есть Ильич.

— Ильич опять переживает. Он не знает, что помнит Славик про Веронику. Помнит ли он, что она его мама?

— Конечно, помнит. Вы ему вдолбили, что его маму зовут Вероника. А что такое мама — он не знает. Расслабьтесь. Может, Вероника и не приедет. А даже если приедет? Что так с ума сходить? Приедет — уедет.

Веронику Славик помнил по фотографии, которую Ильич держал на видном месте. Вероника присутствовала всегда — на прикроватной тумбочке или на стене. Один-единственный портрет — она в купальнике на буне. Славик узнавал буну, узнавал море. Значит, Вероника существовала.

Когда она появлялась, Галя сходила с ума. Вероника с годами не менялась — те же светлые кудри по плечам, та же челка, то же декольте. Галя мечтала о том, чтобы Вероника растолстела, подстриглась покороче, перекрасилась в брюнетку, и тогда бы Славик исключил ее из своей памяти. Но Вероника, как и Славик, застыла в том времени, когда были модны густые накрученные челки, каблуки на платформе, которые снова стали актуальны, и жестко накрученные локоны, все еще популярные в их поселке. Вероника по-прежнему мечтала об удачном замужестве и каждого нового кавалера, с которым приезжала, представляла не иначе как будущего мужа. Галю она не считала соперницей, как не считала Славика — сыном. За кого она держала Ильича — никому не было известно. Спрашивается, зачем ездила именно в их поселок? И почему Ильич столько лет не мог справиться с этой зависимостью? Неужели он до сих пор любил Веронику? Женщину, которая родила его единственного сына и бросила, не задумываясь, легко подписав все бумаги? Вероника, которая представляла всех своих мужиков Ильичу и которая ни одной ночи не провела с собственным сыном, ни разу не поправила ему одеяло и не слышала, как он кричит по ночам.

Он ведь так и не понял, что Галя ушла из-за Вероники. Если бы Ильич сказал Славику, что Галя — его мама, она бы осталась. Если бы хоть один раз он сказал Веронике, чтобы та не приезжала, что ее никто не ждет, Галя бы осталась. Если бы Ильич сказал, что Галя — его жена, а Вероника — просто Вероника, Галя бы осталась. Но Ильич уходил плавать и греб, регулируя дыхание и гребки под имя Ве-ро-ни-ка.

Галя плакала. Ильич молчал. Они не ругались, не выясняли отношений. Из-за Славика, который кричал по ночам. Из-за Светки. Из-за того, что оба понимали — они друг от друга никуда не денутся. Они не могли позволить себе такой роскоши — забыть, не видеться, не знать, не слышать. Вычеркнуть из памяти, как ненужное воспоминание. Они были связаны швартовочными канатами, привязаны друг к другу всеми морскими узлами, вместе взятыми. Они жили вместе, растили детей, были близкими людьми. Они были женаты, потом развелись, но это ничего не изменило. Они по-прежнему жили вместе, растили детей и были близкими людьми. Но Галя так и не стала для Славика и Ильича Вероникой. Ильич так и не позволил ей этого. Как не захотел стать для Светки отцом. И Галя отдавала себе отчет в том, что именно этого не могла простить Ильичу. Веронику она давно ему простила, а Светку — нет.

Когда Светка была маленькой, она иногда называла Ильича папой, повторяя за Славиком. Но мальчик начинал плакать. Папа был только его и ничей больше. Светка не могла называть папой его папу. Один раз Славик сильно ударил Светку. Галя испугалась. И научила дочь говорить «дядя Витя».

Славик считал, что имена уникальны. Если он видел на площадке девочку, которую тоже звали Света, он мог подойти и ударить ее. Потому что нельзя забирать чужое имя. Тем более Светкино. Однажды он вцепился зубами в ногу женщины, которую звали Вероника. Славик услышал имя, молча подошел и укусил женщину за лодыжку. Та закричала от неожиданности и боли. Галя едва смогла оттащить Славика, который вцепился в лодыжку и не разжимал зубы.

— Он больной, понимаете, больной! — плакала Галя и чуть не валялась в ногах этой женщины.

Потом Галя Славику объясняла, что имен не так много, как людей, и обязательно встретятся похожие. Вот, например, тетя Валя и Валя, которая в магазине. Или наша Настя и та Настя, которая в парикмахерской его стрижет. Славик вроде бы понял и на людей больше не бросался. Но беда пришла, откуда не ждали, как всегда. Лиза, дочь тети Вали, иногда занималась со Славиком. Учила его, как правильно называются деревья, цветы. Рассказывала про планеты, про звезды. Про моря и океаны. Славику нравилось заниматься с Лизой, он перерисовывал созвездия и рассматривал географическую карту. Когда Лиза подарила Славику глобус, который светился изнутри, мальчик без него не засыпал. Глобус служил ночником и ненадолго снял ночные кошмары.

Лиза сама выбирала тему урока. Они проходили то, что дети учат перед школой — как зовут детенышей зверей, какие звери живут в Африке, а какие на Севере. Лиза решила, что Славику пора объяснить про имена-отчества. А то мальчик уже большой, а все у него — тети да дяди.

— Скажи мне свое полное имя, — дала задание Лиза.

— Славик.

— Нет. Я — Лиза, а полностью — Елизавета. Тетя Галя — полностью — Галина Васильевна. А твой папа — Виктор Ильич. Понимаешь? Значит, ты полностью..?

— Славик.

— Не Славик, а Вячеслав.

— Вя... се...

— Вячеслав. А Света — как полное имя?

— Светка.

— Нет, полное.

— Светка.

— Светлана. А ты — Вячеслав. Понял? Ты уже

большой и можешь представляться полным именем — Вячеслав.

Урок закончился. Славик поужинал, покатался на велосипеде по двору и даже лег спокойно. Но ночью опять были крики.

— Я Славик — кричал мальчик, — Славик! Не хочу быть Вясеславом! Меня зовут Славик!

Ильич не знал, что и думать. Прибежавшая на крики Галя тоже не знала, с чего вдруг Славик начал кричать. Она заварила ему валерьянку, потом просто накапала валокордина. На валокордине Славик всегда засыпал.

Кое-как успокоились. Но утром началось по новой. Когда Славик пришел в столовую на завтрак, Лиза решила закрепить вчерашний урок и попросила:

— Скажи мне свое полное имя.

Славик бросил тарелку с кашей на пол и начал кричать:

— Я — Славик! Славик!

Случился приступ. Лиза плакала, чувствуя себя виноватой, но не понимая, в чем. Она подробно объясняла Гале и Ильичу, что именно рассказывала вечером Славику, чему хотела научить. Она же не знала, что у Славика такая реакция на имена!

Ильич донес сына до больницы, где ему сделали укол. Славик лежал на кровати.

— Папа, Виктор Ильич, если я буду говорить, что я Вясеслав, меня Вероника тогда узнает? — спросил мальчик.

— Узнает, конечно, узнает.

Он ушел курить во двор. На скамейке сидела Галя и плакала.

— Ты в этом виноват! Только ты! — закричала Галя.

Ильич промолчал.

— Ведь ты мог сделать так, чтобы он забыл Веронику! — Галя продолжала кричать.

Она уже не могла успокоиться. Если давала себе слабину, то доходила до истерики. Старалась не плакать, но слезы лились. Галина не могла успокоиться. Без лекарств уже не могла.

— Знаешь, что самое смешное? — Ильич глубоко затянулся.

— Что?

— Он не Вячеслав.

— А кто? — Галя решила, что Ильич тоже сошел с ума.

— Святослав. Я записал его как Святослава.

— Она приезжает? — зашла в кабинет к Ильичу Галя. Протерла пыль, передвинула вентилятор, раздвинула занавески.

— Не знаю, — выдавил из себя он.

— Знаешь. Ты сегодня долго плавал. Вань-Вань сказал.

— Приезжает.

— Почему мне не сказал? И что она хочет? Люкс?

— Ничего не хочет. Сказала, что приедет одна. И будет жить с нами. Со мной и Славиком.

— Ты хоть понимаешь, что сделает Инна?

— Что ты от меня хочешь?

— Позвони Веронике и скажи, чтобы не приезжала. Уволь Инну. Поезжай в город и выбей деньги на ремонт окон. Мне продолжать?

— Не надо.

— Сколько можно? Ты уже седой, тебе не стыдно? Не стыдно так жить?

Галя ушла, пнув ногой вентилятор. Тот загудел и перестал крутиться направо. Доходил до середины, шкворчал и возвращался назад.

Ильич так и сидел за столом. Галя, как всегда, права. Давать лишний повод Инне Львовне для доноса? Если Вероника приедет, Инна Львовна упаковку ручек купит и пачку бумаги по такому счастливому случаю. А уж что напишет — и так понятно. Она-то всю историю знает — и про Славика, и про то, что Ильич селит свою жену, которая не жена, в лучшие номера. Почему он Инну не уволит? Ведь имеет полное право. Боится. Галя права — он трус. Людям нужна диктатура. Они должны боятся. А он не может заставить их бояться. Получается, что у него яиц нет. Славик сжал, как сжимал яйца Серого, и не выпускал. Ильич ведь не один, был бы один, так бы... А со Славиком... не за себя боится, за себя уже отбоялся, за сына. Галя считала, что Ильичу так удобнее думать — что все ради Славика. А ради Славика надо по-другому. Давно надо было.

Она мудрая, Галя, терпеливая, настоящая. Она все понимает. Может, любит его до сих пор, а может, жалеет. Надо ее попросить насчет штор. Зачем шторы? Что сейчас? Надо было тогда... когда еще был шанс. Ведь кто ему Вероника — никто. Тогда что? Почему он не может ей просто сказать — не приезжай! Не может. И Галя знает, что он не может. Как не мог уволить Инну Львовну, хотя имел право. И сейчас имеет. Как не смог и никогда не сможет уволить дядю Петю, числившегося на полставки кем-то вроде садовника.

Инна Львовна только вчера про дядю Петю спрашивала. Аккуратненько так. Мол, а сколько раз в неделю дядя Петя двор убирает? У них ведь теперь экскурсии будут проводиться, двор должен быть чистым.

Галя не выдержала:

— Ин, дядю Петю не трогай, — сказала она с нажимом.

— Я же просто поинтересовалась.

— Если надо будет, мы дядю Петю под этими кипарисами похороним, ты меня поняла? — прошипела Галя.

Дядя Петя в свои восемьдесят пять оставался крепким поджарым стариком. Жил на самом верху поселка, в старых еще домах, куда не всякие местные доходят, а туристы так и на полдороге задыхаться начинают. Квартиры там не сдавались — слишком далеко от моря и слишком высоко подниматься. Но именно на верхней улице сохранился дух поселка. Где не слышно музыки с набережной, где не было посторонних, куда заходили только свои — отдышаться, посидеть в тишине, купить фрукты, мясо по нормальной, а не туристической цене, поговорить с соседями. Если Назира жарила чебуреки, то это были настоящие чебуреки, которыми пахло по всей улице. Если Карим варил плов, то он варил его на улице. А если баба Люба затевала вареники, то их лепили всем двором и варили тоже на улице.

Дядя Петя бодрячком спускался в пансионат короткой, самой крутой дорогой и ею же поднимался. Правда, в последние года два стал придерживаться за поручни на ступеньках. Приходил на работу дядя Петя два раза в неделю, причем, в какие именно дни, сам и определял. Он вытаскивал длинный шланг и начинал поливать кипарисы и двор. В его обязанности входили вынос мусора, уборка двора и скамеек от налетевших листьев и прилипших мошек, а также полив цветов, росших в огромных мраморных кадках. Но дядя Петя до цветов и скамеек не доходил, оставляя это Гале.

Когда Ильич только заступил на должность директора, дядя Петя сам к нему пришел и написал заявление по собственному желанию — сил нет, пенсия и так хорошая, а куда излишки денег девать — непонятно. Семьи нет, дети разъехались.

Дядя Петя похоронил уже третью жену и зарекся жениться.

— Ильич, уволь меня, — просил дядя Петя.

— Дядь Петь, я не могу, — отвечал Ильич. — Ты ж как кипарис. Символ этого дома.

И старик работал. Разматывал шланг, заливал кипарисы так, что у Кати-дурочки с потолка шел ливень и она не выходила из дома. Славик любил помогать дяде Пете с поливом и уборкой. Старик выдавал мальчику метлу, шланг, и Славик радовался.

Дядя Петя настойчиво просил Ильича подписать приказ об увольнении. И директор наконец сдался. Они устроили дворнику-садовнику пышные проводы — тетя Валя сварила холодец и наделала фаршированных перцев, которые так любил дядя Петя.

Но даже после увольнения он продолжал приходить в пансионат. Два раза в неделю. Поливал кипарисы из шланга, выдавал Славику метлу.

— Дядь Петь, вы чего тут? — спросил Ильич.

— Работаю, — ответил тот.

То ли забыл, что уволился, то ли многолетняя привычка не отпускала, то ли появился еще один сумасшедший.

Инна Львовна, увидев дядю Петю, дар речи потеряла.

— Вы должны его уволить! — потребовала она.

— Уже уволил. Не волнуйтесь. Вот приказ. Он приходит сюда по собственному желанию. Зарплату не получает. Не может без дела сидеть. Столько лет здесь, изо дня в день.

— Уволили? Давно? По собственному желанию? — Инна Львовна совершенно не ожидала такого ответа.

— Да. Проводили на пенсию, как положено. Знаете, мне кажется, что дядя Петя просто забыл, что может сюда больше не ходить. Возраст все-таки.

Инна Львовна задумалась, но быстро нашлась.

— Как вы могли его уволить? Если человек приходит и исполняет свои обязанности, вы должны ему платить!

— Что вы предлагаете? Нанять его снова или снова уволить?

— Вы издеваетесь? Да? Вы надо мной просто издеваетесь. С самого первого дня. Я же чувствую! Вы совершенно... равнодушны! И, кстати, если у дяди Пети завтра инфаркт случится? На работе? Это будет на вашей совести! Вам с этим жить! — воскликнула она.

— А если дома случится? — тихо уточнил Ильич. — Тоже на моей?

— Я же говорю, вы издеваетесь! — Инна Львовна пошла красными пятнами. — А я вас жалела! Хотя до сих пор считаю, что вы не понесли достойного наказания! Теперь знайте: я буду писать. Куда следует! Во все инстанции!

— Ваше право. Пишите куда хотите. Хоть Деду Морозу.

— Вы что, специально? Специально меня хотите довести? Вам нравится говорить мне гадости? Что вы себе позволяете?

— Ин, а не пошла бы ты...

И тут Инна Львовна поперхнулась собственной слюной. Неудачно вдохнула и закашлялась. Она кашляла так сильно, что и вправду чуть не задохнулась, но Ильич не предложил ей водички. И по спине не постучал.

Инна Львовна выскочила из кабинета.

Сразу же в кабинет влетела Галя.

— Что с ней? Что ты ей сказал?

— Ничего, просто послал подальше.

— Извинись, иди и извинись немедленно!

— Ты же сама хотела, чтобы я повел себя как начальник.

— Как начальник, а не как идиот! Ее не посылать надо было, а уволить!

— Тебе не угодишь.

— Господи, как же тяжело с тобой... Что теперь будет?

— Не знаю. Мне все равно. Уволюсь и уеду со Славиком.

— Куда, куда ты уедешь?

— В город. Чтобы уже моря этого не слышать. И кипарисов не слышать. И вас всех не видеть.

Галя заплакала и ушла. Ильич знал, что она обиделась на «вас всех».

Сезон был в самом разгаре. Инна Львовна проводила экскурсии, Галя старалась не сталкиваться с Ильичом. Вероника не объявлялась. Дядя Петя ходил и «работал». Даже чаще, чем раньше. Он уже совсем ослеп и оглох. Заливая двор, не видел кипарисов, которые потом поливала Галя.

Но дяде Пете радовался Славик. Его все забросили — Галя занималась номерным фондом, Светка убирала, тетя Валя пропадала на кухне. Катя-дурочка старалась в сезон не появляться на людях. Ильич плохо спал и не мог встать в шесть утра на море. Спал до восьми и заставлял себя подняться в кабинет — бумажной волокиты накопилось. Лиза, тети-Валина дочь, пыталась внедрить новое меню, переписать названия блюд и уговорить мать печь сырники и блины не только на завтрак, но и на ужин. Дети просили. Мамы, уставшие за день, были согласны. Но тетя Валя считала, что сырники и блинчики — это завтрак, а не ужин. Они теряли клиентов, несмотря на знаменитую печень под луком. Лиза настаивала на том, чтобы мать варила какао — дети требовали это какао. Но повариха была непреклонна — много какао вредно. Пусть дети пьют компот из сухофруктов. Дети от компота отказывались. Мамы шли в соседнее кафе, где разбодяженный какао-порошок был всегда. В том, соседнем, кафе, которому уже не хватало раздатчиц, были и сосиски — жаренные на гриле или отварные.

— Мам, ну давай сварим сосиски, это же просто, — просила Лиза.

— Ты опять делаешь мне нервы! Или я, или сосиски! Да чтоб у меня руки отсохли, если я сварю сосиски и выложу их на раздачу. Что про меня люди скажут? Что тетя Валя не знает, что такое еда? Что тетя Валя стала в забегаловке работать?

Опять же в соседнем кафе на заднем дворе выставили старый мангал. И жарили на нем курицу, мясо и овощи.

— Мам, давай мангал поставим, — без всякой надежды предложила Лиза.

— Это хорошо. На мангале мясо вкуснее, — вдруг оживилась тетя Валя.

Лиза всю свою нерастраченную энергию направила на поиск места для мангала. Проблема была в том, что двор столовой считался общим с террасой Дома творчества. И мангал мог стоять как раз под историческими кипарисами.

— Лиз, ты с ума сошла? — рассмеялся Ильич. — На террасе даже курить нельзя.

— Но все же курят.

Конечно, все курили, в закутке, выводящем из туалета столовой прямо к перилам террасы. Вид — с ума сойти. Пока Инна Львовна рассказывала женщинам про... что бы она там ни рассказывала, мужчины скрывались в этом закутке, смотрели на море, курили и сбрасывали бычки в пластиковую бутылку. Лиза обрезала бутылку и положила на дно камни — чтобы было проще тушить бычки.

— Дядь Вить, давайте мангал поставим в курилку, — умоляла Лиза.

— Хочешь, ставь. Но если у Инны Львовны случится истерика, сама будешь с ней разбираться.

В столовой началась новая жизнь. Лиза вытаскивала мангал после шести, когда у Инны Львовны заканчивался рабочий день. На запах приходили клиенты. Мангальщика долго искать не пришлось. Кто бы мог подумать, что Федор будет жарить мясо так, что тетя Валя не сможет придраться. Сначала у мангала стояла Лиза, но Федя не выдержал и пошел показывать, как надо. Лиза искренне восхитилась Федором, да так сильно, что тот стал поглядывать на нее с интересом. Там началась своя жизнь и своя история. Абсурдная, по сути. Федор жарил, Лиза стояла рядом с тарелками. Они смеялись. Федор приобнимал Лизу за тонкую талию и поводил рукой по пышным бедрам. Лиза была не против. Новый сезон обещал новые повороты судьбы. Да и Федор выбрал, за кого он, решив, что за Ильича, а не за Инну Львовну.

Дядя Петя продолжал ходить на работу, но все чаще садился на лавочку и подолгу безотрывно, почти не моргая, смотрел на белую стену здания столовой. Раньше на здании показывали кино — включали проектор и крутили фильмы для взрослых или диафильмы для детей. Дядя Петя смотрел на стену и улыбался. Может, смотрел свое кино. Кино своей молодости. Галя боялась, что дядя Петя прямо здесь, на террасе, умрет. Подходила, трогала дворника за руку, тот отрывал взгляд от стены, ласково смотрела на Галю. Он был уже в своем мире.

Славик бегал по двору со шлангом и смеялся. Если Ильич давал в руки сына шланг, когда не было дяди Пети, Славик начинал сильно переживать и поливать отказывался. В его представлении хозяином шланга был дядя Петя, и только он мог разрешить поливать. Сейчас старик приходил каждый день, и Славик каждый день бежал поливать. Если Инна Львовна куда-то и написала донос, то отклика пока не последовало. Жить в страхе, бояться каждый день становится невыносимым. И к этому состоянию привыкаешь. Как привык Ильич, как привыкла Галя.

Ильич, получив известие, что Вероника приедет, ждал. Потом устал ждать. Потом перестал ждать.

Инна Львовна развила бурную деятельность — рядом со стойкой администрации повесила красочные, из прошлых времен, с золотом и красными восклицательными знаками, таблички: «Уважаемые отдыхающие! Ключи выдаются по предъявлению талона на проживание», «Уважаемые отдыхающие! Спальный корпус № 1 закрывается в 23.00. Соблюдайте режим проживания!». Галина Васильевна вешала на дверях самописные, от руки, объявления: «Сдаются номера с видом на море и горы. Действует система скидок, дети до двух лет — бесплатно. В наличии имеются детские кроватки», «Номера в Доме творчества. Приобщите детей к прекрасному. Здоровое питание, безопасная терраса».

Некоторое время таблички друг другу не мешали, соседствовали. Но когда у Инны Львовны случались плохие дни, — мало экскурсантов, слушали без интереса, — она вымещала злобу на Гале.

Впрочем, Инну Львовну можно было понять. Когда она держала над головой книгу с репродукцией Айвазовского, кто-нибудь из дамочек, тех, кого Инна Львовна называла «с претензией», спрашивал:

— А разве у вас не хранится подлинник картины?

— Нет, подлинник в музее, — резко отвечала Инна Львовна.

— Но вы же тоже музей... За что мы деньги платили? — возмущалась дамочка.

Были и те, которых интересовала личная жизнь. А любовница была? Неужели нет? Наверняка была. А Коровин с Шаляпиным правда дружили? Говорят, что они друг друга ненавидели! Дети небось за наследство передрались. Жена снова вышла замуж? Ну естественно! Кто бы сомневался. Он женился после смерти любимой жены? Вскоре? И года не прошло? Да так все мужики поступают. Тоже мне гений. Скотина, а не гений. Что? У нее не было детей? Вот поэтому ей и заняться было нечем. Музой служила да голая позировала. А если бы дети были, то не стала бы оголяться. Вы говорите, сейчас разврат. Да тогда разврат похлеще был!

В самом так называемом номере-музее было не легче.

На этой кровати спал? Прямо вот на этой? Точной копии этой? Опять подделка. Опять накололи. Всюду фальшак пытаются всунуть. Ну хоть стол-то тот самый? Нет? Опять копия? А что настоящее? Вид из окна? Прямо вот на этом самом месте стоял, где я стою? Нет? Рядом? По соседству? Но мог захаживать и сюда? Так, я требую вернуть деньги за экскурсию! Тут у вас одни подделки! Ни стыда ни совести. Я так в свою квартиру могу народ водить и денежки собирать с лохов. А я не лох! Интернет у всех есть. Вот и женщина тоже недовольна. Да, женщина?

Деньги возвращали. Все равно — ни чеков, ни билетов никаких не было. Заплатил сто рублей — зашел на террасу. Вот и все.

— Как вам не стыдно? — пыталась воззвать к чувствам Инна Львовна. — Вы на пиво, извините, больше тратите. Вы же с ребенком здесь.

— А это мое дело, куда я трачу. Вы в мой карман не лезьте, а я в ваш не сунусь. Развели тут самодеятельность и дурят всех.

— Я не дурю! Я дипломированный экскурсовод. Заслуженный работник культуры!

Как ни удивительно, обычно скандалили и требовали возврата денег мужчины, что лишний раз подтверждало убеждение Инны Львовны — какое счастье, что рядом с ней нет такого мерзкого мужика! Она даже однажды пожаловалась Вань-Ваню.

— Как тяжело стало работать! Раньше для людей экскурсия считалась святым делом. А сейчас? Им скабрезности подавай и подлинники! Мои рассказы им, видишь ли, кажутся скучными. Им про баб расскажи да кто с кем пил и спал. Телевизора им мало!

— Так что такого? Если бы ты про баб рассказывала, я бы первый на твою экскурсию пришкандыбал, — хохотнул Вань-Вань.

— Что с тебя взять? Но как они смеют сомневаться в моей компетентности?

— Да ты им и вправду лажу подсовываешь, — опять не понял Вань-Вань.

— Я им «подсовываю» атмосферу уникальную, воздух, которым можно дышать, землю, по которой можно ходить. И свою работу.

— Ну да, сейчас только ленивый не продает воздух.

Инна Львовна хотела вспылить, но подумала, что Вань-Вань в чем-то прав. Да что у нее осталось? Только воздух, земля и вид с этой террасы.

— Они готовы заплатить сто рублей, чтобы пройти за ворота и сфотографироваться. Экскурсия им не нужна.

— Со мной тоже все хотят сфотографироваться, — улыбнулся Вань-Вань, — как с обезьяной.

Безногий мужик — дайвер. Я вот тоже подумываю деньги за это брать. Пацаны еще портрет президента пришпандорили под тент, так что мы теперь фотографируемся на фоне, так сказать.

— И тебя это не... расстраивает?

— Нет, мне за это платят. И тебе платят. Бери деньги за вход, пусть фоткаются сколько хотят, тебе же проще.

— Фотографируются...

— Это ты, Ин, фотографируешься, а они — фоткаются. Кстати, знаешь, с кем еще все норовят сфоткаться? С Лениным, который в парке. Туда очередь выстраивается. Детей на памятник сажают и давай снимать.

— Лиза приходила, хочет мангал поставить в закутке, где курилка. Ильич ее ко мне отправил за разрешением.

— А ты?

— Отказала, конечно! Совсем уже! Но Лиза все равно ставит. Думает, что я не знаю. Только я ухожу, она выставляет.

— А помнишь, как я тебе жарил мидии на пляже?

— Помню.

— Пойдем как-нибудь, мидий пожарим, посидим.

— Куда сейчас пойдешь? Все занято! Рестораны уже совсем обнаглели — столики чуть ли не в воде ставят.

— Народу нравится. Пойдем, найдем местечко. И это... не пиши на Ильича. И Лизу оставь в покое. Ну куда ей себя девать? Никого ж нет.

— У меня тоже никого...

Инна Львовна решила выплеснуть свою энергию на Галю:

— Что вы устроили? Какие скидки? У нас дети никогда не поселялись! С детьми в другие места надо ездить, а не в Дом творчества! Вы же помните запрет — сюда с детьми нельзя! Дети отдельно поселялись! Чтобы не мешали! Не у всех, знаете ли, есть дети. И не все такие чадолюбивые, как вы. А творческим людям дети вообще противопоказаны. Они их отвлекают! Здесь у нас не ясли-сад. Откуда кроватки? Что вы придумали? У нас другие правила. Не хотят — пусть не поселяются! Откуда вы кровати взяли?

— От Славика осталась, от Светки. И новую купили. Она собирается, места вообще не занимает, — отвечала Галя.

— У нас не положено! Если вы, Галина Васильевна, решили, пользуясь своим положением, устроить самоуправство, так я вам не позволю. Знайте свое место! Я запрещаю, категорически. Между прочим, мне дети тоже мешают! Особенно из люксов. Они включают телевизор, открывают балкон, и что прикажете делать? Перекрикивать телевизор? Я уж не говорю про кондиционер!

Просто невыносимо работать! Кондиционер трещит, телевизоры орут! Экскурсанты отвлекаются, естественно! Их интересует, сколько стоит здесь поселиться, где удобства да какие кровати, а не то, что я рассказываю! И, кстати, дайте мне прейскурант — я вынуждена отвечать на вопросы о стоимости. Когда я говорю, что не знаю, — мне не верят! Какое впечатление у людей сложится от нашего Дома творчества? Мы с вами выступаем в диссонансе, а нам надо договориться. Я объясняю, что здесь нельзя жить с детьми, что здесь царит покой, создана уникальная атмосфера для творчества, и в это время с балкона начинают орать безумными голосами эти мультики! Вы хотите, чтобы тут еще младенцы орали? Нет, я решительно возражаю. И кто вам дал разрешение на эти объявления? Виктор Ильич? Было собрание коллектива? Все выступили «за»?

— Нам нужно как-то зарабатывать, — сопротивлялась Галина Васильевна. — Вы зарабатываете на репродукциях, я — на детях. Как бы цинично это ни звучало. На детях можно хорошо заработать. Если мы будем сдавать номера, у нас будут деньги. Вам нужны деньги?

— Мне нужна чистая совесть!

— Ин, совесть ты давно продала. И чистую, и грязную.

— Я напишу... на тебя напишу... что у тебя номерной фонд неучтенный... что ты себе в карман... что...

•

— Пиши, Ин, хоть роман напиши. Я не Ильич. Не директор. Я — никто, пустое место, и звать меня никак. Светка уже совершеннолетняя. Так что выживет, в детдом не попадет. Пиши, Ин. Только не подходи ко мне больше. Ни по какому поводу. Пиши докладные Ильичу, что хочешь делай. Только не подходи ко мне ближе, чем на пять метров.

Галя развернулась и ушла. Инна Львовна стояла осатаневшая. Последнее слово осталось не за ней. И она написала донос. На Галю. Про необходимую проверку номерного фонда, про самовольно введенные скидки на проживание и кумовство.

Рано утром Инна вышла из дома и пошла на почту. На почте, которая уже дышала на ладан, — здание было полуразрушено, как только еще потолки не обвалились, — была огромная очередь. Местные пенсионеры стеклись в сберкассу, чтобы получить пенсию. Кто-то пришел за переводами от детей из городов. Все три окна были закрыты картонками. Люди возмущались.

— Граждане, почта сегодня работать не будет! Граждане, выходите! Почта не работает, — пыталась их вытолкать заведующая. Она была новенькой, из города, поэтому не знала, как разговаривать с местными.

— Где Кристина? Кристина где? — кричали люди.

Кристина работала на почте сто лет. Ее знали все, она знала всех. Кристина была таким же символом поселка, как и эта почта, с которой раньше можно было дозвониться до города, послать открытку «С Новым годом!», получить перевод, пенсию и подписаться на журналы или газеты.

— Кристины нет! И в ближайшее время не будет! — кричала новенькая заведующая.

— Где она? Почему не будет? — паниковали люди.

Оказалось, что Кристина встала на стул, чтобы дотянуться до посылки, упала и сломала две руки. Сразу обе. Но лучевые кости. Сейчас ей накладывают гипс. Она выйдет на работу сразу же, как только поправится. Или хотя бы сможет шевелить пальцами.

Инна Львовна ушла. Пришла с тем же доносом через две недели. Кристина стояла за стойкой и выдавала переводы. Люди терпеливо ждали. Пальцами она шевелила, но обе руки были загипсованы по кисти. Разворачивалась она медленно, чтобы достать посылку, ей требовалась помощь. Сначала Кристина отпускала переводы, выдавала деньги, а все остальное — подписка, поздравления и заказные письма — шли во второй очереди. Инна Львовна записалась во вторую очередь и ушла.

Когда Инне Львовне исполнилось пятьдесят пять, коллектив пансионата накрыл под кипарисами стол. Лиза пожарила на гриле куриную грудку и рыбу. Тетя Валя напекла пирожков. Ильич торжественно вручил подарок — картину. Вид на море с террасы пансионата. От молодого художника, который жил в двенадцатом номере. Все пили за здоровье Инны Львовны и за ее дело. Был и Вань-Вань. Он лично принес мидии, которые тут же и пожарили. Потом танцевали, слушали музыку и смотрели кино на стене столовой — «Двенадцать стульев». Все хохотали. Инна Львовна прослезилась. Сказала, что не ожидала такого праздника.

Разошлись поздно, довольные друг другом, праздником, с ощущением пусть зыбкого, но примирения. Войны, но хотя бы «холодной». Ночью Инна Львовна написала новый донос: картины, которые раньше в холлах и номерах висели, — исчезли. Чайники поставили, а это противоречит нормам пожарной безопасности. Да, над каждой розеткой приклеили бумажку — 220 вольт. Так и кто на эти бумажки смотрит? Отдыхающие из числа женщин спрашивают, почему в номерах нет фена? Нет, потому что не положено. Зачем фен, когда жарко? Никогда не было фенов, тем более встроенных и в каждом номере. Что, так нельзя высохнуть? На улице — тридцать градусов. Зачем фен? В номерах живут по трое, за счет приставных кроватей и раскладушек. Деньги же берут как за обычный двухместный. Публику селят с улицы. Дом творчества не соответствует своему названию. Ставни скрипят, на стене дома — огромная трещина. Дом требует капитального ремонта. Если он не сегодня завтра рухнет, то причина в халатности директора. Персонал закрывает глаза на нарушения правил проживания и попустительствует разврату. Дом творчества превратился в сомнительное заведение, где скоро номера будут сдаваться не только посуточно, но и с почасовой оплатой. В бордель, одним словом.

Галя купила фен и давала женщинам, если они просили. Ну кто сейчас повезет на отдых с собой фен? Ведь уже в самых скромных гостиницах есть фен, пусть слабый, стационарный, но есть. Вечером хочется и фруктов поесть, и перекусить, и чайку попить. Галя поставила в каждый номер тарелки, чашки чайные и чайники электрические. Если кто-то просил нож или вилку, Галя выдавала.

— Галина Васильевна, вы бы хотя бы под залог выдавали! — возмущалась Инна Львовна. — А если утеря, с кого списывать будем?

— Я свой личный фен, свои личные ложки и нож отдаю, — отвечала Галя.

— Вот когда они вам фен сожгут, сами потом возмущаться будете!

— Инна Львовна, давайте закупим туалетную бумагу, — предлагала Галя. — Централизованно, по документам. Вы же замдиректора. Напишите распоряжение.

— Столько лет подтирались, а теперь не устраивает? И вообще, я по культурной части зам, а не по хозяйственной, — хмыкала Инна Львовна.

В номерах, даже в люксах, отдыхающим предлагалось вернуться в прошлое. Не в то прошлое, когда газету на четвертинки резали и стопочкой складывали, а в то, когда уже туалетная бумага появилась, но серая, жуткого вида. В их Доме творчества именно такая и лежала. Один рулон на смену, на номер. На набережной быстро разобрались и стали продавать туалетную бумагу по рулонам — за тридцать рублей двухслойную, а за сорок пять — трехслойную, мягкую, ароматизированную. Не нужно было брать сразу упаковку, можно только один. Отдыхающие покупали рулон или два, которые доставались и следующим жильцам. Потом в туалете появлялась казенная, серая, и отдыхающие бежали за нормальной бумагой. Инна Львовна, увидев по бумагам, что потребление туалетной бумаги (без тавтологии в этом случае обойтись можно, но Инна Львовна так и говорила — «по бумагам») резко сократилось, радовалась. Отдыхающие даже ввели этикет — следующим жильцам оставляли рулон бумаги, чай в пакетиках и пачку кофе или сахара. Этот ритуал вошел в традицию, и следующие жильцы тоже оставляли что-нибудь из припасов. Кто-то — бутылку вина в холодильнике, кто-то фрукты. Оставшееся детское питание, соки, банки с пюре отдавали Гале, и та уже выставляла в номер, где ожидались дети. Всем было приятно. Никто из персонала не забирал себе оставшиеся чайные пакетики или конфеты. Светка так и вовсе навострилась выдавать гостям приветственную корзину — ничего особенного: яблоки, сливы или черешня. Отдыхающим нравилось. И они оставляли щедрые чаевые.

Помимо фена, отдыхающие требовали штопор. Галя уже три штопора за собственные деньги купила, но все равно на всех не хватало. Местный магазин быстро нашел выгоду. У всех покупателей спрашивали: «Открывать?» Продавцы наловчились открывать бутылки так, что не прольется, пока донесешь до номера, но и пробку можно легко вытащить. Даже женщине. Они просто виртуозно владели штопором. Пластиковые стаканчики шли бесплатно. Как и пакет, черный, чтобы было не видно, что несешь. Женщины покупали вино, просили открыть, клали бутылку в пляжную сумку и прикрывали пляжным полотенцем. Инна Львовна говорила, что отдыхающие совсем распоясались и страх потеряли. Женщины уже сидят на балконе и пьют вино. В одиночку!

На самом деле этот страх было не вытравить. Отчего-то рука сама тянулась прикрыть бутылку полотенцем. У молодых, конечно, этого не было, а если ближе к сорока — так обязательно.

Опять же — нет худа без добра. Многие дети впервые видели кусок хозяйственного мыла. Да еще и разрезанный пополам, в целях экономии. И с ужасом и восторгом следили за тем, как мама стирает белье в тазике. Этим самым странным, вонючим, коричневым мылом. Галина Васильевна целые мастер-классы устраивала. Если видела адекватную мамашу и девочку лет шести-семи, то приносила из закромов рифленую доску, на которой раньше стирали белье. И показывала девочке, как надо стирать. Восторгу было столько, что девочки забывали и про мультики, и про игрушки — стояли над тазиком и мутузили носок или футболку. Требовали еще что-нибудь постирать. Мамы смеялись и благодарили «тетю Галю».

— Дома ведь не заставишь за собой убирать, — удивлялись мамочки, — а здесь — пожалуйста.

Девочки постарше с удовольствием помогали «тете Гале» поливать цветы. И вообще с радостью соглашались на любое занятие. Например, складывать красиво салфетки в столовой у тети Вали — веером. Повариха к ужину доставала старые салфетки, из прошлой жизни, и показывала, как сделать конус, или лебедя, или конвертик. Лиза в свободные минуты любила вязать крючком, и всегда находилась какая-нибудь девчушка, которая сначала проходила мимо, а потом просила научить вязать цветочки. Лиза вязала детям игрушки — сов, рыбок, зайцев.

— Тетя Лиза, это лапка? Или ушко? А когда будет готово? — прыгали от нетерпения девочки.

— Это лапка, скоро будет. Вот ты свяжешь цветочек, а я как раз довяжу все лапки.

Галина тоже любила возиться с детьми. Она могла сшить платье для куклы, чепчик для медвежонка или ботиночки для собачки. Любимые игрушки с помощью «тети Гали» уезжали с собственным гардеробом. У Галины Васильевны была волшебная коробка со всякими нитками, пуговками, ленточками и бантиками. Девочки могли часами рыться в этой коробке и находить сокровища — кто пуговицу в форме балеринки, кто атласный цветок. Гале нравилось заниматься с девочками. Ильич шутил, что вместо Инны Львовны нужно Галю и Лизу нанимать на работу, чтобы мастер-классы устраивать. Галя улыбалась, ей был приятен комплимент.

— Это потому, что я терпеть все это не могу! — хохотала Светка.

Что было правдой. Все попытки Гали научить дочь хоть какому-то рукоделию потерпели крах. Лизины усилия научить Светку вязать хотя бы косичку тоже не увенчались успехом. Светка ненавидела шить, вязать, раскраивать. Зато она умело управлялась с топором. И ей нравилось красить, залатывать швы, покрывать лаком все, что можно. Ей нравились дерево и старая мебель. Любую деревяшку, по которой помойка плачет, Светка могла превратить в новый стул или консоль в коридор. Старый стол она терпеливо покрывала лаком слой за слоем, пока тот не начинал сверкать как новый. И ей не надоедало. Она ходила обляпанная лаком, краской, а над наждачной бумагой тряслась как над сокровищем. Ильич подарил ей на день рождения ручную пилу — счастью Светки не было предела.

Галя шла по коридору в свою подвальную комнату. Дверь в номер Ильича была приоткрыта. Она хотела пройти мимо — сил не было никаких, умоталась за день, но все-таки заглянула.

•

Ильич стоял у окна и дергал занавеску — то туда, то сюда.

— Ты чего? — тихо спросила Галя.

— Не сплю совсем. Софит прямо в лицо шарашит.

— Давай я.

Галя подошла, аккуратно сдвинула занавеску — кольца зацепились за карниз, — поддернула тюль, сдвинула еще одну половину налево, и софит резко погас. В комнате стало темно. Хоть глаз выколи.

— Заварить тебе чаю? — предложила Галя.

— Да, если можешь. И траву свою туда добавь, пожалуйста, — попросил Ильич.

— Опять не спишь?

— Не сплю.

— Так чего раньше не сказал?

Ильич махнул рукой.

Она включила чайник, сходила к себе в комнату, вернулась с травами. Что-то сыпала, перемешивала.

— Ты из-за Вероники?

— Из-за всего. Не знаю.

— Ну перестань. И не такое переживали. Хуже-то не будет.

— Не будет, — эхом откликнулся Ильич. — Инна Львовна опять доносы строчит, один за другим, ты знаешь?

— Тебе кто сказал?

— Вань-Ваня утром на пляже встретил.

— И что она на этот раз придумала?

— Номерной фонд используем в личных целях.

— А про Лизин мангал?

— Нет, ничего.

— Ну и ладно.

Ильич отхлебнул чай.

— Вероника написала. Пятнадцатого точно будет.

— Она каждый год точно будет.

— Пятнадцатое послезавтра.

— Славику сказал?

— Нет.

— Инна Львовна будет рада. У нее вдохновение проснется, — хохотнула Галя, но Ильич даже не улыбнулся. — Бывало хуже, намного. Пережили. И этот сезон переживем.

— Переживем.

Галина Васильевна тихо ушла. Ильич продолжал пить чай. Он не сказал Гале, даже ей не сказал, что его мучило на самом деле. Выжигало изнутри. И заставляло вернуться в прошлое. Их пансионат хотят выкупить. Ну, вроде как выкупить. Могут и отобрать. И надо соглашаться, пока по-хорошему. А как бывает по-плохому, он прекрасно знает. Закроют в один день, если депутату какому-нибудь в голову взбредет тут виллу построить. Официально объявят, что закрывают на реконструкцию, а там все знают, сколько реконструкции длятся и кто в итоге владельцем оказывается. Вчера приезжал человек — маленький такой, хлипенький, с чемоданчиком. Его Вадик привез. От него Ильич все и узнал — тот передал, так сказать, по старой дружбе.

Человечек этот был неприметным, говорил тихо, аж по губам читать приходилось, вежливый, аккуратный. Шептал про новые возможности, про то, что весь персонал, разумеется, не оставят, но Ильича-то уж точно. И Галину Васильевну, конечно. Им известно про... связь давнюю. Про родство бывшее тоже известно... И для него, лично для Ильича, ничего не изменится — как был директором, так и останется. А остальных, очевидно, поменять придется. Время другое, сами понимаете. Людям комфорт нужен. Чтобы на европейском уровне. А деньги хорошие готовы вложить — в ремонт, капитальный. И про Ильича не забудут. Квартирку ему по соседству организуют, чтобы до работы ходить близко и не здесь, в комнатушке ютиться. Ну и для Галины Васильевны подберут что-нибудь. Только надо по-умному все сделать. Тихо, неслышно и незаметно. Там, наверху, на уровне, так сказать, уже все решили. Только теперь от Ильича зависит, как дальше дело пойдет. В идеале, так сказать, надо козла отпущения найти. Списать на него все грехи и всё — жить дальше спокойно.

— Есть у вас такой? — спросил мужичонка, представившийся Борисом Михайловичем.

Ильич молчал.

— Так я вам подскажу. Инна Львовна. Замдиректора? Подписывает документы? Так давайте ее привлечем. Ну, например, закупила она конфет и чая, а ни конфет, ни чая, допустим, нет.

— Мыло и порошок. Еще бумага туалетная, — подал голос Ильич.

— Да как скажете, — обрадовался Борис Михайлович. — Туалетная бумага так туалетная бумага.

— Не скажу.

— Вам, думаю, известно, что Инна Львовна увлекается, как бы это сказать... эпистолярным жанром. Остается удивляться ее плодотворности. Неиссякаемый поток творчества. Просто диву даешься. Да, мы в курсе. Вы же понимаете, что мы должны реагировать на... как бы это сказать... «звоночки». Но не реагируем. Вы думаете случайно? Нет, все на карандаше, как раньше говорили. Пока не реагируем. А если придется, то уж извините. Я вам предлагаю... ну, вы сами понимаете... Инну Львовну мы привлекаем за нецелевое использование... конфеток или, как вы говорите, туалетной бумаги, а вам мы снимаем головную боль. Подумайте...

— Подумаю, — ответил Ильич.

Мужичонка сел в новенький черный «мерседес». Вадик мастерски вырулил на крохотном пятачке и стал продираться по набережной, заполненной людьми. Удивительная способность. Здесь, где муха не может пролететь незамеченной, где все становится известным еще до того, как случится, приезд мужчины, представившегося Борисом Михайловичем, остался без всякого внимания. Никто — ни Галя, ни тетя Валя — его не видели. Как не видели Вадика, что тоже можно было считать чудом. Иначе бы Вадика тетя Валя уже кормила варениками, а Светка бы просилась порулить. Вадика здесь знали все и любили. Ильич надеялся, что кто-нибудь войдет в кабинет и увидит Бориса Михайловича. Ведь ни секунды спокойно не мог посидеть в кабинете — все время кто-нибудь заходил. А тут — никого. Даже Федор не появился. А Федя появлялся тогда, когда не просишь. Как так случилось?

Мысли о визите Бориса Михайловича отвлекли от размышлений о Веронике и Инне Львовне. И Вероника вдруг показалась меньшим злом в свете надвигающихся проблем. Он останется? Да конечно! Первым и уволят. Галю, кстати, могут и оставить — она опытный, как это сейчас называется, менеджер. Назначат управляющей. Да и Светку оставят в горничных. Светка спорая, умелая. Значит, Инна писала с первого дня, как здесь появилась. Галя его предупреждала, а он не верил. Опять она оказалась права. Рассказать ей или не стоит? Два года назад уже приезжал такой Борис Михайлович. Правда, помельче калибром. Без связей наверху. И тоже говорил, что его-то, Ильича, оставят, но нужно подписать... Рассосалось само собой. Депутата, который приметил их Дом творчества, сначала сняли, потом посадили. Может, и в этот раз так случится? Никто не знает, что завтра будет. А то ли три, то ли четыре года назад приезжали к Кате-дурочке, а потом и к Ильичу поднялись. Половину набережной перекрыли машинами. Угрожали, пистолетом перед носом крутили. Ильич был готов все сразу подписать. Думал, что все — сейчас точно конец. Но тут оказалось, что сына будущего, так сказать, хозяина поймали в столице на наркотиках. И будущий хозяин переключил усилия на вызволение сынули, а потом с женой развелся. Новую завел, которая не собиралась проводить лето в этом «колхозе», а требовала заграницы. И опять само собой рассосалось. Но в этот раз, Ильич нутром чувствовал, другие силы задействованы, другие мощности и интересы. Поэтому испугался.

Ильич смотрел вслед отъезжающей машине. Набережная узкая, отдыхающие вяло отходили в сторону. Матерились вслед. Вадик молодец. Слава богу, что у него все хорошо. Пристроился, приспособился. Но себе на уме парень. Теперь уже мужик. А Ильич ведь его знал, когда он еще три волосины на подбородке брил. Водитель, конечно, каких поискать. Аккуратный, пунктуальный. Гоняет так, что только вдохнуть успеваешь. Так быстро, как он, никто не ездит. Если пробка, так Вадик по огородам проедет. Слева обрыв, справа гора — куда свернешь? А Вадик сворачивает. Женился. Двоих пацанов воспитывает. Когда надо — молчит, когда надо — кивает, когда надо — останавливает, если пассажиру пивка приспичило. И что важно — не болтун. Хороший парень, тоже родной человек. А уж то, что возит мерзавцев, так ему семью кормить надо. Ну не будешь же ему, в самом деле, объяснять: «Вадик, ты кого возишь?» Но совесть у него осталась — пока курил, сказал:

— Ильич, держись. Не сегодня завтра депутата этого, блин, снимут. А другого поставят, так еще сезон продержишься. Ничего у них на тебя нет, блин. Они ж сами ходят — чуть не срут в штаны от страха.

Борис Михайлович пообещал, что приедет через неделю, скорее всего в четверг. Вероника тоже в четверг. Галя не знает. Он ей сказал, что послезавтра, то есть в понедельник. Если Вероника не объявится в понедельник, Галя успокоится. Никто не знает. Никому он не сказал ни про Бориса этого Михайловича, ни про Веронику, которая тоже в четверг. Может, уехать куда на ту неделю? Пусть Инна Львовна разбирается — ей только дай пищу для писем. Она ж в ажиотаже бегать будет — украдет из его кабинета стопку бумаги, как делала это всегда, а он притворится, что не заметил, что бумага закончилась. И попросит Инну Львовну дозаказать.

Ильич уснул с мыслью уехать — взять Славика и поехать... куда-нибудь. В город — Славика врачу показать, например. Или к матери заглянуть — она, конечно, удивится — Ильич не часто к ней ездил, но деньги посылал регулярно и аккуратно. Только мать Славика не любит. Опять будет говорить, что его надо в ШД сдать — в школу дураков. А еще лучше — в интернат для психов. Мать снова начнет прошлое вспоминать. Славику там плохо. У родной бабушки — плохо. А Ильичу хорошо. Он там отдыхал. Ильич сразу засыпал от гробовой тишины, а Славик плакал, если не слышал моря. Ильичу нравилась земля — куцый огород с полузрелыми помидорами, теплица, в которой становится невыносимо душно, а Славик искал гальку. Он плакал, когда выходил на дорогу, утоптанную, не заасфальтированную. Славик умел ходить по булыжникам, по камням, по асфальту, а по утоптанному песку не умел.

Он не мог есть, не мог спать, не мог разговаривать с бабушкой. Мать Ильича готовила бульон из домашней курицы, отваривала яйца, а Славик есть отказывался. Он не умел пить пустой бульон, без цвета. Яйца Славик умел есть сваренные вкрутую, а всмятку не ел. Желток растекался по пальцам, и мальчик снова плакал. Мать Ильича держала домашнюю болонку, брехливую, равнодушную. Славик пытался ее погладить, но болонка поднимала лай и не давалась. Еще и прикусывала. Славик заходился в истерике. Он не знал, как обращаться с домашними животными. Ему не нравились бабушка и ее пирог с капустой.

— Невкусно, — говорил Славик, привыкший к пирожкам с вишней, к тому, что тетя Валя приготовит так, как он любит. Бабушка так делать не собиралась.

— Ешь немедленно, — требовала бабушка, и Славик плакал.

Здесь, на крохотной кухоньке, не было баклана Игната и кота Серого. А была брехливая болонка Луиза, которая ела из точно такой же тарелки, как Славик. Тетя Валя держала тарелку Славика отдельно. И его личный стакан, и кружку.

Но как же хорошо здесь было Ильичу! Тихо, душно, спокойно. Капустный пирог матери он очень любил, как любил дорогу, проселочную, утоптанную, бурьян, колючки вдоль дороги, грибницу с мелкими шампиньонами. Ильичу нравилось выжженное поле, бесхозное, и чахлая виноградная лоза на участке матери. Мать первые пару часов держалась, молчала. Но потом все равно срывалась и заводила старую песню.

— Надо было его сдать. Давно сдать. Когда только родился. Зачем ты себе такой хомут на шею повесил? Все от матери его, прошмандовки.

Веронику мать Виктора в глаза не видела, но заранее все про нее знала и понимала.

— А вторая? Нашел с кем! У нее свое дите есть. И рожать она не собиралась. Тоже гульная. Что ж тебя на таких баб-то тянет? Сдал бы этого в интернат, нашел себе молодую, да попроще, она бы родила тебе хоть пятерых. Нормальных. И жил бы, забот не знал, как все мужики живут.

— Мам, перестань. Не начинай снова. Он же тебе не чужой человек, внук, — в сотый, тысячный, миллионный раз повторял Ильич.

— Это бабушка надвое сказала, чей он внук. Может, и не мой. Не твое дите. С чего вдруг твой-то? У нас в роду таких не было. Все здоровые. А может, эта дрянь нагуляла да тебе подбросила? А чё не подбросить? Ты ж уши развесил и всему поверил. А я тебе так скажу — был бы нормальный ребенок, я бы любила. А этого чё любить? Может, он подойдет ночью и шандарахнет меня лопатой? Больной и есть больной. Надо его сдать, пока не поздно. Есть же специальные учреждения для таких.

Ильич опять стоял перед выбором — или мать, или сын. И сделать этот выбор он не мог. К матери ездил без Славика — оставлял на Галю. Отдыхал пару дней, отсыпался. А если приезжал со Славиком, то только хуже становилось. Мать плакала, Славик кричал по ночам.

— Мам, даже врачи сказали, что так бывает, никто не виноват.

— Эти врачи много понимают! Как это никто не виноват? Всегда мать виновата! Если такого родила, значит, гулящая. Если родить не может, то тоже гулящая.

— Мам, налей мне чаю, пожалуйста. И запомни — Славика я никуда не сдам. Он мой сын. И никакая другая женщина мне не нужна. И другие дети не нужны.

— Ох, дурак, какой дурак...

Галю все же надо предупредить. И про Бориса Михайловича рассказать. Ей можно. Она поймет. И сразу успокоит. Она это умеет. Чувствует, когда надо беспокоиться, а когда стоит отпустить, само распутается. У нее чутье какое-то. Или женская мудрость. Ильич ей доверял даже больше, чем себе. Но она точно станет отговаривать от поездки к матери. В прошлый раз Славик вернулся совсем «раздрызганный», как говорила Галя. Бабушку он боялся. Даже больше, чем кипарисов. Галя Славика травами поила, колыбельные ему пела, что-то шептала, даже спала с ним — Славик успокаивался. Но все равно вздрагивал и кричал. Он вдруг стал агрессивным — мучил Серого, дрался на площадке, обижал детей. После каждой поездки к бабушке Славика приходилось «приводить в норму». В последний раз Славик бился головой о стену.

— Дурак, дурак, я дурак, — на одной ноте повторял мальчик. Галя пыталась его оттащить от стены, успокаивала, как могла, но Славик лег на пол и опять стал биться головой. Галя испугалась не на шутку. Он мог себя изувечить.

И тогда Галя объявила Ильичу, что Славика к бабушке больше не отпустит. Сам пусть едет, а ребенка оставит. Зачем таскать, если бабка внука ненавидит? Славик ведь все чувствует. Чувствует и не понимает, почему бабка его обижает.

— Сейчас он головой бьется, а завтра нож у тети Вали возьмет, — сказала Галя. — Почему она его дураком называет? Разве так можно? Он же не понимает.

— Что ты от меня хочешь?

— Поговори с матерью. Убеди ее. Или не надо ехать. Не надо брать Славика.

— Я думал, она к нему привыкнет.

— Пока ты думал, Славик сегодня ребенка с горки столкнул. У него приступы начинаются.

Нет, надо обязательно сказать Гале. И про Инну Львовну с доносами, которые уже дошли до адресатов, и про то, что их судьба опять висит на волоске. Но как признаться, что он готов все подписать, лишь бы его и Славика оставили в покое? Как сказать Гале, что ему наплевать, что будет в этом треклятом Доме творчества — чья-то вилла или элитный бордель. Да пусть хоть все сносят и вертолетную площадку делают. Ему все равно. Лишь бы его не трогали. Даже интересно — посмотреть на Инну Львовну, когда на нее повесят всех собак, как когда-то на Ильича. Увидеть, что доносы сослужили ей плохую службу. И вот еще интересно, надо было уточнить у Бориса Михайловича, а Инну Львовну в этом случае посадят? Если все грехи будут на ней? Срок дадут условный или реальный? Вот тоже очень интересно. Есть шанс отомстить.

Раньше Ильич переживал — а что будет с людьми? Как они-то? А жизнь показала, что по поводу себя надо переживать. Люди устроятся, перейдут на другую работу и будут жить дальше. Вроде как ничего и не было. Все пристраиваются, устраиваются, выживают как могут. Кто бы об Ильиче так беспокоился. Никто. Разве что Галя.

— Цирк, цирк приехал! — кричал Славик со двора. — Тетя Галя, цирк! Папа, цирк! Мы пойдем? Мы пойдем? Мы пойдем?

Когда Славик чего-то хотел, он без конца повторял одно и то же:

— Можно мне мороженое? Можно мне мороженое? Можно мне мороженое?

И делал это не специально, а потому что боялся — его не услышат, не поймут, а он так хочет!

«Еще ее не хватало. Прямо под заказ. Как тогда, — подумал Ильич. — Вернулось прошлое в настоящее. Встречайте». Железную калитку дергала Марго. Ритка.

— Ильич! Галя! Я приехала! Какой код? Опять сменили? — проорала Ритка.

Калитку на воротах с внешней стороны двора починили, смазали. Установили код, как в домофоне в подъездах. И его знали все отдыхающие — «два-четыре-восемь». На бывшем черном входе, а ныне — входе-выходе из тех самых полуподвальных номеров — код сменили: «три-семь-девять». Тоже или тянешь, или толкаешь. Отдыхающим выдавали бумажку — код от дверей, код от вайфая, код от черного входа. Если лень было обходить и подниматься по центральной лестнице главного корпуса, попадаясь на глаза Инне Львовне или Федору, то проще зажать кнопочки, придержать собачку и тихонько войти.

Так решил Ильич — восстановить историческую справедливость. Этот двор с роскошными кипарисами, скамеечками деревянными, удобными, в которые садишься и проваливаешься сразу, всей попой, с нависающей террасой над Катей-дурочкой, над морем, над набережной и всеми людьми, в прошлом был в пользовании отдыхающих в Доме творчества. Выходи, сиди, дыши. На столиках играли в шахматы, в теньке. Дети прыгали в классики, чертя не современным мелом, а камушком. Надо еще потрудиться, найти камушек, чтобы писал. И еще один — чтобы вместо биты. Или выпросить у матери банку с леденцами, быстро съесть все, запихивая за щеку по нескольку штук, а остаток распихать по карманам. На них потом налипнет шелуха от семечек, нитки, но все равно вкусно. А в банку — песок или камни. Самая лучшая бита в мире получается. У каждого — своя, чемпионская, счастливая. Которую чувствуешь, как продолжение ноги. И скакать, пока не стемнеет. И выигрывать. Если выходишь во двор со своей битой, то ты уже чемпион. Это не камень какой-то. Но только ты знаешь, как удобнее — потяжелее или полегче. Досыпать песка или высыпать. Другие-то не знают. Пока приноровятся, ты уже чемпион.

А если попросить, то тетя Валя нальет напиток. Сейчас он называется морс, а раньше всегда знали — красненький, из ягод, значит, напиток. Тетя Валя выйдет в свой черный ход, который тоже ведет в этот двор, выставит на стол кастрюлю с болтающимся внутри половником и еще чашки выставит. Сначала исчезли чашки — свои нужно было выносить. Ну, или стаканы. Потом пропал половник — тетя Валя всех спросила, никто не знал, куда половник делся. А она очень сокрушалась — такой половник еще поискать, с длинной ручкой и аккуратным основанием. Как раз на один стакан. Ни капли лишней. Для детей всегда напиток на столе стоял. Да и взрослые иногда тянули, прямо из половника. Что, конечно, нельзя, негигиенично, но очень вкусно. Как есть холодную манную кашу с вареньем сверху. Вкуснее горячей.

Обидевшись за половник, тетя Валя перестала выставлять напиток. Сколько ее ни просили, ни умоляли, сколько другие половники не приносили, она так и не простила кражу.

Оставался один выход — бегать в столовский туалет. Почему он назывался туалетом — непонятно. На самом деле — умывалка. В ряд стояли четыре раковины, почти впритык. На каждую — маленький краник и вечно холодная вода тоненькой струйкой, которая бьется о дно раковины со звуком. Дети выбегали в умывалку, хлестали воду, подставив под струю пересохший рот. Отдыхающие, конечно же, воду в бутылках покупали. Даже кипяченую местную не пили, опасались за желудок. Такое расточительство — покупать воду, простую воду, даже не газированную — особенно возмущало Федора.

— Чё им, денег девать некуда? — удивлялся он. — Во, люди больные.

•

В последнее время калитка совсем не работала. На кнопки отзывалась, а захлопнуть уже не получалось. Надо было дернуть сильно. Дети повисали всем телом на калитке и тянули, используя силу ног.

Ильич попросил Федора починить замок, но тот решил, что не должен заниматься калиткой. Ему уже не по статусу. И «подрядил» дядю Петю, который вообще кнопочки не видел — ни в очках, ни без. Но старик честно смазал замок машинным маслом и доложился Федору. Калитка так и не стала закрываться.

— Там надо пазы подгонять. Разболтались, — авторитетно объявил Федор.

— Так подгони, — велел Ильич.

— А нечего дергать. Пусть дома у себя так дергают, — огрызнулся Федор, но что-то подтянул. Так, на глаз, для вида.

После этого случилось происшествие. Славик играл с детьми на террасе. Местные пацаны свалили скамейку, устроили беготню, стали швыряться камнями с террасы — кто дальше. Орали как резаные: «Славик, ты вóда! Ты вóда! Догоняй!» Когда на шум выбежали Галина Васильевна и тетя Валя, вся компания кинулась к калитке. Славик, протянув руку между железными створками, быстро набрал код, решив спасать друзей. Держал дверь. И когда уже все благополучно оказались по ту сторону калитки, один из пацанов вернулся и захлопнул дверь посильнее. Славик, как ему велели, держал ладонь между замком. И калитка захлопнулась по пальцам Славика. Пацаны загоготали и разбежались. Славик даже не плакал. Он стоял, часто моргая, и с удивлением смотрел на свою ладонь, которую зажало калиткой.

— О господи, — ахнула Галина Васильевна. Она отжала калитку, вытащила руку Славика, которая на глазах посинела, увеличилась раза в три, и потащила его в умывалку. Тетя Валя уже неслась со льдом. Славик не плакал. Он смотрел на Галину Васильевну, на тетю Валю, на свою руку и повторял:

— Кто во́да? Кто во́да? Кто во́да?

Два пальца у Славика были сломаны — мизинец и безымянный. Без всякого рентгена было понятно. Как только он боль такую терпел?

Галина Васильевна потащила Славика наверх, в местную больницу. Мальчик покорно шел следом. Не плакал, не кричал. Только с удивлением смотрел на свою руку, которую Галина Васильевна примотала ему наволочкой к шее. В тот момент, когда все случилось, она гладила наволочки и с одной из них в руках так и выскочила.

— Славик, дверь сама захлопнулась? — спрашивала его Галина Васильевна уже в больнице.

— Дверь сама захлопнулась, — отвечал Славик.

— Мальчики дверь специально захлопнули? — уточняла она.

— Мальчики дверь специально захлопнули, — подтвердил Славик.

На пальцы поставили лангету. Славик даже не пикнул. Галина Васильевна никак не могла успокоиться. Надо же, свои, местные, так поступили. Ведь знают же все про Славика! Зачем так с ним? Она непременно хотела наказать обидчика.

— Славик, кто дверь захлопнул? Кто последний выбежал?

— Красный, — проговорил Славик.

Он не мог запомнить имена, как не мог запомнить названия блюд. И всех детей определял так, как определяют маленькие дети: красный, синий, зеленый. По цвету футболки или кепки. Пока Галина Васильевна выспрашивала у всех местных, кто из ребят был в красной футболке, обидчик явился сам. Его притащила Наташка.

— Вот, сознался, сволочь, — объявила она.

«Сволочь», Вовка, ростом выше матери, стоял покорно и не двигался. Мать держала наготове поднос, которым саданула по затылку сына.

— Мам, ты чё? Больно же! — потер макушку Вовка. — Я ж не нарочно, я же в шутку. Он сам виноват. Чё руку держал? Я ж закрыть хотел!

Наташка саданула сына подносом еще раз.

— Дома тебе такого ремня задам! — пригрозила мать. — Галь, делай с ним что хошь. Надоел он мне. Сил никаких нет.

— Ты же специально сделал, — сказала Галина Васильевна Вовке. — Зачем? Ты же знаешь, что Славик не понимает. Зачем так жестоко-то?

— Да чё вы? Я сто раз руку ломал и ничё! — взбеленился Вовка.

— Нет, ну ты посмотри на него! — Мать говорила «посотри». — Ты мне дашь работать спокойно?

Вовка был единственным сыном Наташки, которая торговала пирожками около входа в пансионат. Пирожки у нее были вкусные, она не жалела масла, и даже тетя Валя забирала у нее остатки — продать отдыхающим. Наташка была добрая, вечно замотанная мать-одиночка. Вовка воспитывал себя сам. От матери он регулярно получал ремня, на который уже не реагировал — ремнем больше, ремнем меньше.

— Будешь сюда ходить и все делать. Хоть языком асфальт вылизывать, — объявила Наташка.

— Да, щас, — огрызнулся Вовка.

— Я тебе щаскну! Сволочь! Опять меня позоришь! С кем связался? С дурачком! С дурачком легко, да? Он тебе сдачи дать не может!

— Вова, мне больно, — подошел к ним Славик, назвав «красного» по имени, и вдруг горько заплакал. Так, как плачут маленькие дети.

Наташка охнула и присела, схватившись за сердце.

— Вова, не надо так делать. Мне больно. Вот здесь больно, — Славик показал на голову, а не на больную руку.

Вовка вырвался из рук матери и кинулся вниз по набережной.

— Только попробуй вернись, убью! — закричала Наташка вслед.

Но Вовка знал, что не убьет. Он мечтал сбежать в Севастополь, в мореходку. Отца никогда не видел, не знал, но Наташка, чтобы отвязаться от расспросов, сказала, что тот живет в Севастополе, плавает на кораблях. Вовка, который уже все про жизнь понимал не хуже многих взрослых, отчего-то верил, что если он доберется до Севастополя, то непременно встретит там отца. И он устроит его и в мореходку, и к себе на корабль возьмет. Где Вовка собирался искать отца? Так в порту, где же еще?

Наташка иногда плакалась тете Вале:

— Сбежит, ведь сбежит, подлец. Пока недалеко сбегал, да на пару дней. А что, если насовсем?

— Конечно, сбежит, — отвечала тетя Валя.

— Он не такой. Только на него находит иногда, — объясняла Наташка Галине Васильевне, когда Вовка обижал Славика.

А обижал он Славика часто. С самого детства. То есть, с одной стороны, защищал, не давал в обиду, но на него «находило», и он издевался над Славиком.

Они выросли вместе, и Вовка, как глава местной шпаны, запрещал другим Славика-дурачка «топить», «мочить» и «лупить». Но сам же топил, мочил и лупил. Или вот как сейчас — прихлопнул ему руку калиткой.

— Он так на меня смотрит иногда, что мне страшно, — призналась Наташка, — будто бес в него вселяется. Я его ремнем отхожу, а он ржет как конь. Смеется. Взрослым себя считает, а поступает как дите неразумное. Что с ним будет? Лишь бы не в тюрягу. Пусть в армию, в мореходку, хоть куда, лишь бы не в тюрягу. Что он над Славиком издевается? Ведь знает, что нельзя.

Часто роняла Наташка слезы над своими пирожками. Работала она много, стояла над своим подносом часами. Забегала в самую жару в столовую к тете Вале — в туалет и напитка глотнуть. Дух перевести. И снова — на улицу, под зонтик, к подносу. Вовка, когда мимо пробегал, делал вид, что с матерью не знаком. Стеснялся. Нет, свои-то знали прекрасно, но Вовка перед отдыхающими стеснялся. Хотя кто ему эти отдыхающие? В первый и последний раз видит. Но Наташка плакала, когда сын так себя вел.

— Вова, Вовка! Иди сюда! — звала она. Но сын делал вид, что не слышит.

Наташка была удивительной. Она всегда говорила то, что думает. И была той редкой женщиной, которая не тряслась над ребенком, а считала его рождение ошибкой. Ильич Наташку недолюбливал именно за это. Галина Васильевна уважала ее за смелость и, можно сказать, позицию. Наташка дружила с тетей Валей, которая ее понимала. Сама так думала. Только язык не поворачивался вслух произнести.

Она не хотела рожать Вовку. И не любила сына, как не любила его случайного отца. Не считала, что Вовка — ее счастье и «спасибо, что хоть ребенок есть». Наташка полагала, что сын — ошибка молодости. Ей хватало смелости говорить об этом. О том, что ребенок как был нежеланным, так нежеланным и остался. И она не понимала Ильича. Совсем не понимала. Тетя Валя слушала Наташку и кивала. Так же она думала про свою Лизу. Зачем ей Лиза? Сына, да, любит. А Лизу нет, хоть она и рядом. Оттого, что дочь рядом, тетя Валя ее еще больше не любит.

Галина Васильевна не знала, как поступить. Что делать с Вовкой? С Наташей ссориться не хотелось, да и она ничего с сыном не сделает. Но ведь Вовка такое устраивает не в первый раз. В прошлом сезоне Славик застрял между железными прутьями ворот. Тоже Вовка его подговорил, мол, давай, как все пацаны, не через калитку пройдем, а между прутьев. Ты же нормальный пацан? Ты же с нами? И для примера полез первый. Юркий, тощий, вертлявый, Вовка пролез, а Славик застрял. Другие ребята через забор сиганули. Игру такую затеяли — или пролезть, или перелезть, но через калитку нельзя. Вся компания быстро оказалась по ту сторону забора — что там лезть-то? На приступку, ногу закинул, подтянулся, перевесился и спрыгнул. Только Вовка специально полез между прутьев. Славик тогда застыл и не знал, что делать — через забор он перелезть мог, уже научился. А между прутьев еще не пробовал. Но Вовке, который сказал, что он его друг, Славик поверил. Сказались Лизины уроки. Она учила со Славиком поговорки — «друзья познаются в беде». Пела с ним песню — «если с другом вышел в путь, веселей дорога». Славик вслед за Вовкой, вытащив из подсознания слово «друг», полез между прутьями. Каким-то чудом ему удалось просунуть голову, и он застрял ровно посередине туловища.

Тогда он кричал так, что выбежали все отдыхающие. Федор с Ильичом пытались разжать железные прутья руками, но они тоже были из старых времен, такие «фиг отожмешь», как сказал Федя. Они отжимали, потом на помощь пришли отдыхающие, тетя Валя с Галей и Наташкой тянули Славика вперед, поскольку большей частью тела Славик был уже снаружи. Но никак. Мальчик продолжал орать как резаный. Не от боли, от страха. Он не понимал, почему не может сдвинуться, почему его что-то держит. Тетя Валя сообразила первой — принесла из кухни баклажку растительного масла, которым стала поливать Славика. Так и вытащили. Причем не вперед, а назад.

— Славик, ну зачем ты полез? — спрашивала Галя.

— Мы играли, — отвечал Славик, вымазанный с ног до головы растительным маслом.

— Вернется — убью, — пообещала в который раз Наташка, имея в виду Вовку.

Наташка кормила Славика пирожками с вишней. Вовка пирожки не ел. Он любил сосиски —

9 - 2362

мог килограмм сожрать прямо сырыми. Только не в коня корм — оставался мелким и щуплым. Таких в мореходку не брали.

— Пап, мы пойдем? Пап, мы пойдем? Пап, мы пойдем? — кричал Славик, открывая калитку Марго, то есть Ритке, которая держала на руках обезьяну.

— Помнишь Алису? Можешь ее погладить, — говорила Ритка Славику. — Только осторожно. Она уже плохо видит, старая стала. Пусть отдохнет.

— А можно она попрыгает? — попросил Славик.

— Она вечером попрыгает. Приходи, — улыбнулась дрессировщица.

— Ритка! — выскочила во двор Галя.

— Слушай, дай мне попить и в туалет сходить. И в душе ополоснуться, — попросилась Ритка, — иначе сдохну. С утра по пляжу ходим всем составом, на представление зазываем. Сил нет никаких. Но вроде бы продали на сегодня. Половина зала будет. Щас ополоснусь и в обратку пойду. А куда деваться? Щас у нас чё в моде? Ростовые куклы? Дебилы в костюмах черепашек-ниндзя? Вот и попробуй конкурировать. Мы ж не дельфинарий. Чё-то у меня давление сегодня. И жрать хочу, хоть убей. Вот нельзя жрать, а хочется. Ладно, дай мне вытереться чем. И за Алисой присмотри. Лишь бы не сдохла от жары. Бедная, ее сегодня замучили совсем на пляже, а еще вечер работать. Человек сдохнет, не то что животное.

Она ушла в подвальный душ.

— Пойдем в цирк! Пойдем в цирк! Пойдем в цирк! — заладил Славик.

— Хорошо, пойдем, — сдалась Галя.

Нет, ей совсем не хотелось в цирк. Или хотелось? Но Ильич точно не пойдет, и Славик будет плакать. Значит, ей придется.

Ритка вышла из душа, и Славик ее не узнал. Она была в домашней одежде, в задрипанном халатике, с мокрой головой.

— Здравствуйте, бабушка, — поздоровался Славик, как его учили здороваться со всеми, даже с незнакомыми проживающими.

— Галь, я что, бабкой стала? — захохотала Ритка.

— Как у вас там? — Тетя Валя принесла напиток и поставила перед Риткой. — Ей нравились люди искусства, не важно какого. Она прямо млела, если к ним в столовую забредал художник, или поэт, или пусть даже артистка цирка.

— Да как обычно. Жарко в этом году. Ненавижу детей. Они Алису умотали. Поубивала бы всех! — хохотнула Ритка. — А тут как? А воз и ныне там? Ну и слава богу, я так скажу! Где Светка? Шляется уже? Жаль, Галка, ты ее в цирковое не отдала. Такие ноги зря пропали! Она бы нас всех уделала. Слушайте, они совсем озверели! В этом пансионате! Людей не пускают до представления, даже по билетам. Раньше пускали — пусть люди погуляют. А теперь — только за полчаса. Как отработаем этот сезон? Спасибо, Алиса уже на автопилоте работает. А я? У меня нет автопилота. И цистит разыгрался. Вчера искупалась. Вот чё меня понесло? Лишь бы это как его... селфи... пережить.

— Тетя Рита! — подскочила Светка.

— Светка! — кинулась к ней Марго. — Какая ж ты взрослая! А ноги! Ноги!

— Дать Алисе банан?

— Дай, только она уже не видит, что жрет. Светка, ты такая красотка стала! Ладно, я пошла. Мне еще назад пилить. Пойду. После представления увидимся. Приду. Ждите! Светка, что ты здесь делаешь с такими ногами? Ну зачем ты меня опять расстроила? Если бы у Алисы были такие ноги, как у тебя, мы бы с ней залы собирали...

— Тетя Галя, мы пойдем в цирк? — кричал Славик.

— Пойдем, обязательно пойдем, — пообещала Галя.

Вечером Галя пошла на представление в «Главный». «Главным» назывался пансионат, где они раньше работали — и она, и Ильич, и Инна Львовна. «Главный» находился под носом — три минуты неспешной ходьбы по набережной, но Галя в нем бывала раз в год, когда приезжала цирковая труппа Ритки. Да и то — ради Славика. А так... Галя вообще забыла, когда последний раз по набережной ходила. Их Дом творчества стоит выше, все магазины, больница, парикмахерская, детская площадка — тоже выше. Получается, что вниз спускаться и незачем. Набережная была для отдыхающих. Местные появлялись только в том случае, если там работали. После того как в «Главном» сделали ремонт и усилили охрану на входе, даже Светка перестала бегать туда на дискотеки. Раньше местные проходили через дальний КПП или через забор шастали. Сейчас пансионат сменил профиль — сюда ездили пожилые люди, привыкшие к советскому распорядку дня, пугавшиеся заграницы. У пансионата не было своего сайта, номер нельзя было забронировать через Интернет. Пансионат жил прошлым, пусть и по новым ценам. С каждым минувшим сезоном он становился культурной ценностью, достопримечательностью, чем и жил. А наживался на пенсионерах, которым повезло — их дети готовы были оплатить путевку по заоблачной цене. Пансионат привлекал и нынешних пятидесятилетних, которые страдали ностальгией — в этот пансионат они ездили с давно покойными родителями и бегали по этой самой гальке. Вместо былых модных дискотек пансионат проводил вечера — поэтические, юмористические, встречи со звездами позапрошлых лет. Роскошный концертный зал, пусть и обтрепавшийся, пусть и со старыми креслами, строился как положено. И его акустике мог позавидовать любой столичный театр. Пансионат совмещал духовную пищу с материальной — отдавал зал бездарным поэтам, непризнанным гениям и сдавал в аренду передвижным циркам шапито, шоу ростовых кукол и прочей гастрольной дребедени. Хотя на «дребедень» Рита бы обиделась, если бы услышала. Если бы ее Алису кто-то посмел сравнить с пьяной Черепашкой-Ниндзя, Рита бы всех собак на того спустила в прямом смысле слова — собаки в их цирке имелись.

Билеты не казались дорогими, дети требовали зрелищ, и народу на такие представления набивалось достаточно для того, чтобы окупить аренду зала и оставить себе и зверью на гонорары. Конечно, со столичными цирками шапито было не сравнить, но отчего-то дети визжали от восторга. Столичные цирки предлагали красочную программу, уверенный сценарий, костюмы, блестки, спецэффекты, музыку, картинку три дэ, а детям нравилось смотреть, как Алиса по-стариковски аккуратно и осторожно переходит с жердочки на жердочку. Им нравилось несовершенство, когда что-то идет не так — не зажигается факел, не звучит вовремя музыка, не загорается свет. Или якобы дрессированный минипиг ведет себя как свинья, выбегая из-за кулис в неположенное время. Все видно, даже двойное дно у шапки фокусника. Виден даже его старый жилет с потайными карманами.

Основная и благодарная публика — мамаши с детьми. Иногда попадались и папы, и это считалось счастьем для клоунских реприз. Папы в конкурсах тоже нужны — мячик кидать, чтобы попасть в огромный сачок. Или обруч крутить на ноге, на руке, а потом на попе, причем стоя на стуле и непременно задом к публике — так смешнее. Или изображать принца, которому клоун из воздушного шара то шпагу сделает, то рога, то мужское достоинство. Дети не поймут, мамаши хмыкнут. Так что папа в зале, желательно пьяный, но не сильно, а под пивком — залог успеха. Мамы-то всегда горазды на сцену выскочить, только позови. Для виду покапризничают, поотказываются, а потом не знаешь, как согнать. Они и обручи крутить готовы, хотя уже давно от талии остались одни воспоминания, и пританцовывать под свисток, и с чужим папой-принцем заигрывать. Попадаются, конечно, такие несмеяны в вечерних платьях, которые нос воротят, но их из-за кулис видно. А такие бабцы — огонь-бабы — очень даже ничего. Веселые, заводные. Папы папам, конечно же, рознь. Если трезвый, то лучше не связываться. Будет отбрыкиваться, лицо недовольное состроит. Если сильно пьяный, то тоже лучше не надо — не знаешь, как избавиться. Вот под пивком — самое оно. Но ведь не угадаешь. Хотя у клоунов уже глаз наметан — быстро вычисляют «удобных клиентов». Бабенки тоже разные. Вроде с виду — «зажигалка», а на сцене начинает зажиматься. И всем скучно, неудобно. Но бывает и такое, что сидит себе скромняга, а как на сцену вытащишь, так всех и уделает. Но самое счастье и удача — харизматики. Такие, правда, не каждый вечер случаются, да и не каждый сезон. Их не угадаешь со сцены. Счастливый билет, можно сказать. Такие харизматики выходят на сцену и все — зал угорает, смеется до колик. Им и делать ничего не надо — просто стоять.

Галя сидела на скамейке — они пришли раньше времени. Славик никак не мог усидеть на месте — бегал вокруг фонтана и мешал отдыхающим фотографироваться на фоне статуи.

Галина Васильевна тоже смотрела на фонтан. Она знала тут каждый уголок, закуток и тропинку, но сейчас сидела как... отдыхающая. И даже сфотографировала Славика на телефон. Чтобы быть как все.

Статуй в парке было много, на любой вкус. Бюст Пушкина соседствовал с полноценным Лениным, сидящим на скамейке нога на ногу. А вокруг цветник. Раньше отдыхающие фотографировались на фоне вождя. Стояли прямо, с серьезными лицами. А сейчас сами залезают на гигантскую мраморную лавку, закидывают ногу на ногу, да еще и руку на плечо Ильичу кладут так, панибратски. Раньше за такое неизвестно что сделали бы, а сейчас можно — аттракцион для отдыхающих. Детей и вовсе на колени к «дедушке Ленину» сажают. Дети помладше начинают плакать — им страшно. Дети постарше послушно улыбаются. Никто уже не знает, кто такой Ленин. Даже многие взрослые — молодые родители. Трехметровый дядька — это прикольно. А кто он? Пушкин, наверное. Или Лермонтов. Некоторые подставляют руку — будто Ленин сидит на ладони. Но это не те, кто из отдыхающих, а те, кто на концерты приходит. Они по парку болтаются, фоткаются. Инна Львовна один раз такое увидела и даже не нашлась что написать в доносе — девки бесстыжие садятся и голым бедром светят. Грудью на Ленина ложатся. И все смеются. Разве это смешно? А Пушкина, бюст которого тоже имелся, конечно же, вовсе замучили — и по голове гладят, и прикурить дают, и даже с рюмкой водки его фотографируют.

Пушкину больше всех достается. Ему то шляпу пляжную нацепят, то очки солнечные, то рожки подстроят. Инна Львовна написала гневное письмо в местное Министерство культуры с требованием оградить каждый памятник архитектуры, каждую скульптуру канатом, за который нельзя заходить. Но ответа или каких-то мер так и не последовало. Даже комиссия не приехала для разбирательства. Раньше бы на второй день все забегали, статуи мягкой тряпочкой натирали до блеска, а сейчас пожалуйста — под Лениным кормят кошек. Расплодились местные твари, а отдыхающие и рады. Но Инна Львовна пансионатских кошек не трогала, хотя бы с большим удовольствием всех придушила.

Со статуями купальщиц — их две — тоже не лучше. Дамочки норовят повторить позу — руку за голову, красивый изгиб. Ну, какой получается, такой и изгиб. Живот усиленно втягивают, губы выпячивают, глаза таращат. Мамы маленьких девочек просят повторить позу. Вот и стоят шестилетки, отклячив попу не по-детски. Смотреть противно. Мужики, особенно под градусом, норовят рядом с голой бабой в фонтане пристроиться. И лапают, у кого на что фантазии хватает — кто за грудь, кто за попу. Кто и вовсе пристраивается неприлично. И ничего, все веселятся. Купальщицы, несчастные, уже отполированными от многочисленных лапаний грудями сверкают на солнце, уже взгляд стал тоскливым, а ведь терпят.

Есть еще бронзовые олени с оленятами, дельфин, куда ж без дельфина-то — море все-таки. Козел тоже имеется. А еще цветники, кипарисы, лестницы, лавочки в живописных уголках.

Тут еще мода появилась, прямо поветрие последних сезонов. Если купальщицу за грудь потереть, то счастье в любви будет. Если козла по рогам погладить, то муж не будет изменять, если к олененку прижаться — то точно забеременеешь. И даже местные стали в это верить. Лиза, которая тети-Валина дочка, уже так натерла грудь купальщицы, что та сверкает, как полированная. Олененок так и вовсе на ногах еле стоит — на него и животом ложатся, и грудью, и головой, кто во что горазд. Ну, про рога козла и говорить нечего — сам козел зеленый давно от плесени, а рога сверкают, как новенькие.

— Тетя Галя, мы опоздаем, пошли, сейчас цирк начнется, тетя Галя! — стал переживать Славик. И на него странно посмотрели мама с дочкой, они как раз повторяли позу купальщицы.

Галина встала. Проще увести, чем объяснять. Славик растет, но каждый год переживает, что опоздает на представление.

— Славик, вход в зал еще закрыт. Пойдем, на улице посидим. Здесь жарко.

На улице активные мамаши, из тех, которые не дают детям продыху ни на секунду, организовали девочкам игру в ручеек. Видимо, атмосфера советского пансионата подействовала. Нарядные девочки с заплетенными по моде косами игру не знали, не понимали, в пары становиться не хотели. Мамы встали сами и играли в свое удовольствие. Девочки смотрели с удивлением.

Славик тоже хотел играть в ручеек, но Галя кое-как увела его назад в вестибюль. Там ничего не изменилось. Даже пышная лепнина на потолке сохранилась. Когда-то в этом зале выступали даже народные артисты. Сейчас цирк шапито...

Зато в вестибюле по-прежнему играют на бильярде. Борис Борисович стоит в белой рубашке с бабочкой. Столы старые, лампы, полумрак. Только курить нельзя, а раньше можно было. Борис Борисович держится бодрячком. Судя по объявлению, кружок ведет, а ему уже сколько? За семьдесят точно. Всю жизнь в этом пансионате. Все мечтал уехать, вырваться, но не смог. Все они мечтали, вот и домечтались. Галя за чистотой унитазов следит, а Борис Борисович — в прошлом чемпион — секцию ведет. Не за деньги, за то, что пускают в этот зал и дают шары погонять. У него глаукома, видит давно плохо, но едва кий в руки берет, руками видит, а не глазами. Галя кивнула Борису Борисовичу, тот ее не увидел. Ему бы операцию сделать, только он отказывается — всякий раз до следующего сезона откладывает. До лучших времен. Как и все они. Только где они, лучшие времена? Может, уже случились, а они и не заметили?

Стали запускать в зал. Продали меньше половины билетов, но уже хорошо.

Славик хлопал в ладоши. Галина Васильевна вытирала глаза. Делала вид, что вроде как тушь от жары потекла, но слезы лились сами по себе. Каждый год так в этом зале. Старые кулисы. Хорошие, добротные, бархатные. Господи, какие же они старые! И какими богатыми и красивыми эти кулисы казались тогда! Сцена высокая. Славик просился сидеть в первом ряду. Ему было важно сидеть именно в первом ряду.

— Давай, Славик, подальше, тебе будет плохо видно, — уговаривала Галя. Она оставляла мальчика в первом ряду — благо мест было предостаточно, и можно было пересаживаться, куда захочешь, — а сама уходила повыше. Садилась в амфитеатре, под балконом. Да, в этом зале и ярус балкона имелся.

Галя закрыла глаза, чтобы успокоиться. Но никак — опять сердце стучит, слезы льются. Вышла девчушка, подтянула трос, примерилась, убежала, выбежала снова — повисла на тросе, покачалась. Галя аж зашлась — что ж творят? Девчушка зеленая от страха. Что там стряслось? Крепление?

Представление долго не начиналось. Взрослые начали хлопать, и дети вслед за ними.

Наконец вышли клоуны. Молодые ребята. Нет, один молодой, явно новенький, бодренький, задорный. Второй так — снаряды подносить. Что, интересно, он потом делать будет? Девочка ведущая тоже новенькая. Та самая, которая трос подтягивала. Красивая, как когда-то была Галя. Эта точно гимнастка. Говорит плохо, лучше бы молчала. Но других ведущих нет.

Все как всегда. Покидали мячик в огромный сачок, похлопали сначала девочки, потом мальчики, потом все вместе. Мальчик старается, молодец. Зеленый еще, поэтому на драйве. Отрабатывает. Еще не устал. Он все успевал — и в свисток посвистеть, и по залу побегать. Интересно, скоро его задор пропадет? Девчушка, которая ведущая и гимнастка, уже уставшая.

Эту девочку Гале стало жалко. Сорвала стойку на руках. Потом элемент завалила. Но зрители ничего не заметили. Она руками красиво поводила, шпагат сделала — не дотянула. С сальто чуть в зал не улетела. Явно, не ее день. Или плохо себя чувствует. На тросе повисела, обозначилась и с облегчением спрыгнула. Грязно работает, недоделывает. Вполноги все. Зато купальник в обтяжечку, фигурка ладненькая, ресницы приклеенные. Папы засопели.

Галя даже плакать перестала от возмущения — да что ж такое? Ну, сальто-то обычное, детсадовское можно сделать? Раз вышла — работай. Не можешь — не выходи. Зачем так позориться-то? Надо будет у Ритки про эту девочку спросить. Где ж они такую принцессу отыскали? Ну ладно, трос ненадежный, на полу-то можно отработать? Девочка вроде бы ничего, но техника хромает, явно заштатное училище. Разве можно себя так неприлично вести? Раньше за такое увольняли сразу же. Ну вот, опять — не нога, а сосиска. Еле прыгает. Ручками только туда-сюда поводит. Или менструация, или вчера перепила. Публика она хоть и дура, но халтуру всегда чувствует. Девчушка рукой взмахнет, пальцы сжимает, аплодисменты выпрашивает, что вообще-то раньше считалось дурным тоном, а люди хлопают, но вяло.

После гимнастки выскочил клоун. Вытащил на сцену детей — мальчика и девочку, они обруч крутили. Потом взрослых. Молодец, парень. Отыграл, отработал. С природным тактом парнишка попался — ниже пояса не шутил, к тетушке со всем уважением, без издевок. Хороший мальчик, надо Ритке сказать, что за мальчика стоит держаться. Пока не охолонул, так вытаскивает все репризы.

•

А следом опять девчушка вышла, которая ведущая и гимнастка. Переобулась в сапожки с меховой оторочкой и в жилетку, тоже кучерявую. Хвостик распустила, будто и не она гимнастка. Номер с дрессированными собаками. Кто ей собак доверил? Надо будет Ритку спросить, что случилось с дрессировщицей и за какие такие заслуги девчушке дрессуру доверили? Ну нет, нельзя ее к животным подпускать. Это же отдельная профессия, мастерство. Зачем так позориться?

Галя даже плакать перестала на этом номере. Зрители те и вовсе уже животы надрывали от смеха. Девчушка вывела пуделя. Тот, конечно же, никак между ног не хотел ходить. Она его и так, и эдак. И подкармливала, и ноги пошире расставляла, а тот ни в какую. Девчушка плюнула ходить, взяла кольцо, чтобы пудель попрыгал. Но этот пес посмотрел на дрессировщицу презрительно и убежал за кулисы. Зрители зашлись от смеха. Из-за занавески на сцену выпихнули далматинца. Собака была испугана и шарахалась от дрессировщицы. Отбежала в сторону, присела и навалила кучу. Гимнастка-дрессировщица уже чуть не плакала. Подбежала, согнала, процесс прервала. А собака отбежала и снова навалила. Так они еще бегали минут пять. Собака обгадила всю сцену, откуда только столько дерьма взялось? Зрители хохотали и аплодировали. Дети были в полном восторге.

— Мама, мама, смотри, он опять накакал! — кричал мальчик на весь зал.

— Наверное, у него живот болит, — ответила мама, чем вызвала дружный смех зрителей.

— Мама, смотри, он опять какает! А это мальчик или девочка? — не унимался мальчик.

— Не знаю, — откликнулась мама.

И тут далматинец присел и пописал.

— Это девочка! — закричали дети в зале, — девочка, а не мальчик!

Далматинец, оказавшийся девочкой, наконец прокакался и убежал за кулисы. Гимнастка-дрессировщица собиралась заканчивать номер, делала знаки за кулисы, но клоун выпустил терьера. Тот попрыгал мимо обруча, пробежался туда-сюда, но это было уже совершенно неважно и неинтересно. Зрители следили за тем, наступит ли дрессировщица в говно или обойдет. Пару раз она наступила и сорвала бурные аплодисменты. Дети дружно кричали из зала: «Говно, говно! Там говно!» Галя опять вытирала слезы, но уже от смеха. Славик хохотал и думал, что это такой трюк — заставить собаку покакать на сцене.

А потом вышла она. Где они нашли такую красавицу? И школа профессиональная. Ох, какие руки! Классика в чистом виде. Неужели столичная штучка? По технике — точно московская. Как эта девочка в шапито попала? Талантливая, яркая, харизматичная. Она крутила обручи. Просто умница, не халтурит. Выезжает не на технике, а на совести. Зал притих. А потом девочка вынесла попугая ару. И он летал у нее на обруче. Раскрывал крылья, крутился. И она вместе с ним. Крутила обруч, делала колесо, но себя не выставляла — птица была главной. И костюм подобран удачно — с алыми всполохами. Хорошо отработала. И попугая своего хвалила, гладила, целовала. Что с ней могло случиться, какая трагедия, что она на этой сцене оказалась? Ведь мастер. Судя по технике — профи, высший класс. И номер хороший, поставленный на совесть — и свет, и хореография, и музыка. Галя тут же представила, какой должен был быть свет, как задумывалось? Софиты — обязательно, и много красного — девочка как будто полыхает, и попугай ее тоже будто птица феникс. В огне. Это не гимнастка с собаками. По гимнастке видно — мастер спорта в лучшем случае, не цирковая девочка совсем. А эта, с обручами и попугаем, — звезда. Еще ведь молодая, за что ей такая жизнь? Нет, ну какая же умница! Надо Ритке сказать. А гимнастку гнать без сожаления.

Мальчик-клоун, который задорный, заполнил репризу. Крутил воздушные сосиски: для мальчиков — собачек, для девочек — цветочки. Мамам короны сооружал. Никаких надувных пенисов.

Второй клоун оказался «железным человеком». Он рвал цепи руками, гнул железный прут горлом. Потом еще и огнем себя пообжигал немного. Все бы ничего, если бы опять эта горе-гимнастка-дрессировщица не появилась. Она облачилась в латекс и выглядела очень даже ничего. Да, фактура хорошая, ничего не скажешь. И грудь, и попа, и ноги. Личико миловидное. Шея длинная. Цепи подавала красиво. Зажигалкой щелкала тоже артистично. Но лучше бы она не начинала глотать огонь. Из середины зала было видно, что она сначала дует, а потом уже открывает рот, делая вид, что проглотила. Наверное, спит с этим «железным», другого объяснения нет. Или взяли не от хорошей жизни. Надо у Ритки спросить. Что, совсем плохи дела, раз таких в труппу берут?

Галине Васильевне опять захотелось плакать. Сколько она таких девчушек повидала? С «железными человеками», акробатами, дрессировщиками. Ассистенточки, танцовщицы... Пока молодые да в обтяжечку, в сапожках высоких, в колготках в сеточку — красотки. Хоть с середины зала, хоть с первого ряда рассматривай. Если какая поумнее, замуж выходит или правильной любовницей становится, номер свой работает. А эта дурочка, сразу видно. Ну шпагат-то она хоть может дотянуть?..

Галя оборвала себя. Что она к девчонке привязалась? Спасибо хоть так. Кольцо, на котором она висела, ведь на честном слове держалось. Трос в любой момент мог оборваться вместе с потолком. Подвесили невысоко, чтобы падать не больно. Да и как высоко подвесишь? Зал не для цирка, а для артистов других жанров строили. Ритка жаловалась — опять на первый ряд билеты продали, зачем им первый ряд сдался? И правильно. В этом зале если сидишь в первом ряду, то аккурат взгляд туда, куда не надо упирается. Пока гимнасточка в кольце висит, ты все ее, прости господи, трусы рассмотришь. Сцена высокая, выше уровня глаз. Ближе пятого ряда лучше не садиться.

Ох, у Гали запрыгало сердце. Вышла Ритка. Она еще ничего. Переоделась в костюмчик черный, сапожки на каблуках. Только живот не спрячешь. Хоть на груди стразы сверкают, отвлекают внимание, а живот все равно торчит. Ритка белье с утяжкой пододела, только с первого ряда все видно — где начинаются панталоны, где заканчиваются. Да и возраст уже — утягивайся не утягивайся, от природы никуда не денешься. У Ритки всегда ноги красивые были. Длинные, худые. А туловище подкачало. В молодости она квадратненькая была, без талии и без груди, зато с ногами. Сейчас тоже без талии, без груди, но с животом. Увесистая коробочка на длинных молодых ногах. Будто тело ей фотошопом к ногам приставили. Но опять же, если с середины зала смотреть, то ничего. Свет прибрали, Ритка на середине сцены держалась, близко не подходила. Профессионал, чего уж говорить.

Алиса, старая обезьяна, выглядела куда хуже. Дети, правда, смеялись и хлопали в ладоши — Алиса щеголяла в детском памперсе и костюмчике в морском стиле. Ритка работала — Алиса делала кувырки на двух палочках, прыгала. Но колечки почти не ловила. Ритка бросала аккуратно, точненько. Алиса, казалось, колец, которые нужно поймать и на шею надеть, не видела. Обезьяна была похожа на старушку, немного эксцентричную, учитывая плиссированную юбочку и кокетливую шляпку. При этом очень-очень уставшую старушку. Сейчас она немножко потерпит и пойдет отдыхать.

Ритка с поводка ее не спускала. Пришло время прыгать с тумбы на тумбу. Дрессировщица поставила тумбы почти впритык. Но Алиса, видимо, сослепу или от вдруг появившегося страха — так бывает у людей, когда начинаешь панически бояться того, чего раньше даже не замечал, — прыгать боялась. Галя, например, с возрастом стала бояться упасть со ступенек, по которым ходила каждый день. Ступеньки — старые, облизанные ступнями, исхоженные — стали внушать страх. Причем если она шла вверх, упасть не боялась, а вот вниз — поскользнуться, упасть спиной — очень. И цеплялась за поручень, чего местные жители никогда не делали, только отдыхающие. Наверное, у Алисы тоже появился такой страх. Прыгала, прыгала всю свою жизнь и вдруг стала бояться.

Ритка чуть дернула поводок. Алиса, зажмурившись, перепрыгнула и вцепилась в тумбу. Но Ритка дернула еще раз, и Алиса, не открывая глаз, снова прыгнула.

Когда Ритка доработала номер, Алиса поклонилась. Галя заплакала. Ей было жаль и Ритку, и Алису. Жаль девчонку с обручами и попугаем. Жаль себя. Но кто же знал, что так будет? Ритка точно не знала. Она же цирковая, в опилках родилась, ее родители цирковыми были. Отец гири бросал, мама — в балете. И Ритку сосватали еще до того, как она в школу пошла. За Арнольда, который был тоже своим, из династии дрессировщиков. Папа со слонами, мама — с голубями. Вот Ритка, тогда Марго, и вышла замуж за слонов и голубей. Но ни те ни другие ей не достались. Она оказалась вдовой в двадцать лет, через год после замужества — молодой муж умер от инфаркта. Марго знала, что от наркотиков. И потом понеслось. У свекра обнаружилась другая семья, у свекрови — роман с дрессировщиком тигров. Начались судебные тяжбы, в результате которых Марго ничего не досталось, лишь громкое имя. Она еще немного покочевала между родственниками, пока наконец не нашла себя в обезьянах. У нее был номер, полноценный. Четыре обезьяны. Марго работала, жила вроде бы спокойно. А потом ей все надоело. И родственники, и вся ее жизнь. Она забрала с собой Алису и уехала. Эта Алиса, нынешняя, новая. Всех обезьян Ритка называла Алисами. Они старели, теряли зрение, слух, умирали, не менялся только морской костюмчик. Каждую Алису Ритка любила. И на смену старой Алисе приходила новая.

После представления все гуляли по парку. Дети ловили ежей — их здесь всегда было много. Попадались и целые ежиные семьи. Дети вытаскивали ежат из кустов и не выпускали из рук, пока мама вдоволь не «нафоткает». Славик бегал кругами от переизбытка эмоций. Галя шла, а мальчик наматывал круги вокруг нее.

Сезон. На набережной не протолкнуться. Народ вышел на променад, как всегда, будто в последний раз. Женщины на каблуках, нарядные дети, мужчины в чистых майках. На пляжах по вечерам баклану некуда присесть — везде столики. Людям это нравится — есть на берегу. Днем они жрут под зонтиками на лежаках, вечером — за пластиковыми столами, ввернутыми в гальку. И верят, что их кормят настоящей барабулькой, с утра выловленной, а не замороженной. Дамочкам пледы предлагают. Народ валит — жрать, бухать. Странно, что еще не додумались на ночь ставить лежаки, чтобы отдыхающие могли совокупляться поближе к воде. Раньше-то все по старинке было, на камнях, потом вся задница синяя. Или уже додумались?

Торгашей прибавилось. А вот распространенный аттракцион — измерить свой вес с помощью старых весов с гирьками — исчез. Как и весы с гирьками. У Надежды Валентиновны отбоя от клиентов не было. Она, в белом медицинском халате и в аккуратном колпаке, стояла напротив туалета. И так гирьками орудовала, что весы всякий раз то что надо показывали. Надежда Валентиновна была гением взвешивания. У нее даже постоянные клиенты имелись — она гирьку сдвинет, и женщина уже счастлива — сегодня на двести граммов меньше. А завтра еще меньше будет — уж Надежда Валентиновна постарается. Ей все верили. Как же не поверишь женщине, которую все зовут по имени-отчеству, да еще и в медицинском халате? Детям же она всегда привес обеспечивала. «Вот, на сто граммов поправился, молодец!» — радовалась Надежда Валентиновна, будто речь шла о ее собственном ребенке. Если ей попадалось дитя со второй степенью ожирения, Надежда Валентиновна радостно и даже искренне восклицала: «Боже, какой ребенок! Тьфу-тьфу, на тебя! Наконец нормальный вес, тот, который должен быть у ребенка!» Мамаша немедленно начинала улыбаться и радоваться. «Да, нынешние мамаши совсем с ума посходили. Сами худеют, да еще детей на диету сажают! А потом удивляются, откуда анорексия? Оттуда!» И мамаша уходила счастливая — ведь Надежда Валентиновна знала слово «анорексия». Значит, точно разбирается.

Впрочем, если на весы ставили девочку-худышку, Надежда Валентиновна приходила в не меньший восторг. «Какая мамочка — молодец! Большой молодец! Не раскормила. А то раскормят, не думая, что ребенок страдает. Да ему дышать с таким весом тяжело, не то что ходить! Сами едят без конца и в детей впихивают! Как же мне нравятся такие дети — поджарые, худые! Идеальный вес! Не доедает? Да прекрасная у вас девочка! Балерина! Наверное, в маму!» И обеспокоенная недовесом мамаша снова была счастлива — ведь ее сравнили с балериной. «А вы знаете, какой вес у балерин? От роста — минус сто двадцать! И вы еще жалуетесь, что ребенок худой? Да вы радоваться должны, от счастья прыгать! Смотрите, ни жиринки! Модель растет!» — закрепляла эффект Надежда Валентиновна.

— Мне бы похудеть, — жаловалась тихо мамаша.

— Так у нас от одного воздуха все худеют! — заверяла Надежда Валентиновна. — Приходите завтра, я вас взвешу, сами убедитесь.

И на следующий день весы показывали на двести граммов меньше.

— Ну, что я вам говорила! А завтра еще меньше будет! — обещала Надежда Валентиновна.

Надо ли говорить, что к ее весам выстраивалась очередь.

Весы Надежды Валентиновны считались самыми точными на всей набережной. А сама она еще и советовала — какую травку купить и попить, как нервы успокоить и мужскую силу мужу прибавить. Чем кишечник очистить, чтобы навсегда. Как побыстрее похудеть или, наоборот, как побыстрее набрать. Травки советовала покупать непременно у бабы Мани.

— Баба Маня сама ходит, сама лаванду собирает, сборы делает. У этих не берите — они сами не знают, что в пакеты сыплют, — шептала доверительно Надежда Валентиновна.

От весов все переходили к бабе Мане, которая стояла чуть поодаль. И надо же — травки действовали. Что ни день — так минус сто граммов, а иногда и все триста. Если нужен плюс, то был и плюс. Надежда Валентиновна клиентов помнила в лицо и по обхвату талии, который умела определять на глаз. А баба Маня, в свою очередь, велела всем покупательницам к Надежде Валентиновне сначала сходить, взвеситься. Чтобы баба Маня могла верно рассчитать дозировку — кому одну ложку травы, кому две. Тут ведь от веса много зависит. Баба Маня, конечно же, никуда за травами не ходила — товар ей поставляли. Но работала аккуратно, ответственно. И вид имела соответствующий — чистенькая милая старушка в платочке. Поджарая, будто и вправду всю жизнь по горам за травами бегала.

Так они работали в связке много лет, пока баба Маня не умерла. Местные дельцы пытались найти замену — чуть ли не кастинг бабулек провели. Нашли вроде бы похожую на бабу Маню. Но все было не так. Бабулю звали другим именем, но ей велели называться бабой Маней. Даже это не помогло. У новой старушки торговля не заладилась — как-то она не убеждала, не внушала. Да еще напасть свалилась — весы электрические эти. Даже в санаториях-профилакториях новые весы появились. Показывают все до граммов. Тут уже и Надежда Валентиновна с гирьками ненужной стала. Написали новое объявление: «Проверь свой точный вес прямо сейчас». Весы электрические на асфальт плюхнули, а что толку? Это же не аттракцион получается, а как дома в ванной.

•

Надежде Валентиновне пришлось сменить сферу деятельности — она стала работать при туалете. Вход — пятнадцать рублей. Раньше было десять. А что делать? Все дорожает. Фрукты вон золотыми стали. Надежда Валентиновна сидела за столом, перед ней стояло чайное блюдце, покоцанное, с трещинами. Она собирала монетки и выдавала бумагу отмотать, а желающим руки помыть — мыло. Некогда милая, добрая Надежда Валентиновна, повелительница гирек и фея весов, с полувзгляда чувствовавшая клиента и умевшая сделать ему приятно, быстро вошла в новый образ. Сидя за грязным пластмассовым столом напротив дверей туалета, она гаркала и хамила. «Куда мотаешь столько?», «Почему туалет грязный? Нормальный туалет. Не нравится, иди ссы в другое место! Чё ты там рассиживаешься? К себе иди, там и сиди!».

Появлялись и новые люди. Наташка, которая пирожками торговала, прибежала к Ильичу в панике — срочно нужна работа для двоюродной сестры из Майкопа Анжелы. Та только развелась, и ей немедленно нужны были деньги и новые знакомства. Ильич согласился — еще одна уборщица не помешает. Анжела оказалась ленивой, но очень любопытной. Ей доставляло отдельное удовольствие копаться в чужом мусоре.

— Ты курево за собой убрала? — спросила она одну отдыхающую, которая, между прочим, была известной художницей и снимала номер с кондиционером. Сначала Инна Львовна выговорила художнице за то, что та включает кондиционер во время экскурсии, а потом Анжела потребовала, чтобы художница вытряхивала за собой пепельницу. Художница онемела от такого хамства и стала вытряхивать пепельницу.

— Опять бухала весь вечер, — сообщала всем Анжела. Художница пила белое вино и писала закаты. Очень талантливые закаты. Но Анжела считала, что пить вино в одиночку — это значит «бухать».

— Чё она не пьет пиво на пляже? На пляже — это нормально. А ходит целый день трезвая, потом вино хлещет, как воду, и типа работает. Да чтоб я так работала! Вино-то — кислятина. Сколько ж его выпить надо, чтобы подействовало?

— Анжела, не твое дело, — говорила ей Галина Васильевна.

— Она бухает, курит, в мусорку все сваливает, и не мое дело? Да мне за ней каждый день убирать приходится! — возмущалась Анжела. — И вся такая, что не подойди. А у нее в ванной кремы от морщин дорогущие стоят. Да я столько за месяц не зарабатываю, сколько она на один крем тратит! И все равно страшная.

— Если ты будешь чужие кремы на полке рассматривать, а не свою работу делать, Ильич тебя быстро уволит, — пригрозила Галина Васильевна.

— Ага, в середине сезона, уволит он, — подбоченилась Анжела. — Пусть он дядю Петю сначала уволит. Тот вообще скоро под этими кипарисами окочурится.

— Типун тебе на язык. Почему ты полы не помыла в шестом номере?

— Так они чемоданы не подняли! У них сумки на полу валяются, чемоданы стоят, я, что ли, их тягать должна? Пусть поднимают, на кровать ложат, я помою.

— А подвинуть ты не могла?

— Очень надо! Потом скажут, что я в вещах рылась!

— Почему ты в двенадцатом в ванной пол не моешь?

— Галина Васильевна, ну чё вы цепляетесь? Мою я пол!

— Пойдем посмотрим, как ты моешь.

— Да я за три копейки и так спины не разгибаю!

Анжела продолжала скандалить, но Галина Васильевна вела ее по коридору в двенадцатый.

— А вчера они ключи не сдавали! — нашлась Анжела.

Галя дошла до номера и постучалась.

— Вы че? Ключи ж у вас! — удивилась Анжела.

— Так положено.

— Ну и че? Чисто тут, — Анжела вместе с Галиной Васильевной рассматривали пол в ванной, который был относительно чистым.

— А здесь? — Галина Васильевна подняла резиновый коврик, под которым уже завелась плесень.

— Так это не я! Это они сюда стекают! Че? Нельзя обтереться в поддоне? Вон, опять слив засорили. И плитка старая. Это от плитки плесень!

— Анжела, тебе что в лоб, что по лбу. Я тебе про Фому, а ты мне про Ерему. Не обижайся, но я доложу Ильичу.

— Да очень надо! Подтирать тут за вами!

В следующем сезоне Анжела уже не работала горничной. Она сидела на набережной и гадала по картам Таро, по руке, разбрасывая по куску ткани камни. До нее это место — между бывшими весами и пирожками — занимала Екатерина Ивановна, которая не говорила, что она потомственная гадалка. Она гадала исключительно по руке, и, надо признать, ее предсказания иногда сбывались. Но Екатерина Ивановна не умела впечатлить, подать себя. Она выглядела обычной женщиной, достаточно моложавой, в аккуратной кофточке, с неизменными длинными бусами на груди. К тому же Екатерина Ивановна не делала тайны из гадания, называя хиромантию «наукой». И вообще, всячески подчеркивала приземленность своей, так сказать, профессии. Во время обеда, который происходил у гадалки прямо на месте — на складном стульчике, — она выставляла на стол табличку, написанную фломастером: «Перерыв на обед — 20 минут». Екатерина Ивановна доставала контейнеры с едой и тщательно пережевывала пищу. И никакой клиент не заставил бы ее прервать обед. Опять же гадалка выходила на работу в десять утра, а ровно в семь вечера собирала свой стульчик. И это в то время, когда отдыхающие только начинали выходить на набережную. Екатерина Ивановна, что тоже было плохо, имела обыкновение совсем не загадочно чертить шариковой ручкой на руке клиента — продолжать линии, ставить точки на «холмах» и пересечениях. После чего сверялась с книжкой по хиромантии. Нет, конечно, она могла и без книжки, но лишний раз хотела удостовериться, что прогноз на будущее все-таки точный. Екатерина Ивановна была милой женщиной, аккуратной, пунктуальной, но совершенно не примечательной, какой должна быть гадалка. Она даже чем-то неуловимо Инну Львовну напоминала. Ей бы экскурсоводом работать и про деревья рассказывать, а не про линию жизни.

Устав под присмотром Гали возюкать грязной тряпкой по номерам, Анжела решила сменить сферу деятельности. И с не меньшей пунктуальностью стала выходить на набережную ровно в семь вечера. Только место между весами и пирожками Анжеле не понравилось, и она пристроилась в самой середине променада — между Гариком, который светящимися игрушками торговал, и Русланчиком, который отвечал за электрические машинки — круг сто рублей. Поскольку у Анжелы был короткий роман с Русланчиком еще в прошлом сезоне, а в этом наклевывались отношения с Гариком, ее пустили сидеть на лавочке рядом с Эльвирой, торговавшей вязаными шапочками, пинетками и комбинезончиками для младенцев. Эльвира такому соседству не обрадовалась и поначалу Анжелу игнорировала. Но потом все наладилось — ей тоже перепадали клиенты.

Анжела, конечно, была красотка. Она распускала свои черные кудри по плечам, обильно красила глаза и губы. На каждый палец нацепила по кольцу, а то и по два. Камни — гальку с пляжа — она подбирала долго. По цвету и размеру. Колоду карт «состарила» сама — да что там старить? Пролила вино, вытерла, еще раз пролила, еще раз вытерла. Помыла, посушила над рукомойником, и вот — старая колода. Тряпку, чтобы камни бросать, Анжела из пансионата «позаимствовала». Отрезала кусок от бархатной скатерти с бахромой. Бахрому перешила, скатерть подпорола, и получилась идеальное полотно, чтобы галькой швыряться. Анжела закатывала глаза, впадала в транс. Но потом от этого отказалась — отдыхающим, особенно подвыпившим, было все равно — в трансе она или нет. Они сдавали детей Гарику, который усаживал их в машинки и запускал до конца набережной и обратно. Мамаши в это время скупали у Эльвиры ненужные пинетки и шапки в качестве сувениров для троюродных племянников. А оставшихся детей брал на себя Русланчик, впаривая им крутящиеся и сверкающие колеса, мигающие волшебные палочки и прочую хрень, которая уже на завтра не сверкала и не мигала. Анжела же в это время предсказывала судьбу, разбрасывая по бывшей скатерти камни и карты. Женщинам, вне зависимости от наличия или отсутствия мужчины рядом, она предсказывала встречу, любовь всей жизни и прочие страсти. Мужикам, а такие тоже находились, конечно же, обещала золотой дождь. Если не золотой, то серебряный точно. Вот как из отпуска вернется, так сразу бабки появятся. Бездетным одиноким дамочкам обещала нежданное пополнение в семье. А молодым девушкам — дальнюю дорогу. Кто же не хочет свалить, да подальше? И как ни странно, Анжела стала популярной. Ей верили безоглядно. Она почувствовала уверенность и обзавелась браслетами для пущей убедительности. Отрастила длинные ногти, которые красила черным лаком, и прикупила накладные ресницы. От бывшей Анжелы из Майкопа ничего не осталось. Перед отдыхающими сидела Анжелика, потомственная ведунья, которой знания передала бабка-ведьма. А уж когда на набережной появилась Маринка — она плела косички и переводила временные татуировки хной, то вообще стало хорошо. Маринка рисовать не умела, поэтому обзавелась альбомом, из которого вырезала дельфинчиков, цветочки, узоры, шмякала на ногу или на руку и обводила по контуру. Анжеле, то есть Анжелике, она перевела на запястья какие-то замысловатые цветы, похожие на водоросли. Анжелика выдавала их за тайные буддистские письмена. Про буддизм она ничего не знала, но звучало хорошо.

•

Бедная Екатерина Ивановна честно отсиживала свое время с перерывом на обед и уходила ни с чем, без клиентов. И тут же заступала на вахту Анжела. Екатерина Ивановна не понимала, в чем дело, даже сократила время обеда до пятнадцати минут и убрала табличку «Технический перерыв десять минут», что означало, что гадалка ушла в туалет. Но клиентов не было. Так Екатерина Ивановна со своим стульчиком исчезла вслед за весами.

Анжела же прижилась, будто всегда здесь и сидела. Стала такой же местной, как Ильич. Удивительно просто.

Они дошли до дома. Галя так говорила для Славика. Но уже и для себя — сначала у нее был один казенный дом, теперь другой. Всю жизнь в казенном доме прожила. Кто бы нагадал — не поверила. Как не могла поверить в то, что Надежда Валентиновна будет сидеть у туалета, а Светка — полы мыть. И в страшном сне не могла представить, что будет работать бок о бок с Инной. И уж тем более не могла предположить, что они с Риткой так быстро постареют и их жизнь пролетит так стремительно и... бессмысленно. И что она из Галочки превратится в Галину Васильевну, а Марго — в Ритку.

Славик заплакал — не хотел идти спать, после представления был перевозбужден. Но уснул сразу же, едва дойдя до кровати.

•

Дрессировщица появилась быстро. Тетя Валя накрыла стол на террасе. Она знала, что та после представления всегда голодая, и настрогала салатиков, испекла пирог с капустой и яйцами. Рита обнялась с Ильичом. В растянутой майке, старых шлепанцах, которые назывались «кроксы», с волосами цвета баклажан, она выглядела обычной бабулькой с пляжа, каких в сезон битком. Кроксы — ярко-желтые, здоровенные, смешные. Фиолетовые волосы — тоже смешно. Майка, господи, сколько лет этой майке? Галя опять заплакала, глядя на Ритку — подруга сдала за последний год. Мешки под глазами появились. Морщин много. Шея, руки... Неужели и она такая же? Нет, еще хуже. Ритка хоть держится, следит за собой, как может. Сцена обязывает. Нет, просто сегодня тяжелый день. Они устали. Да и душно, хоть и вечер — ветра совсем нет, ни дуновения, кипарисы молчат.

Ритка уписывала люля, закусывала пирогом, просила Ильича подлить вина и смешно рассказывала про сегодняшний провал — Анька завалила все, что могла.

— Да она нормальная! — смеялась Ритка. — С виду дура, а так ничего. Да и где мы такую найдем в сезон? Она как свой латекс натянет, так мужики слюни пускают. Ну что я вам рассказываю, а то вы не знаете?

— Зачем вы ей собак-то дали? — спросила Галя.

— А кому дать? Лида с аппендицитом свалилась. Прямо перед сезоном. Вырезали, еле успели.

Вроде оклемалась, но опять в больницу загремела с кишечной палочкой. Собаки-то все чувствуют — Лидка срет, и они срут. Только Лидка в больнице, а эти на сцене!

— Детям понравилось, — засмеялась Галя.

— Конечно! — хохотала Галя. — Где они в Москве увидят срущего на сцене далматинца? Да нигде!

— А кто та девочка? С обручами и попугаем? — спросила, не удержавшись, Галя.

— Я знала, что ты ее заметишь. Правда, красотка? Она, как ты в молодости. Нет, ты лучше была...

Была. Галя была хороша, чего уж говорить. Лауреат международных конкурсов. Гимнастка. Воздушная. Ходила с веером под куполом. Получила травму — сухожилие было порвано в клочья. Страх появился. Ей дали голубей. Галя выходила на сцену в белом платье, вокруг летали голуби. Она крутила обруч, голуби летали вместе с ним.

Те гастроли она помнила как сейчас. Редкая удача — получить два вечера в знаменитом пансионате. Туда путевку было не достать. Контингент — закачаешься. Жены, дети, внуки, любовницы, матери. Иногда и «сами» хозяева жизни наезжали.

Ильич, в те годы Виктор, прыткий, молодой, неболтливый, быстро взлетел до замдиректора. Инна экскурсии проводила — про деревья и памятники рассказывала. Старшим администратором числилась. Вадик — совсем молодой и зеленый — на подхвате. Но уже тогда водил прилично. Если что срочное — Вадика отправляли. Он луну с неба за час привезти мог.

Что случилось в те два дня? То ли солнечное затмение, то ли звезды не так встали. Но все сразу пошло не так. Галя нервничала. Жара была страшная. Звери и птицы одуревшие. То свет выставить не могли, то звук отключался. Микрофоны тогда были старые, на длинных шнурах. Ведущая — Тася — запнулась, упала на репетиции, ногу потянула. Зафиксировали, бинтом перетянули, в платье длинное переодели. Потом кулису заело. Ни туда ни сюда. Починили в последний момент.

Работали вроде бы нормально. Галя все ждала чего-то плохого, в предчувствия она верила, а все гладенько прошло, чистенько, не придерешься. Зрители довольны. После представления все дружно выдохнули и предложили фотографироваться. В основном дети с Алисой хотели. Но мамаши желали с голубями. И девочек тоже с голубями заставляли фотографироваться — красиво же. С обезьяной пусть мальчишки фотографируются. И тут случилось то, чего Галя ожидала, но отгоняла дурные мысли, — голубка когтями вцепилась девочке в руку, девочка заорала. Скорее от неожиданности и страха, чем от боли. Царапина была так себе, но девочка оказалась внучкой «того самого». А мамаша, соответственно, дочкой «того самого». Была еще и жена «того самого», то есть бабушка, которая и устроила скандал.

Виктор мог бы замять дело. Да и мать девочки, то есть дочь «того самого», встала на сторону голубки и Гали. Вадик прибежал на помощь. Вызвался показать ежиное семейство — провел в кусты, нашел ежиху с ежатами. Девочка и думать забыла о царапине. Мать с умилением гладила ежа, которого ей Вадик поймал. Бабушка, то есть жена «того самого», стояла на дорожке и вроде бы тоже не собиралась больше скандалить. Но тут, кто бы мог подумать, в конце дорожки появилась пьяная вдрызг парочка. Молодая девица на каблуках и в мини-юбке по самую талию и лысеющий толстый мужик, который девицу хватал за все места. Они шли, пили шампанское из горла и хохотали. Мужик после глотка нырял девице в декольте — занюхивал. Та хохотала. Первой среагировала малышка, оторвавшись от ежиного семейства:

— Дедушка! — закричала девчушка.

— Папа? — удивленно посмотрела на дорожку ее мать.

Тут, конечно, стало понятно, что ежики не спасут. «Тот самый», Сазонов Михаил Александрович, приехал в пансионат с любовницей и поселился не в люксах, как обычно, а в стандартном номере. Чтобы не столкнуться ни с женой, ни с дочкой, ни с внучкой. И за неделю пребывания их дороги даже в парке не пересеклись, что тоже вполне понятно — парк огромный, несколько выходов. Из люксов на пляж — через центральный, а из стандартных — в обход. Сазонов — его так даже любовница называла, по фамилии, а не по имени — пансионатского пляжа, естественно, избегал. Да и некогда ему было — то любовница требовала катамарана, то прогулки на катере, то ночного заплыва голыми. И Сазонов старался соответствовать. Пока его жена с дочкой и внучкой смотрели в холле программу «Время» и пили кефир с печеньем, Сазонов через пятый КПП выходил на набережную, чтобы сидеть в ресторане, есть чебуреки и мучиться изжогой. Чтобы купаться голым с любовницей, бухать не просыхая, жрать креветки и срать потом в кустах, потому как живот прихватывало так, что хоть кричи. А на любовницу длинноногую другие мужики заглядываются. Той хоть бы хны — жрет, пьет, и ничего с ней не случается. Сазонов же сидит на гальке, которая в задницу врезается, к животу прислушивается, к простатиту, к панкреатиту, к давлению повышенному, учащенному пульсу и аритмии, и она даже не видит, что он страдает. Молодая, красивая, чтоб ее.

Ежи сбежать успели, любовница — нет. Жена Сазонова, еще вполне себе молодая бабушка, ну за сорок, пятидесяти еще нет, с высоким начесом и бриллиантами в ушах, неожиданно для всех дала ей «пендель», такой профессиональный, мужской, чтобы носком в копчик, и любовница слетела со своих каблуков носом в асфальт. Заскулила и поползла в кусты. Сазонов с пьяных глаз не сразу понял, что случилось. Поэтому стоял и смотрел, как любовница отползает в кусты.

И вот что странно — ведь не в первый раз Сазонов такие кренделя выкидывал. Пансионат этот он очень любил. Приезжал и в несезон, и в сезон, как сейчас. Жил то один, то с любовницей. Если один, то бухал по-черному, запойно. Или, как в позапрошлый раз, после прободения язвы, спал, гулял, пил кефирчик и ел кашку. Ходил на почту, чтобы позвонить и отчитаться жене. А здание почты наверху. Подниматься хоть не высоко, но с непривычки ощутимо. Особенно если только вдоль набережной и ходишь. Там, правда, лавочки. И Сазонов едва доползал до лавочки, чтобы отдышаться. А к концу недели бегал, как горный козел. Похудел, поздоровел, даже помолодел.

В следующий раз уже с любовницей приехал. Но дамочка была не сильно молодая и оказалась понимающей — жалела Сазонова, оргий не требовала, за режимом следила. И вот сейчас он опять с девкой заявился. Ничему его язва не научила.

И ведь ни разу не попался. Конечно, не без участия Виктора. Собственно, если бы не Сазонов, Виктор бы не взлетел до замдиректора. У директора своих «тех самых» было предостаточно, кто повыше Сазонова сидел. Так что директор Сазонова Виктору отдал с радостью и облегчением.

— Организуй так, чтобы... ну, ты понимаешь... — велел Сазонов и положил на стол купюру. Красненькую. С этого все и началось.

Виктор организовывал — Сазонова, если один, то поближе к столовой, к лечебному корпусу. Если с семьей, что тоже случалось, то люксы в лучшем виде. А если с бабой, то тоже смотря с какой. С молодой девкой подальше, у пятого КПП. Чтобы выходить огородами. Сазонов оказался щедрым и, что особенно удивило Виктора, непритязательным. На номера ему вообще было плевать. Требовал только, чтобы его Вадик возил. Как персональный водитель. И чтобы всегда под парами стоял. Платил Михаил Александрович щедро. Вадик был готов возить куда угодно, но этого не потребовалось — Сазонов, когда было совсем невмоготу, сбегал от баб к шоферу, в его «Волгу» — отоспаться. Заваливался на заднее сиденье и дрых как убитый. Вадик ему подушечку даже подарил, так Сазонов чуть не расплакался от счастья.

Что он тут только не вытворял! Один раз попросил Виктора достать вина. Но не в бутылках и не в канистрах, а в желтой бочке. И чтоб надпись «квас» на ней. Краник открываешь, а оттуда не квас льется, а вино. За бочкой Виктор отправил Вадика. Тот каким-то чудом бочку подогнал, но пустую. Тогда Виктор сбегал к Артуру в ресторан — тот достал домашнее дешевое вино, которое Вадик залил в бочку.

Сазонов как краник открыл, как увидел вино, так и радовался как ребенок. Прыгал вокруг этой бочки. Любовницу свою в белый халат нарядил и велел разливать всем по пивным кружкам. После этого Вадик на «Волгу» и пересел, а до этого на «Жигулях» катался. Когда приезжал Сазонов, сезон считался удачным. Если Михаил Александрович с семьей — то Вадик возил жену с внучкой в дельфинарий, в ботанический сад, по достопримечательностям. Если Сазонов с любовницей, то просто стоял — клиент плюхался и отсыпался. Вадик прикупил плед, валокордин, термос, в который заливал кофе. Артур был первым, кто организовал доставку еды. Из-за Сазонова. Тот просыпался и хотел есть. Вадик немедленно доставал пластмассовые контейнеры. Артур потом хорошо на доставке заработал — поставил «горячие завтраки» на поток. За пару сезонов Вадик благодаря Сазонову — из однушки переехал в трешку. Мать Вадика — Оксана Сергеевна — плакала от счастья и ужаса и все причитала: «Вадик, не надо, а вдруг отберут, как дали? Вадик, зачем нам это? Ты ж первый виноватым будешь». А Сазонов на новоселье заявился, да еще и в костюме, и подарил холодильник, который Вадик притаранил. Но бедная Оксана Сергеевна не выдержала потрясения и свалилась рядом с новеньким холодильником с сердечным приступом. Сазонов очень переживал и устроил Оксану Сергеевну в больницу в городе. В Москву предлагал отвезти, но Вадик поблагодарил и отказался — мать не выдержит, не дай бог умрет от счастья. Оксана Сергеевна, вернувшись из больницы, еще долго вещи не раскладывала. Все боялась, что квартиру отберут. И в холодильник ничего из продуктов не ставила. Только пыль вытирала. Тоже думала, что придут за холодильником. А она скажет, что не пользовалась.

Мама Вадика, слава богу, до сих пор жива. Ходит по старинке на почту — подписывается на газеты. Уже с палочкой, а быстрее молодых по ступенькам бегает. Иногда к Вале в столовую заходит, чай пьет. Конфеты Славику приносит. Дай бог ей здоровья.

Артур стал директором ресторана. Перед каждым приездом Сазонов звонил Виктору и просил передать Артуру, чтобы тот сменил вывеску. В результате ресторан назывался то «Анжела», то «У тещи», то «Сергей Есенин» (Сазонов нашел себе любовницу-библиотекаршу). Два сезона продержалось название «Елена», один сезон — «Карина». Сазонов любил сюда ходить. Артуру же было не сложно перекрасить вывеску. Все равно все знали его ресторан под другим названием: «К Артуру», «У Артура».

Сазонов был хоть и чудной, но искренний и благодарный. То ли в детстве не наигрался, то ли на работе такой стресс испытывал, что только здесь мог оторваться на полную катушку. Веселый был.

Однажды приехал не в сезон. Зимой. С очередной любовницей, которая оказалась фигуристкой. Попросил полулюкс. Гулял, в снежки играл с любовницей. Но что делать зимой? Вот и придумал Сазонов подарить любовнице ее, так сказать, статую в натуральную величину. Из гипса или из бронзы, да хоть железную. Но чтобы у него перед дверью стояла фигуристка.

— Витя, организуй, — попросил Сазонов.

— Может, павлина? Или дельфина? — пытался отговорить Сазонова Виктор. — Дельфинов много. Тут ведь море, а не каток. Море-то не замерзает.

— Вить, хочу фигуристку. Чтобы это... в ласточке стояла.

— Какой ласточке?

— Ну, с ногой задранной чтоб!

— И куда ее потом? В Москву же не повезете.

— Вить, ну дай мне бабу удивить. В постели я уже не могу, так хоть поржем. Найди тут скульптора, пусть сваяет. И чтобы лицо было похоже. Как у моей. Да если я ей статую подарю, она меня всю жизнь помнить будет.

Что было несомненной правдой. Сазонова невозможно было забыть. Ильич и сейчас вспоминал ту бочку с вином вместо кваса и любовницу в халатике задрипанном, которая вино разливала. Вадик ту подушку, на которой Сазонов спал, наверняка не выбросил. Хранил как память о клиенте.

Виктор пошел к Артуру. Тот кому-то позвонил, но скульптора не нашел. Тогда Виктор пошел к Инне, и та посоветовала скульптора, думая, что в парке поставят бюст Пушкина или Есенина. Или, еще лучше, Чехова. Чехова давно нужно поставить, ведь он здесь бывал, отдыхал, ходил по этим самым дорожкам. Конечно, нет достоверной информации, что именно по этим самым дорожкам, но Инна считала, что такое вполне возможно. Тут ведь еще какой нюанс — она не спросила, чей конкретно бюст решили заказать скульптору, а сама себе все придумала. А Ильич не сказал, что нужен не бюст, а скульптура, да еще фигуристки, чтоб ее. Поэтому Инна посоветовала хорошего скульптора, можно сказать молодого гения, очень талантливого. Она видела его работы — «Даму с собачкой» в миниатюре, бюст мужчины, отдаленно похожего на Шаляпина, и за Чехова была спокойна. Чехов получится замечательный.

К скульптору — Эдуарду — приехали не вовремя: тот находился в глубоком запое. Пришлось подключать Вадика, который поливал скульптора холодной водой, а потом плюнул, съездил в ближайшую больницу, откуда привез врача вместе с капельницей. Эдуарда вывели из запоя быстро, благо Сазонов велел не экономить на будущем произведении искусства.

— Нужна фигуристка, срочно, — обрисовал проблему Виктор.

— Кто? — Эдуард потряс головой, думая, что еще не пришел в себя.

— Фигуристка, — повторил Виктор.

— Это из какого произведения? — все еще не мог очухаться Эдуард.

— Ни из какого. Это новое произведение. И чтобы фигуристка стояла в «ласточке». Обязательное требование.

— Странно. А Пушкин не подойдет? — с надеждой спросил Эдуард. — У меня есть лишний. Для детского сада делал, но не взяли.

— Не подойдет, — тяжело вздохнул Виктор, — и надо срочно.

— Я не могу сейчас фигуристку, — признался Эдик и заплакал, — есть еще ежи, обезьяны. Обезьяна не нужна?

Виктор выложил на стол деньги. Но даже это не помогло — Эдуард не хотел работать, а хотел пить.

— Давай через месяц, — предложил он.

— У нас есть неделя. Лучше — меньше. Три дня.

— Ну не могу, хоть режь. Ни за неделю, ни за три дня.

Эдуард и вправду не мог. Он был зашитый. Раз в год давал себе месяц на то, чтобы набухаться перед следующей «торпедой». И этого месяца он ждал целый год. Специально выбирал зиму, чтобы его никто не трогал.

— Тебе деньги, что ли, не нужны? Сколько ты хочешь? Заказчик готов заплатить любую сумму.

— Да не во мне дело. В материале... Вы из чего хотите?

Виктор пожал плечами.

— Идите, смотрите, что у меня есть. — Эдуард открыл дверь в другую комнату, которая считалась мастерской.

В ряд стояли тридцать три богатыря, но маленькие, будто игрушечные; к стене притулилось чахлое деревце с несообразно здоровенной цепью и котом-ученым, страшным, злобным. Под потолком висела громадная стрекоза. Еще была женщина с веслом, карикатурная, очень смешная. И бюст прекрасной незнакомки. Работы, надо признать, были талантливыми.

— Это так, для себя. Баловство. Когда пьяный был, — хмыкнул Эдуард, довольный произведенным на посетителей эффектом.

— А это кто? — в дальнем углу комнаты, под кучей тряпья, Виктор увидел женщину с задранной ногой в «ласточке». Сразу женщину заметить было сложно — ее нога служила сушилкой для тряпок, а в руку, сложенную профессиональной галочкой — большой палец к третьему, были воткнуты кисти.

— Гимнастка, наверное, — удивленно рассматривал собственную работу скульптор. — Я и забыл про нее.

— А ей коньки нельзя приделать? И юбку какую-нибудь?

— В принципе можно, — задумчиво сказал Эдуард.

— Тогда приделай, — решил Виктор.

— Сазонов еще и сходство портретное просил, — вставил Вадик.

— Точно. Где фото? — забеспокоился Виктор.

Вадик достал фотографию. Трое мужиков подошли к гимнастке и начали сверять сходство. Эдуард даже занавески раздвинул, чтобы света больше было.

— Вроде похожа, — пожал плечами Виктор.

— Скульптура красивее. У настоящей нос большеват. Я ее живьем-то видел. Страшненькая, — поделился мыслями Вадик.

— Нос тоже приделать? — уточнил Эдуард.

— Нет, не надо. Так оставь. Так даже лучше, — подвел итог Виктор.

Эдуард работал не без поддержки Вадика и Артура: первый контролировал, чтобы скульптор не сорвался, второй стоял с бутылкой наготове, обещая много таких бутылок, когда работа будет закончена. Гимнастке приделали коньки и соорудили нечто похожее на юбку.

Когда Сазонов открыл дверь своего номера, расположенного на первом этаже, на него упала фигуристка. Да так упала, что придавила. Реальная фигуристка завизжала от страха. А Сазонов был счастлив. Он лежал под скульптурой, и на него падал снег.

Для этого Вадик сгреб снег со всего парка и устроил такие сугробы перед входом в корпус, что не пройдешь.

Фигуристка шутки не оценила, обиделась, на что Сазонову было совершенно наплевать. Любовницу он сплавил первым рейсом — Вадик отвез ее с ветерком. Сазонов же был счастлив, проведя остаток отпуска в компании скульптуры. За работу и труды щедро расплатился и говорил, что впервые провел время с «идеальной бабой» — молчит, трахаться не заставляет, не жрет и может долго простоять с задранной ногой, на которую удобно вешать полотенце.

После отъезда Сазонова статую пристроили в дальнем уголке парка. Рядом с пятым КПП, куда Инна экскурсии не водила. И только редкие отдыхающие забредали на полянку, где стояла статуя фигуристки. Пришел посмотреть на свою работу и Эдуард. После чего перестал пить. Совсем. И, кстати, вступил в Союз художников. Бюст Чехова — его работа. В противоположном конце парка стоит. Видимо, грехи замаливал. Фигуристка была талантливой работой, яркой, самобытной, а Чехов — картонным. В фигуристке чувствовались боль, страсть, горе, счастье, желание напиться, а в Чехове ничего не чувствовалось. Эдуард считал фигуристку лучшей своей работой. Непризнанной, неоцененной. Своего Чехова он ненавидел.

Сазонов любил их пансионат. За профессиональную работу, за Виктора и Вадика, которые держали язык за зубами. За Артура, который поставлял лучшую еду на всем побережье.

И тут вдруг такой прокол. Нет, конечно, удивительно, что этого не случилось раньше. Сазонов сам виноват, совсем обнаглел. Нет чтобы в другое место с любовницей поехать, но его сюда тянуло. Думал, пронесет. Как всегда. Но и везение рано или поздно заканчивается. Вот и столкнулись на дорожке. Ведь не хотел идти по этой дороге, но любовница уговорила «погулять». Жена Сазонова устроила такой скандал, что ежи еще долго по вечерам не выползали.

— Виктор, прости, но этой бабе крови подавай, — сказал директор пансионата Рашид Камильевич. — Твой прокол, тебе и отвечать. Не мне же. Я сам каждый день сижу, не знаю, что мне прилетит и за что. Так что давай без обид. Я тебя по собственному уволю, а бабе этой скажу, что по статье. Она же представь, что удумала — бумагу накатала, что это мы здесь разврат развели. Что это мы тут баб под ответственных работников подкладываем и чуть ли не бордель содержим. Твой Сазонов хвост поджал и молчит, так что на него не рассчитывай. Он ведь тоже в один момент слететь может со своих постов. У него тесть еще живой. А тесть у него — о-го-го. Старик живучим оказался. Так-то вот. В общем, ты это... отдохни, а там видно будет. Сам знаешь, как все меняется. Может, так жизнь повернется, что и мое место займешь. Тьфу-тьфу, не дай бог. Но, в общем, не конец света. Понял? Вот девчонку жалко. Но тут, как говорится, под горячую руку подвернулась.

— Какую девчонку? — не понял Виктор.

— Ну ту, с голубями. Условие поставили — или все их шапито прикроют, или ее выкинут из цирка. За то, что ее голуби поцарапали внучку. Дамочка эта визжит — а вдруг голуби заразные? Справку требует. Нет, справку-то мы нарисуем, только все равно проблема — девочка ни при чем, но бабенке этой всех порвать хочется. Она и в столовой скандал закатила. Обещала проверку наслать. Ну и сам понимаешь. Опять же мы крайние оказались, что пускаем не пойми кого в наш зал. Зверей, которые на людей кидаются, и птиц заразных. Она у меня тут час орала так, что стекла дрожали. Думал, не уймется... А ты отдохни. Найдем мы тебе местечко. Пусть все утихнет. И там, глядишь, и снимут этого Сазонова. А нет Сазонова, нет проблемы. Да я тебя назад быстро верну. «По собственному» же увольняю.

— А что с Вадиком?

— Так, про него ни слова. Мало мне тебя, так еще шофера лишиться? Нет, Сазонов про Вадика молчит, Вадик тоже не при делах вроде как. Тьфу-тьфу.

Виктор шел по дорожке парка. И ноги сами повели к пятому КПП. Он сел на лавочку перед фигуристкой и закурил. Да, правильно мама Вадика говорила — если быстро взлетаешь, падаешь в два раза быстрее. Высоко взлетел, упадешь в яму в два раза глубже. Но тут Оксана Сергеевна ошиблась. Да, Виктор упал, но не так чтобы сильно. Работу он найдет. Хоть завтра к Артуру в ресторан устроится или еще куда. А там действительно видно будет. Вот за что эту девочку с голубями? Там даже царапины не было. Надо бы ее найти, поддержать. Вот уж точно — не в том месте и не в то время оказалась. Интересно, откуда она?

Вечером Виктор пошел к Артуру. Тот, конечно же, был в курсе.

— Выпей, поешь, завтра думать будешь, — разумно сказал Артур, — туда сядь.

За тем столиком, куда его Артур отправил, с видом на море для особо важных гостей, сидела Галя. Она была в концертном белом платье и со сценическим гримом. Так и не разгримировалась. Пила вино, но к закуске, которой был уставлен стол, не притронулась.

— Можно? — попросил Виктор. — Очень есть хочется.

Он сожрал все креветки. Артур принес рыбу и еще вина. Галя смотрела на море.

— Хотите на пляж? Вода сейчас теплая, — предложил Виктор.

— Хочу, — ответила Галя.

Они спустились на пляж, девушка скинула платье и поплыла. Оказалось, что плавает она хорошо и быстро. Кролем. Виктор плыл следом.

— Давайте назад, — крикнул он, когда уже выдохся и лежал на спине.

— Давайте, — спокойно согласилась Галя и послушно поплыла назад.

Виктор думал, что до берега они не доплывут. То есть она доплывет, а он точно нет. Заплыли далеко. Дальше, чем он один плавал. А Гале хоть бы хны. То ли в детстве плаванием профессионально занималась, то ли на стрессе. Он упал лицом в гальку. Галя села и закуталась в свое концертное платье.

Виктор повел ее в свою квартирку. Совсем маленький тогда Славик спал на большой кровати.

Галя легла рядом, обняла Славика и тут же уснула. Вряд ли она понимала, где находится. Виктор спал в кресле. Утром он проснулся от непривычных запахов — Галя варила Славику кашу. Виктора ждала яичница.

— Что мы будем делать дальше? — спросил Виктор.

— Пойдем гулять, надо мяса на суп купить, я бульон сварю, — спокойно ответила Галина.

Она одела Славика, который немедленно к ней приклеился, будто знал всю жизнь, и они ушли. Виктор остался один. Ошалевший совершенно. Не столько от того, что Галя вдруг собралась варить в его квартире бульон, хотя и от этого тоже, сколько от поведения сына. Славик, который чужих людей боялся, от Гали не отлипал все утро. Он был умыт, причесан. Галя нашла рубашку Виктора, как-то обмоталась, подвязала, нацепила его старые брюки, подвернула. Она обращалась со Славиком как с обычным ребенком, хотя вряд ли знала, как обращаются с обычными детьми. Галя показалась ему совсем молоденькой. Девчонка.

Артур взял Виктора управляющим. Но неофициально.

— Мне все равно, лишь бы деньги были, — сказал Виктор.

И деньги были. Галя занималась хозяйством, возилась со Славиком, водила его на пляж, на детскую площадку, играла в кубики, строила пирамидки. В доме было чисто. С Виктором они почти не разговаривали. Он так и не узнал, из какого она города, почему вдруг решила остаться с ними, есть ли у нее семья, собирается ли работать. Галя исчезла на полдня и вернулась с сумкой. Казалось, что она всегда была рядом. Она спала со Славиком на большой и единственной в квартире кровати, Виктор поставил себе раскладушку на кухне. Он не делал попыток соблазнить Галю, а она не делала попыток соблазнить его. Они жили семьей, хорошей семьей. Где были уважение, забота, даже любовь — Славик вис на Гале, обнимал ее и целовал. Она полностью взяла на себя и дом, и Славика, и даже Виктора, которого вечером всегда ждал ужин. Его не переставало удивлять, с каким спокойствием Галя занимается ребенком. Неужели не видит, что Славик болен? И почему она, в отличие от большинства женщин, не хочет поговорить, не выясняет отношения. Странная она все-таки, эта Галя. Виктор не знал, правильно это или нет — так жить. Галя не спрашивала, откуда у Виктора появился Славик и кто его мать. Почему он живет один с ребенком. А он не спрашивал, почему она живет с ними, почему не уезжает. Славик стал Галиным приложением, что ее совершенно не тяготило. Она все умела делать — готовить, убирать, стирать. Будто у нее за плечами было двадцать лет брака и пятеро детей. Виктор иногда водил Галю к Артуру, оставляя Славика на Оксану Сергеевну, которая жила в соседнем подъезде. Но у Артура, который выделял им лучший столик, они молчали. Ели, пили вино, шли плавать и возвращались домой. Галя настаивала, что надо забрать Славика от Оксаны Сергеевны, чтобы он проснулся в собственной кровати, и Виктор не спорил. Нес спящего Славика на руках и укладывал. Галя ложилась рядом. Он уходил на кухню. И никто не мог представить, что они живут такой странной семьей. Даже Артур, который видел разные семьи и с сотни метров мог сказать — жена или любовница, если жена, то сколько лет в браке, если любовница, то насколько хороша и надолго ли задержится.

— Ты молодец, — говорил Артур. — Все правильно сделал. Хорошую девушку удержал.

Виктор и хотел бы удержать, только не знал, как.

Один-единственный раз Галя пришла к нему на кухню, неожиданно, решительно, и Виктор от ее неожиданности и решительности ничего не смог. Галя ушла спать к Славику. Больше не приходила.

К концу сезона — стояла середина сентября — Виктор заметил, что Галя поправилась и стала быстрее уставать. Она предпочитала лежать на полу рядом со Славиком и играть с ним в пирамидку.

— Тебе плохо? — спросил Виктор.

— Немного. Бывает. Пройдет, — ответила Галя.

Но не прошло. К концу октября у Гали вырос живот. Она сбегала на рынок, который наверху, и купила себе два сарафана. С тех пор и носила их по очереди — то один, то другой.

Виктор пригласил Галю к Артуру. Она не хотела, но он настоял.

•

— Что с тобой? — спросил Виктор, хотя уже знал ответ.

— Ты знаешь, — спокойно ответила Галя.

— Кто отец ребенка?

И тогда они поговорили впервые за все время. Альков, который им предоставлял Артур, нашел свое применение.

— Мне рожать через два месяца, — сказала Галя.

Виктор чуть со стула не упал.

— Как через два месяца? Уже? Ты же... у тебя маленький живот... совсем не видно.

— Так бывает.

— Кто отец ребенка? Он знает? — еще раз спросил Виктор.

— А кто мать Славика? — в свою очередь задала вопрос Галя.

Они сидели до пяти утра. Не могли наговориться. А в пять пошли купаться и наконец сделали то, что должны были. Потом еще раз дома, в большой кровати. Виктор забрал Славика в десять утра — Оксана Сергеевна не была удивлена.

Виктор рассказал Гале про Веронику. Женщину, на которой не был женат, но которую любил. Она родила Славика и уехала. Хотела отказаться от ребенка еще в роддоме, но Виктор не дал. Славик родился недоношенным.

— Мамочка, проблем много, оно тебе надо? Если и выживет, инвалидом на всю жизнь останется, — убеждала медсестра.

Вероника посмотрела на сына и ничего не испытала, кроме брезгливости. Мальчик лежал весь в трубках.

— Он все равно нормальным не станет. Ты еще молодая, родишь себе здорового, — сказала медсестра.

Вероника еще раз посмотрела на младенца, еще раз ничего, кроме брезгливости, не ощутила, и написала отказ. Но тут вмешался Виктор и сказал, что ребенка заберет. Вероника уехала, подписав нужные бумаги, — а Виктор стал отцом ребенка. Каждый день в те два месяца он ездил в больницу. Его возил Вадик. Он был с сыном. И из больницы его тоже забрал Вадик. Виктор справился, выкормил, выходил. Оксана Сергеевна помогла. Славик казался обычным младенцем. Только сложным. Часто плакал, плохо спал. Не начал ползать, когда положено, не сидел, когда надо. Отставал в развитии. Но мальчик жил, дышал, смотрел, играл, просился на ручки, улыбался — чего еще желать?

Перед первым днем рождения Славика приехала Вероника. Она посмотрела на сына, но так и не взяла его на руки.

Каждое лето она приезжала с новым будущим мужем и всегда приходила «проведать, как там Славик». И Виктор отчего-то решил, что не имеет права лишать ребенка хоть призрачной, но все же матери. И говорил Славику, что приезжает мама.

Вероника привозила игрушки не по возрасту, но потом оказалось, что Славик и сам был не по возрасту, как и игрушки. Строить из кубиков ровную башенку он научился годам к пяти. А старую юлу крутил и в тринадцать лет. Железной дороги он боялся, но очень берег. Мог подолгу разглядывать нарисованный на коробке поезд, но когда Виктор предлагал собрать дорогу, Славик отказывался. Один раз отец настоял, собрал, пустил — и мальчик кричал так, что сбежались соседи. Хотя он никогда не видел поезда. Тогда откуда взялся страх?

Славик знал, что Вероника — это мама. Что она приезжает летом, когда у папы работа. Когда Вероника приехала в очередной раз, Галя собрала вещи и переехала к Оксане Сергеевне. Молча. Виктор ее ни о чем не просил. Вероника один раз зашла к Славику, подарила коробку конфет и ушла — новый будущий муж требовал внимания. Мальчик спрятал коробку под кровать и, когда Виктор попытался ее достать, начал истошно кричать. Вероника пробыла неделю и уехала. Галя вернулась от Оксаны Сергеевны, и они стали жить как прежде. За исключением одного: Галя вот-вот должна была родить.

— Кто отец ребенка? — спросил Виктор.

— Сазонов, — спокойно ответила Галя.

Они все-таки были очень похожи. Виктор и Галя. Он тогда просто кивнул, принял. Хотя должен был хотя бы удивиться — как Сазонов? Этот Сазонов? С Галей? Но когда? Ведь всех его любовниц Виктор знал как облупленных.

А Галя, наверное, должна была возмутиться, начать ревновать, хотя бы заплакать. Когда приехала Вероника, Славик о ней, казалось, забыл. Может, и вправду забыл. Хотя ближе Гали у него никого не было в то время. Славик иногда забывал и об Оксане Сергеевне. И будто снова с ней знакомился. Он помнил квартиру, кровать, занавески, кота с черным носом, но не помнил людей. Он помнил только отца и Веронику, которую не называл мамой. Очень удивлялся, что мам других детей зовут Машами, Светами, Ларисами. Он считал, что у мамы может быть только одно имя — Вероника. И всех мам зовут Верониками. А если Галя или Наташа, то не мама.

— Ты ему скажешь? — спросил Виктор у Гали.

— Не знаю, — честно ответила та. — Нет, наверное. Зачем?

И опять верный Вадик вез Галю рожать. Несся по серпантину так, что она боялась разбиться, так и не родив. Но родила девочку, хорошенькую, крепенькую, полновесную и волосатую, доношенную и беспроблемную — Светку.

Сначала Галю со Светкой поселили у Оксаны Сергеевны. Она сама попросилась. Не знала, как Славик отреагирует на младенца. Галя предложила «попробовать» — Виктор пришел со Славиком к Оксане Сергеевне в гости. И случилось то, чего никто не ожидал, — мальчик приклеился к маленькой Светке и начал кричать, когда Виктор пытался его оттащить. Галя с девочкой вернулись к Виктору.

Спали они по-прежнему на большой кровати. С одной стороны — Светка, посередине Галя, а с краю Славик, который раскидывался ногами и руками в форме морской звезды. Виктор спал на раскладушке на кухне. Но спустя неделю стало понятно, что дальше так жить нельзя: Галя не высыпалась, почти совсем не спала, боясь повернуться между детьми. И Светка переехала в люльку, которая еще и качалась. И снова Славик всех удивил — он мог качать люльку так долго, насколько даже у Гали терпения не хватало. Ему нравилось качать. Нравилось давать Светке палец и смотреть, как она в него вцепляется. Нравилось греметь погремушками на веревке над ее люлькой. Не нравилось только, если к Светке кто-то подходил. Мальчик начинал кричать и защищать свою собственность.

Виктор боялся, что Славик может невольно навредить Светке — больно схватить, повернуть неловко. Однако тот обращался с девочкой лучше родной матери. И Светка радостно гулила, когда Славик давал ей палец. Она до бесконечности долго могла держать палец, а мальчик так же, до бесконечности долго, мог терпеть. Он учил Светку ползать, ползая сам. Учил ходить, держа за руки. Учил собирать пирамидку и снова и снова заводил юлу.

Светка собирала пирамидку, быстро научилась сидеть, быстро пошла, быстро начала говорить. Она развивалась так стремительно, что скоро они со Славиком сравнялись. Вместе ходили играть на детскую площадку, и было непонятно, кто за кем присматривает — маленькая девочка за большим уже мальчиком или наоборот.

Еще позже бойкая и умная не по годам Светка дралась с мальчишками, защищая Славика. А тот потом заботливо дул на расквашенные коленку или локоть своей защитницы. Неизбежно наступило время, когда Светка стала заботиться о Славике, как он заботился о ней. Она играла с ним в мяч, бегала наперегонки, поддаваясь, чтобы Славик выиграл. Она рано научилась готовить и варила Славику кашу или суп. И читала на ночь книжки, которые раньше Славик читал ей по слогам — про Колобка, про Лисичку-сестричку. Но это было позже.

А пока... Галя родила Светку. Вне сезона и вне гастрольного графика приехала Ритка. Привезла пеленки, распашонки, погремушки. Они вдвоем ушли к Артуру — посидеть и поговорить. Галя сцедилась заранее. Виктор кормил Светку из бутылочки и не знал, что будет дальше. Он не хотел, чтобы было это «дальше». Хотел, чтобы Светка лежала у него на руках и чмокала. Бесконечно долго.

Но через месяц в их квартирке появился Сазонов. За дверью маячил верный Вадик. Гали не было — она гуляла со Славиком и Светкой.

Сазонов огляделся, оценил обстановку, хотел что-то сказать, но передумал. Положил на стол деньги и вышел.

Галя вернулась, оставила Светку и пошла в сберкассу — положить деньги на книжку.

— Ты ему сказала? — спросил Виктор.

— Нет. Наверное, Ритка.

И опять Виктор почувствовал, что Галя такая же, как он. Она не стала плакать, кричать, что ей не нужны его деньги. Она пошла в сберкассу, а по дороге накупила пряников для Славика, мяса, овощей. Она не искала встречи с Сазоновым, хотя тот сидел у Артура. Она встала к плите, сделала голубцы, которые так любил Виктор, разрешила Славику есть пряники сколько влезет и напекла пирожков с яблоками.

А назавтра прибежал запыхавшийся Вадик.

— Тебя начальник требует. Срочно, — объявил он.

— Какой начальник? — удивился Виктор, хотя сразу все понял.

— Рашид Камильевич!

Директор сидел злой, как сто чертей.

— Садись. Что ты опять устроил? Я ж тебя просил по-тихому, по-хорошему. Ну, и что я должен делать? А?

— Я не знаю. Что случилось?

— Это ты мне скажи, что случилось! Что такого могло случиться, чтобы на тебя приказ пришел?

— Какой приказ?

— Да ты дурку не валяй. Я ж свой. Что я — не понимаю? Я ж тебе говорил, что все нормально будет. Ты что, Сазонову и вправду баб подкатывал, что он за тебя хлопотать стал? Да мне и не надо знать. Даже не хочу. Мне приказ пришел, и все — я исполняю.

— Что за приказ?

— Завтра на работу выходишь. Уж извини, охранником. Но с зарплатой замдиректора. Мне тебе премии придется выписывать каждый месяц. Вот так-то.

Виктор вышел на работу охранником. На том самом пятом КПП, до которого редкий отдыхающий доходил. Галя отреагировала на новость спокойно. А вот прилетело, откуда никто не ждал. Инна Львовна пришла к Рашиду Камильевичу и устроила скандал.

— Инна Львовна, ну вы же знаете Виктора не хуже меня. Он ведь просто под горячую руку попал, — пытался утихомирить экскурсоводшу директор.

— Я буду писать куда следует, — пообещала Инна Львовна и с тех пор не оставляла эпистолярный жанр.

Все ее письма попадали на стол Рашиду Камильевичу с пометкой «разобраться», «принять меры». Директор принимал меры — жег письма в большой хрустальной пепельнице.

Тогда они хорошо жили. Денег хватало на все, даже откладывали. Галя водила Славика и Светку на массаж в пансионат. Гуляла по парку. Купила стиральную машинку, повесила новые занавески и поставила на кухне уголок. Комнату тоже переделала.

•

Скульптор Эдик, который стал частым посетителем пансионата и всегда заходил к Гале и Виктору в гости, соорудил перегородку, и из одной большой бестолковой и никчемной комнаты получилось две. Он же сделал нишу для занятий и дамский уголок для Гали и Светки. Квартира получилась красивой, необычной. На день рождения Гали Эдик подарил ей голубку, над которой она долго плакала.

В одной комнате спали Славик со Светкой, в другую Галя перетащила большую кровать. Раскладушку она выбросила. Виктор жил с Галей как муж с женой, но не знал, хорошо ли ей с ним живется. Он уходил на работу, приносил домой всю зарплату и отдавал Гале.

Сазонов больше не появлялся, как не появлялась и Вероника. Тот сезон оказался самым счастливым в их жизни. Эдик стал приносить пластилин и подолгу сидел со Славиком и Светкой — лепил лошадей, собачек. Славик катал шарики и колбаски. Ему нравилось. А Светке больше нравилось делать что-то полезное. Она притаскивала старые стулья, этажерки, деревяшки — Эдик научил ее шкурить, покрывать лаком. Светка могла из обычной палки соорудить вешалку. Скульптор говорил, что девочка чувствует материал. Галя была ему благодарна.

Виктор помнил до мелочей, что случилось в тот сезон. Сначала приехала Вероника и объявила, что хочет забрать Славика. Очередной будущий муж хотел иметь детей, но не мог. И очень обрадовался, узнав, что у Вероники есть сын. Славик понадобился Веронике для того, чтобы выйти замуж. Виктор не знал, что делать. По документам Вероника была Славику посторонним человеком. Никем. И забрать ребенка не имела никакого права. Она требовала срочно переоформить бумаги. Виктор не знал, как поступить.

— Пусть заберет, попробует, — сказала спокойно Галя. — Разреши. А бумаги потом оформите.

Он сделал так, как советовала Галя: сказал Славику, что мама заберет его в гости. Они собрали чемодан, Славик был в хорошем настроении. Ребенок не понимал, что такое гости, думал, что гости — это как к Оксане Сергеевне сходить или к папе на работу. Или к дяде Артуру. Вероника доехала со Славиком до вокзала — их Вадик вез. Мальчик вел себя хорошо — он узнал машину и был спокоен. Смотрел в окно. Но когда оказался на вокзале и увидел, как на станцию прибывает поезд, у него случился припадок. Пришлось вызывать «Скорую». Славик испугался. Хорошо, что Вадик не уехал, а стоял поодаль. И он подскочил, поднял Славика, вызвал врачей. Вероника уехала одна, на том самом поезде. Вадик отвез Славика в больницу — «Скорая» ехала следом, не поспевая. Когда в больницу приехали Виктор с Галей, Вероника была уже далеко. Пила чай и ела малину, купленную на станции.

Инна Львовна в тот год переживала не лучшие времена. Если раньше на экскурсиях по парку отдыхающие ходили дружной толпой, слушали внимательно, то сейчас совсем распоясались. Разбредались по территории, фотографировались и курили прямо под Лениным.

— У нас экскурсия! — призывала Инна Львовна к порядку.

— Мы заплатили, — отвечали отдыхающие.

Каждый божий день Инна Львовна ходила к Рашиду Камильевичу жаловаться, но тот только отмахивался:

— Люди заплатили за экскурсию, пусть гуляют где хотят.

— Они не должны гулять! Должны слушать! Тогда зачем я?

— Действительно, зачем? Если им неинтересно слушать, то они идут гулять.

— Как вы можете такое говорить? Вы намекаете на то, то я... не соответствую?

— Инна Львовна, уважаемая, времена меняются, и мы тоже должны меняться. Люди хотят фотографироваться — пусть фотографируются. Хотят гулять — пусть гуляют. Лишь бы билеты продавались.

— А мне что прикажете делать? Пасти их, как стадо? Они даже не выходят после экскурсии. Хотят еще гулять!

— Вам что, жалко?

— А знаете, что делает ваш Виктор Ильич, который, я не знаю каким таким удивительным способом, вернулся на работу?

— И что делает Виктор Ильич?

— Он пускает людей! Понимаете? Пускает людей!

— У него работа такая — пускать людей на территорию.

— Нет! Он пускает людей до представления в концертном зале! И они гуляют! Понимаете? Они гуляют по парку!

— Не понимаю.

— Представление или концерт в нашем зале начинаются в восемь вечера. А ваш Виктор Ильич советует отдыхающим прийти пораньше и погулять по парку!

— Так и чем вы возмущены? Люди могут прийти пораньше. Он же их по билетам пропускает.

— Но не за час до представления? И я собственными ушами слышала, как он советует отдыхающим не покупать билеты на мои экскурсии, а прийти до концерта и погулять. А им только дай — потом не выгонишь! Они и после концерта гуляют.

— Инна Львовна, вы чего от меня хотите?

— Справедливости и порядка! Иначе я буду писать куда следует!

— Пишите, Инна Львовна, пишите. Этого я вам запретить не могу. Как не могу запретить отдыхающим гулять по парку и до, и после представления. Если хотите, чтобы вас слушали, измените подачу, тему, рассказывайте интереснее.

— Вы будете меня учить, как проводить экскурсии?

— Нет, не буду.

— Я доложу куда следует.

— В этом я не сомневаюсь.

Она уходила в расстроенных чувствах, а Рашид Камильевич жег очередное ее «донесение» с пометкой «разобраться».

Никто не думал, что этот сезон станет таким. Инна Львовна проснулась в своей квартире от дикого писка. Местная кошка окотилась прямо в палисаднике под ее окнами. Инна Львовна спокойно встала, умылась, набрала полное ведро воды и вышла в палисадник. Кошка — трехцветная, приносящая удачу и счастье — посмотрела на нее испуганно. Но сделать ничего не могла. Была измотана долгими тяжелыми родами. Инна Львовна взяла первого попавшегося котенка и засунула в ведро. Она держала долго, хотя этого не требовалось — котенок захлебнулся быстро. Кошка-мать даже хвостом не дернула. Инна Львовна потянулась за следующим котенком, но уперлась в костыль.

— Ща бошку-то расхерачу, — сказал спокойно Вань-Вань.

Инна дернулась и отступила. Эти котята, которых подкармливал и взял под свою опеку Вань-Вань, не давали ей спать и жить.

Инна Львовна стала сама не своя. Она сдирала занавески, которые казались ей душными, открывала настежь окна, но через пять минут начинала зябнуть. У нее менялось настроение — от истерики до полного равнодушия. Она стала часто плакать, особенно на экскурсиях. — Инна рассказывала про Пушкина и утиралась платочком. Отдыхающие смотрели сочувственно, как на сумасшедшую.

Например, она могла расплакаться от вида мраморной лягушки и впасть в истерику от купальщицы, ее любимой скульптуры. Инна Львовна даже пошла к врачу.

Больница, единственная на весь поселок городского типа, находилась на самом верху, выше почты, выше рынка. Пока поднимешься — истечешь потом, сотрешь ноги и решишь бросить курить — никакой дыхалки не хватит. Но в сезон больница работала на износ. То отдыхающий шваркнется головой с буны. Пьяный, что и спасло, без сотрясения. То мамашки ведут детей с поносом и рвотой. То мужики очередь образуют к венерологу. Больница специализировалась на кишечных палочках, глистах, инфекциях, передающихся половым путем, и травмах, полученных в результате неудачных прыжков с буны на камни.

Она пришла к гинекологу, краснея, бледнея, покрываясь пятнами.

— Климакс, — сказала врач.

Инна Львовна впала в истерику. У нее не может быть климакса. Она еще молодая!

— У вас есть муж? Любовник? — без интереса спросила врач. — Что вас удивляет?

Инна решила, что в раннем климаксе виноваты Виктор Ильич, Галя, Рашид Камильевич, Вань-Вань и треклятая кошка. И начала писать с особым рвением. И наконец получила то, о чем мечтала. Ее услышали. В пансионат приехала корреспондент городской газеты, которая про доносы Инны Львовны ничего не знала, а хотела написать про памятники, стоявшие на территории. Мол, не стоит ли избавиться в эти наступившие новые времена от Ленина? Какие памятники представляют особенную ценность, а какие нет? Это был звездный час Инны Львовны. Она рассказывала с таким увлечением, с каким ни разу не провела ни одну экскурсию. Она завела корреспондентку в район пятого КПП и показала фигуристку как образец новомодных веяний (слава богу, про Сазонова Инна Львовна не знала). Рассказала про скульптора Эдуарда, которому она доверяла, а он оказался...

Статья вышла. Инна Львовна перечитывала интервью снова и снова, рассматривала собственную фотографию на фоне Ленина. И вроде бы все было так, как она сказала, но не так. И ее фото около Ленина смотрелось вроде бы безупречно, но как-то не так. И складывалось впечатление, что Инна Львовна — скучная, заскорузлая заноза, которая не понимает авангарда, новых веяний и вообще ничего не понимает.

Скульптор получил новые заказы после этой статьи — в газете было фото его фигуристки. Его вызывали в частные дома, чтобы он сваял не фигуристку, а голую бабу, но чтобы было похоже на фигуристку. Ему заказали женщину с веслом и пионерку. Мужик, который заказал пионерку, даже фотографию дал — старую, размытую. Он, видишь ли, в «Артеке» отдыхал и ту девочку до сих пор забыть не может. Хочет, чтобы в саду такая же стояла.

Эдик с горя сначала запил, а потом зашился и начал работать.

Да, после статьи люди повалили на экскурсии, все хотели увидеть фигуристку и Ленина. Все хотели послушать Инну Львовну, которая не понимала, что делать с вдруг обрушившейся на нее славой. И, о ужас, она стала потакать желаниям публики — рассказывала про женщин Чехова, про женщин Пушкина, про женщин Ленина. Людям нравилось. На Инну Львовну стали ходить. И она млела, когда Рашид Камильевич называл ее «бесценная вы наша»...

Опять придется вернуться назад... Однажды Виктор уснул в будке. У Светки резались зубы. Славик тоже плохо спал — снова начался энурез. Галя была измотана, бегая от одного ребенка к другому. Виктор хотел, чтобы Галя поспала хоть немного. Он-то мог уйти на работу, а она целый день оставалась с детьми. Виктор уснул в будке, потому что ночью водил Славика в туалет, качал на руках хныкающую Светку. Он дежурил на пятом КПП, через который важные гости не въезжали. Но в тот день перед воротами появился «мерседес». И Виктор не открыл ворота. Даже когда ему сигналили, он не услышал. И когда ломились в будку, не услышал. Очнулся после того, как получил в морду. Перед ним стоял толстый потный мужик в костюме. Виктор посмотрел в окно — там водила пытался размотать цепь на воротах. Мужику показалось мало, и он ударил еще раз. Бил плохо, слабо, но обидно. Виктор ударил один раз, сильно. Мужик свалился кульком ему под ноги.

— Ты что делаешь, козел? — Виктор вышел из будки.

Водитель тут же бросил возиться с цепью.

Мужик очухался и выполз из будки. Попер на Виктора с кулаками. Было видно, что пьяный вдрабадан. Виктор уложил его еще одним ударом.

— Грузи его, — велел водиле Виктор.

Ему было все равно, кто этот мужик. Он хотел спать. И не хотел, чтобы его лупили по морде все, кому приспичит. Бил он по-мужски. Если мужик, то очухается и сразу поймет, что получил за дело. Виктор и думать забыл о том случае. Других проблем хватало. У Славика опять случился эпилептический припадок. Виктор стоял и очумело смотрел на сына. Галя вызывала «Скорую», засовывала между зубами пеленку, давала лекарство. Светка тоже болела — понос с рвотой. Температуру не могли сбить. Виктор не спал совсем. После работы он заходил к тете Вале и брал то, что осталось — сырники, мясо, рыбу. Измученная Галя с удивлением смотрела на еду. Виктор заставлял ее поесть. Ничего, переживут...

— Ильич, я заказала новую раму. Ну невозможно — хлобыстает и хлобыстает, — ворвалась в его кабинет Галина Васильевна. — Привезут завтра. Скажи Федору, чтобы проследил, как ставить будут. Они нам дешево сделают, я обещала, что и другие рамы будем менять. Инна Львовна опять жалуется. Ей кондиционер мешает экскурсию проводить.

Один номер — директорский — Ильич оборудовал кондиционером. Они не поспевали за временем. Кондиционер был здоровенным старым ящиком, который дребезжал, регулярно тек и уже не реагировал на пульт управления. В номере обои поплыли давно — Федор склеил концы скотчем и отчитался. Шнур стелился по балкону. В работающем состоянии кондиционер тарахтел, пыхтел, плевался и орал. Инна Львовна проводила экскурсии на террасе, и ей приходилось перекрикивать эти звуки. На нижнем этаже прыгала по полу стиральная машинка и тоже гремела внутренностями и возмущалась. Инна Львовна еще в прошлом сезоне просила на время экскурсий обязать проживающих отключать кондиционер и запретить Галине Васильевне пользоваться стиральной машиной.

Многие отдыхающие возмущались — почему в том номере есть кондиционер, а в других нет? Ильич закупил вентиляторы, но отдыхающие требовали кондиционеров.

Все менялось. Тетя Валя опять переживала. В соседней столовой поставили столики на улице, и народ стал туда ходить. Кому нормально — сидит на улице, кому жарко — в зале, под кондиционером. Кассиры и подавальщицы всем желают «приятного», а чего приятного — непонятно. Кофемашину новую поставили. Да чтоб у них эта машина сломалась! Еще выдумали и переписали названия блюд. У тети Вали — «рыба в кляре», а у конкурентов «золотая рыбка». У тети Вали «мясо под майонезом», а в той столовой — «обед капитана».

— Галя, ну ты мне объясни! — возмущалась тетя Валя. — Они что, не видят, что это тот же майонез? Они дебилы совсем? Какая «золотая рыбка»? Тьфу, даже слышать противно! Им не противно?

— Нет, люди хотят не только чтобы было вкусно, но и подачу.

— Да пошли они в жопу со своей подачей! Какого хрена я буду называть кусок старой говядины «стейком Нью-Йорк»?

— Тебе жалко, что ли?

— Мне совестно. Понимаешь? Если я жарю блины на молоке, то это «блины на молоке». А у них? «Блинчики детские»!

— Поэтому у них и народу больше.

— Кто понимает, тот ко мне ходит. Знаешь, как они кашу геркулесовую называли? «Каша чемпиона»! Да чтоб их перекосило от наглости! Они маргарин в кашу бухают, а я масло сливочное! У нас дешевле! А люди думают, что если дешевле, то хуже. Дебилы!

•

Тетя Валя оставалась таким же атрибутом старого времени, как баклан Игнат на окне, как памятник Ленину в бывшем пансионате, как старые общие душевые. Как Инна Львовна, которая в последнее время была влюблена в Шаляпина. Она показывала репродукции в книжках, заламывала руки и рассказывала отдыхающим о певце как о потерянном возлюбленном. Давно пережив климакс, она стала немного спокойнее. Но Серый ее боялся как огня. Баклан срывался с подоконника и улетал с гневными всхлипываниями. Вань-Вань пристрастил Инну Львовну к винцу полусладкому. Раньше она ни-ни, только «брют» по праздникам. Выпивающих женщин считала порочными и очень гордилась тем, что «вино ей невкусно». А тут распробовала. И сидела с Вань-Ванем за пластмассовым столиком под шатром, где катамараны напрокат выдавали, и с удовольствием «употребляла».

— Надо было тебя раньше споить, — шутил Вань-Вань. — Как выпьешь, так нормальной бабой сразу становишься.

— Я всегда была такой, — заявляла Инна Львовна.

«Ничего, и этот сезон переживем. Все нормально. И не такое переживали», — думали тетя Валя, Галина Васильевна, Виктор Ильич...

А тогда Виктор зашел к Рашиду Камильевичу и увидел, как тот берет бумажку с одного края стола и перекладывает на другой край. В другую стопочку. Потом берет очередную бумажку и перекладывает.

— Рашид Камильевич, слушайте, если что, то он первый на меня попер...

— Не мешай.

Директор пансионата продолжал перекладывать чистые листы бумаги из одной стопки в другую.

— Ладно, я завтра зайду, — сказал Виктор, решив, что Рашид Камильевич перегрелся.

— Присаживайся, — велел директор. После чего вытащил спичку из коробка, чиркнул и бросил в только что сформированную новую пачку. Бумага вспыхнула. Рашид Камильевич с улыбкой смотрел, как полыхает не только бумага, но и другие документы. Виктор бросился к тумбочке, схватил графин с водой и вылил на стол.

— Что-то горелым пахнет, — сказал директор. — У нас с пожарной безопасностью как? Не дай бог, проверка. Ты, Вить, проверь огнетушители.

Он снова чиркнул спичкой и бросил на стол. Спичка зашипела, попав в воду.

Виктор догадался достать из шкафа бутылку коньяка и налил директору полный стакан. Тот послушно выпил.

— Рашид Камильевич...

— Что? — удивился тот.

— Вы что?

— Я? Вить, ты бы уезжал. Давай я тебе командировку подпишу. Или отпуск. Или нет, я себе командировку выпишу. Или лучше в отпуск уйду.

— Сейчас сезон. Как тут без вас?

— Ну да, сезон. Тогда ты уезжай.

— Да не надо мне. Зачем?

— Ну да, зачем...

— Что случилось-то?

— Ты это, не волнуйся. За Галю и детей не переживай. Галю я возьму уборщицей. Зарплата — тьфу, но премии ей буду выписывать. Она пойдет? Уборщицей?

— Куда она? Она ж со Светкой.

— А пусть со Светкой. Светка тут играть будет. И Славика тоже пусть приводит. Кто-нибудь за ними присмотрит. Я уж попрошу. Или в садик. Да, лучше в садик.

— Да зачем? Я ж работаю!

— Ну да, это я так, на всякий случай. Но ты не волнуйся.

Виктор и не собирался волноваться. И только потом понял, с чего вдруг Рашид Камильевич умом тронулся и чуть кабинет не поджег. Он многое пережил и многих. Но такого страха не испытывал никогда. Тот мужик, которого Виктор уложил, оказался другого сорта. Не чиновник Сазонов, а из прокуратуры. При звании. Такие тычков под ребра не прощают. Такие привыкли сами пинать ногами и смотреть, как жертва корчится под каблуком. Такие не прощают, а мстят. Осознанно, сознательно, с садистским удовольствием.

Был суд, и Виктору дали два года. Прокурор просил пять, но учли наличие несовершеннолетнего ребенка. И хорошую характеристику с места работы, которую Рашид Камильевич, рискуя собственным положением, а то и жизнью, дал Виктору. Не предал, хотя мог. Не предал и водила, мальчишка совсем, который, отчаянно потея, признался, что шеф первый на Виктора набросился. И что был в нетрезвом состоянии. Мальчишка был запуган до смерти, но встречаются такие — которым совесть дороже места. Этот оказался из честных, правдивых. И смелых, что немаловажно. Или еще дурной, по молодости вправду верил в правосудие. Виктор так и не узнал, что с мальчонкой потом случилось. Он-то московский был, не местный. Может, и сгноили, а может, выплыл. Должен был выплыть.

Прокурор настаивал на обвинении и предъявил еще одного свидетеля. Инну Львовну. И та, конечно же, рассказала об увольнении после предыдущего инцидента, о котором ей, к огромному сожалению, неизвестно, но инцидент точно был. Зато Инна Львовна во всех подробностях поведала о том, что Виктор Ильич ведет аморальный образ жизни, проживая с женщиной незарегистрированным браком, что отобрал у матери ребенка, которого доверил сожительнице. Не забыла Инна упомянуть и о покровительстве новым странным художественным веяниям в виде скульптуры фигуристки, которая нарушает исторический облик парка. Инна Львовна торжественно объявила, что и пяти лет Виктору Ильичу будет мало. Лучше десять, чтобы зона его перевоспитала. И прокурор уже потирал руки, но тут Инна, которая должна была уже замолчать, вошла во вкус. И назвала фамилию Сазонова, которую где-то услышала, но точно не знала, в какой связи. Однако решила добавить, чтобы и с этим разобрались.

Судья оказался не без головы, точнее, с головой. И из пугливых. Привлекать к делу Сазонова и представителя творческой интеллигенции он не собирался. Да и показания этой чокнутой экскурсоводши поспешил удалить. До прокурора тоже все дошло, правда, не так быстро. Но настаивать на увеличении срока он перестал. Виктору Ильичу дали два года. По УДО мог выйти и раньше.

Но Виктору на тот момент было все равно — два или пять. На кого оставлять Славика? Если его в тюрьму, то Славика — в детский дом? Как оставить Галю с маленькой Светкой? И Виктор попросил Галю вызвать Веронику. Срочно.

Вероника, узнав, что Виктору дали срок, ответной телеграммой сообщила, что приехать не может. Обещала вырваться через пару месяцев. Но и через два месяца не смогла. Галя осталась с двумя детьми на руках. Славика должны были забрать. Ведь отец в тюрьме, матери по документам нет. Галя — никто, посторонний человек. И тогда Галина сделала то, о чем Виктор никогда бы ее не посмел просить. Она вышла за него замуж, быстро, шлепнув печати. Так же стремительно оформила опеку над Славиком. И мальчик остался с ней. Всю оставшуюся жизнь Виктор был благодарен Гале за этот поступок. И прекрасно понимал, что этот брак — только ради Славика.

Вероника приехала на следующий сезон. С очередным будущим мужем. С Галей, которая работала в пансионате уборщицей, она встретилась на скамейке. Около пятого, злосчастного, КПП. Поплакала картинно, пожелала счастья. Славика она забирать не собиралась. Очень хотела, но сейчас совсем никак. Новый будущий муж не знает, что у нее есть ребенок. Он вообще детей не очень любит.

— Возьмите, — Вероника вытащила из сумочки деньги. — Это для Славика.

— Вы хотите его увидеть? Он здесь. Позвать?

— Нет, не надо. Я сейчас не готова. Боюсь, не выдержу, — ответила Вероника. — У меня сейчас совсем нервы на пределе. Да еще и история с Виктором. А если кто-нибудь узнает? Если Кирилл узнает? Даже не знаю, что тогда будет.

— Кирилл — это ваш будущий муж?

— Да. Он очень беспокоится о репутации. Если он узнает про Славика... Да еще и про Виктора. Он очень строгих нравов, вы понимаете?

Галя кивнула. Вероника еще немного картинно попричитала и убежала к будущему строгому мужу.

Галя больше всего переживала, как Славик отреагирует на отсутствие отца. Что ему говорить, чтобы не испугать? Она решила подождать, когда Славик сам спросит. Но он не спросил ни разу. Возился со Светкой, с удовольствием оставался у Оксаны Сергеевны, заменившей ему и Светке бабушку, когда Гале нужно было работать, и, казалось, даже не заметил, что отца нет дома. Он больше переживал, когда Галя забирала Светку с собой в пансионат, оставляя Славика на Оксану Сергеевну. Вот по Светке мальчик скучал. А отец...

Рашид Камильевич сдержал слово — Галя работала, получала премии и в деньгах не нуждалась. Светка росла. Жили спокойно. Регулярно приезжал Вадик — привозил продукты, игрушки, проведывал. Притаскивал то ведро яблок, то ящик малины, то мешок сахару. Галя варила варенье вместе с Оксаной Сергеевной, единственным оставшимся близким человеком. Однажды та сказала:

— Галочка, я тебе обещаю, клянусь, пока у меня хватит здоровья, я детей не оставлю. Не волнуйся.

— Я знаю, Оксана Сергеевна, знаю.

— Галочка, но как же страшно стало жить! — воскликнула Оксана Сергеевна.

— Всегда было страшно.

— Да, ты права, конечно.

Оксана Сергеевна обожала Светку, уделяя ей больше времени, чем Славику. Светка была пытливая, сообразительная девочка, впитывала все как губка. Она учила ее плести макраме, шить фартуки и косыночки, вязать носки. Галя смеялась:

— Оксана Сергеевна, можно подумать, вы ее к тюрьме готовите.

— Не шути так, Галочка, не надо, — обижалась Оксана Сергеевна. — Но эти навыки ей в жизни пригодятся. Не дай-то бог. Не дай-то бог.

Нет, это тоже было позже, когда уже Виктор вышел на свободу. А тогда они просто жили и ждали его.

Галя делала все, чтобы у Славика сохранился привычный режим. Но укладывая его спать, удивлялась — как мальчик ни разу про отца не спросил? Он забыл? Что творится в голове у ребенка?

Когда Виктор вернулся через год, по УДО, Славик его узнал, кинулся на руки. Начал целовать. Только очень разнервничался и заплакал. Ночью спал плохо, кричал. А утром случился припадок. И Галя поехала с ним в больницу. Она знала, что Славик испугался, не сдержалась и плакала. Оксана Сергеевна тоже плакала. Светка, которую Виктор взял на руки, тоже разрыдалась. Но не потому, что испугалась рук незнакомого дядьки, а потому, что не любила, когда ее таскают на руках. Светка взрослела быстро и терпеть не могла, когда ее тискали и брали «на ручки» как маленькую. Она уже стала самостоятельной девочкой. «Я шама, — твердила Светка. — Нинада. Я шама».

Что будет дальше, Галя не знала. Они с Виктором были мужем и женой по документам, Славика она считала родным сыном, Вероника больше не объявлялась. У Гали был обустроенный быт, работа. От Виктора она успела отвыкнуть. И не понимала, как теперь они будут жить. Он со своей статьей не мог устроиться в пансионат на работу даже дворником. О чем она ему и сказала.

— Рашид Камильевич меня возьмет. Не волнуйся. Не дворником, так грузчиком, — ответил он.

— Не возьмет, — ответила Галя, — он умер.

Она рассказала, что Рашид Камильевич очень быстро стал сдавать после той истории. Сидел в кабинете и смотрел в стену. И умер на своем рабочем месте, за столом. Кровоизлияние в мозг. То ли он тогда сильно испугался, то ли еще что.

Виктор кивнул. Кажется, он разучился удивляться.

— Я пойду к Артуру.

— Артур уехал. Говорят, в Москву. Ресторан пока закрыт, новые владельцы ремонт делают. Не местные. Хотят там караоке-бар открыть.

Он опять кивнул.

Сначала Виктор уехал к матери, потом в город. Регулярно присылал деньги Гале. Работал то таксистом, то еще кем-то. Домой приезжал зимой, не в сезон.

— Давай продадим эту квартиру и в город уедем, — предложил он Гале.

— Нет. Славику там хуже будет. Ему морской воздух полезен. Ты сам знаешь. Живи там, работай, а мы здесь как-нибудь. Может, еще все и изменится.

— Ничего не изменится. Уже ничего. Давай разведемся.

— Зачем?

— Чтобы ты чувствовала себя свободной.

Галя пожала плечами. Они развелись так же быстро, как поженились. Галя, разглядывая печать в паспорте, думала, неужели Виктор так ничего и не понял? Не понял того, что она никогда не будет свободной. Как и он.

Сколько прошло времени — год, два. Да нет, больше. Галя опять оказалась права. Все изменилось. Сменилась власть, пришли новые люди, а бывшие... Кто знает, куда деваются бывшие начальники?

Виктор иногда заходил к Эдуарду — выпить, посидеть. Эдик стал вроде как близким другом. Они никогда не вспоминали прошлое. Часто Эдик даже не отрывался от работы, а Виктор смотрел, как тот лепит, месит, вытирает руки тряпкой. Эдик стал местной знаменитостью. Гипсовые русалки на дачах чиновников и скульптуры садовых гномов сослужили ему хорошую службу. Эдик стал не только членом Союза художников, но и представителем власти, так сказать. Если речь шла о культуре, к ответу призывали Эдуарда. Он прекрасно выглядел — подтянутый, непьющий, спокойный. Он хорошо говорил, умел произвести впечатление. В нем чувствовалась харизма. Оказался прирожденным политиком. Эдуард возглавил комитет по культуре или что-то в этом роде. И в его ведении оказался Дом творчества, забытый, не поделенный, чудом уцелевший.

— Пойдешь туда работать? — спросил Эдик Виктора, не отрываясь от работы.

— Меня не возьмут, ты же знаешь.

— Я возьму. Директором.

— А Галя?

— Галю я уже нанял. Она будет главным администратором. Уже набирает людей.

Так Виктор вернулся в поселок. И стал директором Дома творчества. Он сменил не только статус, но и имя — его вдруг все стали называть Ильичом.

Надо сказать Гале, что появился этот Борис Михайлович, который требует подписать бумаги. И про объявившуюся вдруг Веронику сказать. Или не говорить? Хоть бы дали этот сезон доработать, а там видно будет. Светку надо в город отправить учиться.

Ильич очнулся. Он сидел за столом. Ритка смеялась, что-то рассказывала про гастроли. Что хватит, эти гастроли — последние. Наскакалась. Да и Алису пора на пенсию отправить.

— Светка, давай я тебя с собой заберу. Поехали. Тебе в столице надо учиться, — говорила Ритка. — Жить со мной будешь. У меня квартира двухкомнатная. Ну что я, тебя не прокормлю? Галь, ну хоть ты ей скажи.

— Хорошо, теть Рит, приеду, — легко согласилась Светка.

— Только в цирковое тебе поздно, — ахнула Ритка.

— Я в Строгановку хочу. Дядя Эдик меня учил. Попробую поступить.

Галя застыла с открытым ртом.

— Ну и ладненько! — обрадовалась Ритка.

Ильич подумал, что надо потянуть время с этим Борисом Михайловичем. До того как Светка уедет. Тогда он сможет и Галю отправить. Не станут же они закрывать Дом творчества в разгар сезона. А отдыхающие? Выставят их из номеров? Нет, скандалы им не нужны. Им по-тихому все надо сделать. Значит, время у него есть. А Веронике надо позвонить и сказать, чтобы не приезжала. Вот прямо завтра с утра и позвонит. Или поехать к Эдику, расспросить про этого Бориса Михайловича? Откуда он взялся, ради какой шишки старается? Эдик-то наверняка в курсе. Или вообще под дурачка сыграть? Он ведь кто? Наемный работник. Никто, значит.

Ритка долго целовалась на прощание и обнималась. Галя улыбалась.

— Все, Светка, пакуй шмотки! — кричала Ритка.

Утром следующего дня Ильич проснулся от криков. Он уснул, впервые за долгое время, и, видимо, проспал. Крики доносились с террасы. Он слышал голоса Гали, Федора. Славика не было. Ильич выскочил во двор и замер на месте. Горел один из кипарисов. Галя звонила по мобильному. Федор поливал из огнетушителя. Тетя Валя стояла с ведром воды. Все замерли, как в немой сцене — смотрели на горящий факелом кипарис. Отовсюду бежали люди. Но зайти за ворота никто не решался. Наконец слепой дядя Петя размотал шланг и медленно, не спеша, открыл кран. Из шланга ударила струя воды.

— Славик! Славик! — позвал Ильич.

Мальчик стоял поодаль и из детской леечки поливал ноги Кати-дурочки. Она была спокойна и с улыбкой смотрела на дерево.

— Папа, мы потушили пожар! — обрадовался ничуть не испуганный Славик. — Мы пожарники!

— Что тут случилось? — спросил в пустоту Ильич. Он думал, что его вопрос никто не услышит.

— Виктор Ильич, не волнуйтесь, — сказала Катя-дурочка. — Галина Васильевна посадит на этом месте другое дерево. Может, олеандр? Галина Васильевна, как вам нравятся олеандры? Или, может, пальму? Почему бы и нет? Мне кажется, пальма была бы тут уместна. Впрочем, неважно. Виктор Ильич, не беспокойтесь. Мне этот кипарис порядком надоел. Да и не нравился он мне никогда. Попросите дядю Петю выкорчевать корни. Они мне мешают. Уже давно. Я тут вышла на свою террасу и просто ужаснулась — эти корни свисают мне прямо на голову! Я вам не говорила?

— Нет, не говорили, — выдавил из себя Ильич.

— Я понимаю, что кипарисы могут представлять ценность, и Инна Львовна может быть возмущена. Но вы все на меня валите. Смело валите! Скажите ей, что я во всем виновата!

— Так это вы подожгли кипарис? — уточнил Ильич, у которого начинало стучать в висках.

— Ну конечно, я. Кто же еще? Вам же Славик объяснил — мы играли в пожарников.

— Да, папа, мы пожарники! — подтвердил Славик.

— Катя, с вами-то все в порядке? Вы не пострадали?

— Нет, уверяю вас, сейчас все просто прекрасно.

Весь день Федор с дядей Петей под руководством Галины Васильевны выкорчевывали кипарис. И, как ни странно, терраса стала казаться больше и светлее. Тетя Валя вынесла во двор еду, напитки и накрыла на стол.

— Слушайте, а мне нравится! — объявила она.

— Мне тоже, — поддержала Галя. — Вить, а давай тут детскую площадку оборудуем? Горку поставим, качели, карусели?

— А мои экскурсии? Как же экскурсии? — всполошилась Инна Львовна.

— Так вам же лучше будет — мы вон туда, подальше, лавочки поставим, как в театре, в ряд, вы будете экскурсию проводить, а дети в это время на качелях покачаются. И вам не будут мешать.

— Да, в этом предложении есть рациональное зерно, — согласилась Инна Львовна.

— Только я никак не пойму, чё на Катьку-то нашло? — ахала тетя Валя. — Чё она вдруг дерево подпалила?

— Сказала, что оно ей стало мешать, — ответил Ильич.

Тут за воротами появился новый гость — Эдуард. Тетя Валя подскочила и начала метать на стол закуски, как будто у нее на кухне лежала скатерть-самобранка.

— Эдик! А у меня курочка на гриле! И салатик! А хочешь, я тебе морковку с яблочком потру? — запричитала тетя Валя. — А у нас тут вон что случилось.

Федор притащил вина. Появился Вань-Вань. Пришла Катя в красивом пляжном платье. Сейчас она выглядела много моложе своих лет. И вдруг всем показалась удивительной красавицей. Все сидели, разговаривали, обсуждали, как жить дальше, без кипариса.

— Ильич, ну вы даете! — сказал тихо Эдик.

— Ну да, сам не ожидал. Но это же Катя... наверное, обострение...

— У кого обострение? — не понял Эдик.

— У Кати, — Ильич кивком указал на виновницу пожара.

— Так это она? То-то она мне сразу понравилась.

— Не понял.

Эдуард рассказывал, давясь от смеха. Сегодня утром Борис Михайлович, доверенное лицо будущего мэра, приехал по душу Ильича. Но первой, на кого наткнулся, была Катя. Она вежливо уточнила, по каким таким делам приехал Борис Михайлович, а тот возьми и скажи, что Дом творчества скоро закроют. Будущий мэр решил сделать дом своей ближней дачей.

— Как интересно! — вежливо сказала Катя.

Борис Михайлович стал расспрашивать, кто живет внизу, кому принадлежит столь уникальный спуск к морю, а Катя тем временем суетилась во дворе. Посланец мэра даже не понял, что происходит, — Катя двигалась красиво и спокойно. Она достала канистру с бензином, которую дядя Петя хранил на всякий пожарный, это уже смешно звучит, перелила бензин в лейку и начала поливать кипарис. Пока Борис Михайлович выяснял, сколько квадратных метров в том доме, что внизу, какова площадь сада, Катя вылила весь бензин на кипарис, достала сигарету. Посланец вежливо преподнес зажигалку даме. Было ветрено, дама положила свои руки на ладони Бориса Михайловича, забрала зажигалку и неудачно щелкнула... Дерево вспыхнуло факелом.

— Если вы еще хоть раз сюда приедете, — спокойно сказала Катя, прикуривая наконец сигарету, — я подожгу дом. Вместе с будущим мэром. Разве вы не знаете, что я сумасшедшая? Странно, все знают. Я ведь даже лежала в психиатрической больнице. И я владелица дома, который внизу. Ой, вы знаете, я даже вас могу поджечь. Случайно.

Катя плеснула на Бориса Михайловича остатки бензина из лейки. Тот заорал как резаный и кинулся за ворота.

— Нет, я всего ожидал. Думал, сам с ними разберусь, но чтобы так... это я тебе скажу — высший пилотаж, — хохотал Эдик и с интересом смотрел на Катю.

— А что будущий мэр? — спросил Ильич.

— Обещал отреставрировать ворота Дома творчества. Мне заказал, кстати. И собирается построить новую детскую площадку.

— Значит, все хорошо? — уточнил Ильич.

— Ну, пока да. На следующий сезон точно. А там не знаю... — хмыкнул Эдуард.

— Эдик, а мангал? Куда мангал? — вдруг вспомнила тетя Валя.

— Эдик, надо рамы менять. И кондиционеры поставить! — поддакнула Галя.

— Мне бы шланг новый, — подал голос дядя Петя.

— И библиотеку! Надо непременно библиотеку! — закричала заполошно уже пьяненькая Инна Львовна. — Детскую!

Вероника, кстати, так и не приехала. Сезон получился удачным. Зимой сыграли свадьбу — Эдик женился на Кате-дурочке. Светка поступила в Строгановку и перекрасила всю мебель в доме Ритки. Вань-Вань подарил Инне Львовне котенка, трехцветного. Тетя Валя поставила в столовой кондиционер.

Да, такой конец был бы идеальным для закрытия сезона и курортного романа. Но все сложилось не так. А так, как бывает в жизни. Эдик вдруг стал неугоден новой власти и был снят со всех должностей. Он запил. Но не из-за этого. Он действительно женился на Кате, и они прожили одну счастливую зиму и одну счастливую весну. В начале сезона Катя утонула — заплыла далеко, за скалы, течение было слишком сильным. Вот после этого-то Эдик начал потихоньку спиваться. Светку отчислили из Строгановки, и она вернулась в поселок — мыть унитазы. Инна Львовна задушила подаренного котенка и боялась, что Вань-Вань об этом узнает. Мертвого котенка она хранила в морозилке рядом с пельменями. Остаток жизни Инна Львовна провела в психиатрической больнице, где писала роман в эпистолярном жанре.

В пансионате шел ремонт — сменились владельцы. Ильич ушел «по собственному». Директором стал Федор. Первое, что он сделал, — уволил Галину Васильевну. Правда, раздуваясь от собственного благородства, разрешил и Ильичу, и Галине Васильевне жить в подвальных номерах.

Тетя Валя умерла. На кухне. Случился сердечный приступ. Она упала лицом на раскаленную плиту. Ее хоронили в закрытом гробу.

Начинался новый сезон. Теперь — для Светки и Федора. Да, Светка вышла замуж за Федора. Кто бы мог подумать...

Литературно-художественное издание

ПРОЗА МАШИ ТРАУБ

Трауб Маша

УВАЖАЕМЫЕ ОТДЫХАЮЩИЕ!

Ответственный редактор *Ю. Раутборт*
Младший редактор *Е. Долматова*
Художественный редактор *С. Груздев*
Технический редактор *О. Лёвкин*
Компьютерная верстка *Е. Кумшаева*
Корректор *Е. Родишевская*

ООО «Издательство «Э»
123308, Москва, ул. Зорге, д. 1. Тел. 8 (495) 411-68-86.

Өндіруші: «Э» АҚБ Баспасы, 123308, Мәскеу, Ресей, Зорге көшесі, 1 үй.
Тел. 8 (495) 411-68-86.
Тауар белгісі: «Э»
Қазақстан Республикасында дистрибьютор және өнім бойынша арыз-талаптарды қабылдаушының өкілі «РДЦ-Алматы» ЖШС, Алматы қ., Домбровский көш., 3«а», литер Б, офис 1.
Тел.: 8 (727) 251-59-89/90/91/92, факс: 8 (727) 251 58 12 вн. 107.
Өнімнің жарамдылық мерзімі шектелмеген.
Сертификация туралы ақпарат сайтта Өндіруші «Э»

Сведения о подтверждении соответствия издания согласно законодательству РФ о техническом регулировании можно получить на сайте Издательства «Э»

Өндірген мемлекет: Ресей
Сертификация қарастырылмаған

Подписано в печать 08.02.2017. Формат 84x108 $^{1}/_{32}$.
Гарнитура «Гарамонд». Печать офсетная. Усл. печ. л. 18,48.
Тираж 10 000 экз. Заказ № 2362.

Отпечатано в ООО «Тульская типография».
300026, г. Тула, пр. Ленина, 109.

В электронном виде книги издательства вы можете купить на **www.litres.ru**

Оптовая торговля книгами Издательства «Э»:
142700, Московская обл., Ленинский р-н, г. Видное,
Белокаменное ш., д. 1, многоканальный тел.: 411-50-74.

По вопросам приобретения книг Издательства «Э» зарубежными оптовыми покупателями обращаться в отдел зарубежных продаж
International Sales: International wholesale customers should contact Foreign Sales Department for their orders.

По вопросам заказа книг корпоративным клиентам, в том числе в специальном оформлении, *обращаться по тел.: +7 (495) 411-68-59, доб. 2261.*

Оптовая торговля бумажно-беловыми и канцелярскими товарами для школы и офиса:
142702, Московская обл., Ленинский р-н, г. Видное-2,
Белокаменное ш., д. 1, а/я 5. Тел./факс: +7 (495) 745-28-87 (многоканальный).

Полный ассортимент книг издательства для оптовых покупателей:
В Санкт-Петербурге: ООО СЗКО, пр-т Обуховской Обороны, д. 84Е.
Тел.: (812) 365-46-03/04.
В Нижнем Новгороде: 603094, г. Нижний Новгород, ул. Карпинского, д. 29,
бизнес-парк «Грин Плаза». Тел.: (831) 216-15-91 (92/93/94).
В Ростове-на-Дону: ООО «РДЦ-Ростов», 344023, г. Ростов-на-Дону,
ул. Страны Советов, 44 А. Тел.: (863) 303-62-10.
В Самаре: ООО «РДЦ-Самара», пр-т Кирова, д. 75/1, литера «Е».
Тел.: (846) 269-66-70.
В Екатеринбурге: ООО«РДЦ-Екатеринбург», ул. Прибалтийская, д. 24а.
Тел.: +7 (343) 272-72-01/02/03/04/05/06/07/08.
В Новосибирске: ООО «РДЦ-Новосибирск», Комбинатский пер., д. 3.
Тел.: +7 (383) 289-91-42.
В Киеве: ООО «Форс Украина», г. Киев,пр. Московский, 9 БЦ «Форум».
Тел.: +38-044-2909944.

Полный ассортимент продукции Издательства «Э» можно приобрести в магазинах «Новый книжный» и «Читай-город».
Телефон единой справочной: 8 (800) 444-8-444.
Звонок по России бесплатный.

В Санкт-Петербурге: в магазине «Парк Культуры и Чтения БУКВОЕД»,
Невский пр-т, д.46. Тел.: +7(812)601-0-601, www.bookvoed.ru

Розничная продажа книг с доставкой по всему миру.
Тел.: +7 (495) 745-89-14.

ISBN 978-5-699-95569-5